HARRAP'S
VERBES
ALLEMANDS

par

LEXUS

avec

Horst Kopleck

HARRAP

Edition publiée en France 1989
par Chambers Harrap Publishers Ltd
7 Hopetoun Crescent, Edinburgh EH7 4AY
Grande-Bretagne

Edition d'un format plus grand,
publiée en 1998

ISBN 0 245 50364 1

Réimprimé 1999

Dépôt légal : janvier 1998

Imprimé en France

Table des Matières

Glossaire des Termes Grammaticaux

ACTIF
La voix active est la forme de base d'un verbe. Elle suit le modèle suivant : *je le vois,* et elle s'oppose à la voix passive : *il est vu.*

AUXILIAIRE
L'auxiliaire s'utilise pour former les temps composés d'autres verbes (par exemple : *avoir* dans *j'**ai** vu,* ou *être* dans *je **suis** allé*). Les principaux auxiliaires en allemand sont **sein, haben** et **werden.**

COMPOSE
Les temps composés sont des temps qui sont formés de deux éléments. En allemand, les temps composés se construisent avec l'**auxiliaire** et le **participe passé** et/ou l'**infinitif** : *ich habe gesehen, er ist gekommen, er wird kommen.*

CONDITIONNEL
Ce mode s'utilise pour décrire ce que quelqu'un ferait, ou un événement qui se produirait si une condition était remplie (par exemple : *je **viendrais** si je pouvais* ; *tu l'**aurais** vu si tu étais venue*).

CONJUGAISON
La conjugaison d'un verbe est l'ensemble des différentes formes de ce verbe à des temps et modes divers.

IMPERATIF
Mode utilisé pour donner des ordres (par exemple : *arrête !, ne regarde pas !*), ou pour faire des suggestions (par exemple : *allons-y !*).

INDICATIF
Mode énonçant la réalité, comme *j'aime, il vint.* Il s'oppose au **subjonctif**, au **conditionnel** et à l'**impératif**.

INFINITIF
L'infinitif est la forme du verbe que l'on trouve dans les dictionnaires. Ainsi *manger, finir, prendre* sont des infinitifs. En allemand, tous les infinitifs se terminent par *-n* : *leben, gehen, lächeln, ärgern*.

MODE
Nom donné aux quatre principales classifications dans lesquelles un verbe est conjugué. cf INDICATIF, SUBJONCTIF, CONDITIONNEL, IMPERATIF.

OBJET DIRECT
Nom ou pronom qui en français peut suivre ou précéder un verbe sans y être lié par une préposition. Par exemple : *j'ai rencontré **un ami***. En allemand le complément d'objet direct est toujours à l'accusatif (par exemple : *ich kenne **ihn** (je **le** connais*)). Notez qu'en français on omet la préposition devant le pronom (par exemple : *je **lui** ai envoyé un cadeau* — *lui* équivaut à *à lui* ; *un cadeau* est le complément d'objet direct).

PARTICIPE PASSE
Le participe passé est la forme du verbe utilisé dans les temps composés (*j'ai **mangé**, j'ai **fini***). On peut aussi l'utiliser comme adjectif (*il est bien **élevé***).

PARTICIPE PRESENT
Le participe présent est la forme du verbe qui se termine par *-ant* en français (*-end* en allemand).

PASSIF
Un verbe est à la voix passive lorsque le sujet du verbe ne fait pas l'action, mais la subit. En français le passif se forme avec le verbe *être* et le participe passé du verbe (par exemple : *il fut récompensé*).

PERSONNE
A tous les temps, il existe trois personnes au singulier (1ère : *je* ; 2ème : *tu* ; 3ème : *il/elle*), et trois au pluriel (1ère : *nous* ; 2ème : *vous* ; 3ème : *ils/elles*).

PROPOSITION SUBORDONNEE
Groupe de mots avec un sujet et un verbe dépendant d'une autre proposition (par exemple : dans *il dit **qu'il partirait***, *qu'il partirait* est la proposition subordonnée dépendant de *il dit*).

RACINE DES VERBES La racine d'un verbe est 'l'unité de base' à laquelle s'ajoutent les différentes terminaisons. Pour trouver la racine d'un verbe allemand, il suffit d'enlever *-en* ou *-n* à l'infinitif. La racine de *sagen* est *sag*, la racine de *ärgern* est *ärger*.

REFLECHI Les verbes réfléchis 'renvoient' l'action du sujet sur lui-même (*je me suis habillé*). On les trouve toujours accompagnés d'un pronom réfléchi. Ils sont très courants en allemand.

SUBJONCTIF Mode énonçant un doute, une volonté, un sentiment (*il se peut qu'il vienne, je voudrais qu'il parte*).

TEMPS Les verbes s'utilisent par temps. Ceux-ci indiquent lorsque l'action a eu lieu, par exemple dans le présent, le passé ou le futur.

TERMINAISONS La terminaison d'un verbe est déterminée suivant que son sujet est à la 1ère, 2ème ou 3ème personne du singulier ou du pluriel.

VOIX Les deux voix d'un verbe sont la forme active et la forme passive.

Introduction

A LES TYPES DE VERBES

Il existe deux grandes catégories de verbes en allemand : les verbes faibles et les verbes forts.

La principale différence entre ces deux catégories réside dans la formation du prétérit et du participe passé : à la racine (infinitif sans la terminaison en **-(e)n**) du verbe faible on ajoute un **-t** ; pour les verbes forts, c'est la voyelle de la racine du verbe qui change pour former le prétérit et le participe passé. Par exemple :

		prétérit	participe passé
faible :	**packen**	**ich packte**	**gepackt**
fort :	**singen**	**ich sang**	**gesungen**

La conjugaison des verbes en allemand est donc différente de celle des verbes français. Par conséquent il est nécessaire d'apprendre la liste des verbes forts allemands pour pouvoir maîtriser leur conjugaison.

Les verbes faibles, qui ont une conjugaison régulière, sont cependant de loin les plus nombreux. Les verbes empruntés à d'autres langues sont toujours faibles (par exemple : **sabotieren — sabotiert** (saboter)). Toutefois un grand nombre de verbes forts sont des verbes très courants. C'est le cas de **sein** (être), **gehen** (aller) dont chacune des formes doit être apprise.

Il existe aussi un groupe de verbes appelés 'verbes faibles irréguliers' : ils sont au nombre de neuf :

brennen (brûler)	**rennen** (courir)
bringen (apporter)	**senden** (envoyer)
denken (penser)	**wenden** (tourner)
kennen (connaître)	**wissen** (savoir)
nennen (nommer)	

Ces verbes possèdent à la fois certaines particularités des verbes forts et certaines des verbes faibles. Leurs différentes formes sont données dans les tableaux des conjugaisons.

B L'EMPLOI DES TEMPS

La section suivante donne des explications accompagnées d'exemples sur les différents temps et modes des verbes figurant dans les tableaux des conjugaisons de ce livre.

1   On utilise le **PRESENT** :

    i) pour exprimer une action ou un état dans le présent :

    ich fühle mich schlecht
    je me sens mal

    es regnet
    il pleut

    ii) pour exprimer une affirmation d'ordre général ou une vérité universelle :

    Sabine hört gern Rockmusik
    Sabine aime écouter de la musique rock

    Zeit ist Geld
    le temps c'est de l'argent

    iii) très couramment en allemand pour exprimer un futur :

    er kommt morgen
    il arrive/arrivera demain

    nächste Woche bekommst du einen Brief
    tu recevras une lettre la semaine prochaine

2   Le **PRETERIT** est le temps de la narration (romans, articles de journaux, histoires) :

    er ging die Straße entlang
    il suivit la rue

    der russische Außenminister traf gestern in Berlin ein
    le ministre russe des affaires étrangères est arrivé hier à Berlin

    Le prétérit est le temps utilisé le plus couramment avec les verbes **être, avoir** et les auxiliaires de mode lorsqu'on fait référence au passé.

    das war klasse   **es war die einzige, die sie hatten**
    c'était super   c'était la seule qu'ils avaient

    ich konnte es kaum glauben
    je pouvais à peine le croire

3   Le **PARFAIT** (ou passé composé) est le temps que l'on utilise dans la conversation courante lorsque l'on parle du passé (sauf dans l'utilisation de **haben**, **sein** et des auxiliaires de mode mentionnés dans le paragraphe 2).

> **hast du ihn gesehen?**   **wann ist sie gekommen?**
> l'as-tu vu ?   quand est-elle arrivée ?

Ceci ne signifie cependant pas que le prétérit ne peut pas s'employer dans une conversation en allemand. Si par exemple vous parlez d'une série d'événements, vous pouvez utiliser le prétérit (c'est comme si vous racontiez une histoire). Mais pour de simples affirmations, comme dans les deux exemples ci-dessus, un prétérit serait mal venu.

4   Le **PLUS-QUE-PARFAIT** s'utilise pour faire référence à des événements qui ont précédé un moment précis du passé :

> **nachdem wir den Film gesehen hatten, gingen wir ins Café**
> après avoir vu le film, nous sommes allés dans un café

5   Le **FUTUR** s'utilise pour exprimer un fait qui va se produire après le moment où l'on parle. Le futur comme dans :

> **ich werde ihn morgen treffen**
> je le rencontrerai demain

s'exprime aussi par le présent :

> **ich treffe ihn morgen**
> je le rencontre/rencontrerai demain

On l'emploie aussi pour une supposition concernant le présent :

> **er hört mich nicht, er wird das Radio an haben**
> il ne m'entend pas, sa radio doit être allumée

6   Le **FUTUR ANTERIEUR** s'emploie pour faire référence à un événement qui se sera produit dans le futur (comme dans 'je l'aurai fini lundi'). Il s'emploie aussi couramment en allemand pour exprimer une supposition concernant le présent.

> **er wird es vergessen haben**
> il l'aura oublié

7   Le **CONDITIONNEL** s'emploie pour faire référence à ce qui se produirait ou à ce que quelqu'un ferait si certaines conditions étaient remplies :

> **wenn das passiert, würde ich mich sehr freuen**
> si ça arrive, je serais vraiment content

das würden wir nicht akzeptieren
nous n'accepterions pas cela

8 Le **SUBJONCTIF** s'utilise principalement :

i) pour exprimer des hypothèses où la condition n'a pas été
réalisée ou n'est pas réalisable :

wenn ich mehr Zeit hätte, ginge ich öfter spazieren
si j'avais plus de temps, j'irais plus souvent me promener

wenn er mich gefragt hätte, hätte ich ihm Geld geliehen
s'il me l'avait demandé, je lui aurais prêté de l'argent

wenn es nur schon Weihnachten wäre
si seulement c'était Noël

ii) dans un allemand soutenu, par exemple aux informations, pour
rapporter des paroles, ou ce que l'on appelle 'discours indirect' :

discours direct :   j'irai là-bas
discours indirect : il a dit qu'il irait là-bas

On trouve le discours indirect après des verbes exprimant une
affirmation ou une question. En allemand c'est l'unique cas où
daß introduisant la subordonnée peut être omis. Si **daß** est
omis, la phrase garde son ordre normal :

der Minister erklärte, daß dies unmöglich sei/wäre
le ministre déclara que cela était impossible

der Minister erklärte, dies sei/wäre unmöglich
le ministre déclara que cela était impossible

Le choix des temps au discours indirect dépend du temps utilisé
au discours direct d'origine, comme le montre le tableau
suivant :

temps de l'indicatif au discours direct	temps du subjonctif au discours indirect
présent	présent ou prétérit
prétérit parfait plus-que-parfait	passé composé, plus-que-parfait
futur	futur, **würde** + infinitif

Exemples :

ich finde es schwierig je trouve cela difficile	**er hat gesagt, er finde/fände es schwierig** il a dit qu'il trouvait cela difficile
ich fand es schwierig **ich habe es schwierig gefunden** j'ai trouvé cela difficile **ich hatte es schwierig gefunden** j'avais trouvé cela difficile	**er hat gesagt, er habe/hätte es schwierig gefunden** il a dit qu'il avait trouvé cela difficile
ich werde es schwierig finden je trouverai cela difficile	**er hat gesagt, er werde/würde es schwierig finden** il a dit qu'il trouverait cela difficile

9 L'utilisation des **PARTICIPES** :

i) Le **PARTICIPE PRESENT** s'utilise principalement comme adjectif avant un nom ou après **sein** :

eine ansteckende Krankheit
une maladie infectieuse

diese Krankheit ist ansteckend
cette maladie est infectieuse

ii) Le **PARTICIPE PASSE** s'utilise pour former des temps composés, et aussi comme adjectif :

das verdammte Auto　　　**ein gelungener Versuch**
la fichue voiture　　　　　　une expérience réussie

10 L'**IMPERATIF** s'emploie pour donner des ordres ou pour faire des suggestions. L'ordre des formes de l'impératif est le suivant : **du, ihr, Sie** et **wir** :

komm her!　　　　　　　**kommt doch mit!**
viens ici !　　　　　　　　venez donc avec nous !

bleiben Sie stehen!　　　**gehen wir!**
arrêtez-vous !　　　　　　allons-y !

Dans les tableaux des conjugaisons, vous verrez un **e** facultatif entre guillemets. Dans les conversations courantes on ne prononce pas ce **e**.

C LES AUXILIAIRES DE MODE

Les auxiliaires de mode allemands sont :

dürfen	pouvoir (*permission*)
können	pouvoir
mögen	aimer
müssen	devoir
sollen	devoir
wollen	vouloir

Lorsqu'ils sont employés avec un autre verbe, ce dernier est à l'infinitif :

ich darf kein Salz essen
je ne dois pas manger de sel

er muß morgen abreisen
il faut qu'il parte demain

ich habe ihn nicht verstehen können
je n'ai pas pu le comprendre

D TRADUIRE 'VOUS' PAR *ihr* OU *Sie*

Sie est la forme de politesse allemande correspondant à la forme de politesse 'vous' en français. On emploie donc **Sie** au singulier et au pluriel. Il ne faut pas confondre **Sie** avec **sie** (ils/elles), bien qu'ils aient la même forme.

ihr est la forme familière de la deuxième personne du pluriel. C'est donc le pluriel de **du**. On l'emploie lorsque l'on s'adresse à un groupe de gens que l'on connaît bien (même si l'on s'adressait individuellement à certains d'entre eux que l'on connaît moins avec la forme de politesse **Sie**).

E LES VERBES SE CONJUGUANT AVEC *SEIN* OU *HABEN*

1 Beaucoup de verbes de mouvement se conjuguent avec l'auxiliaire
sein ou **haben** suivant leur sens. Les verbes exprimant un
mouvement d'un point à un autre se conjuguent avec l'auxiliaire
sein. Si le mouvement n'exprime qu'un moyen de passer le temps,
le verbe se conjugue avec **haben**. Par exemple :

sie sind nach Griechenland gesegelt
ils sont allés en Grèce en voilier

im Urlaub hat er jeden Tag gesegelt
pendant ses vacances, il a fait de la voile tous les jours

2 Certains verbes de mouvement sont à la fois transitifs et
intransitifs. Dans le premier cas, ils se conjuguent avec **haben**,
dans le second avec **sein** :

gestern hat er den Wagen gefahren
hier il a conduit la voiture

sie ist mit dem Wagen nach Hause gefahren
elle est retournée chez elle en voiture

er hat das Rohr gebogen
il a courbé le tuyau

sie ist um die Ecke gebogen
elle a tourné au coin

F LE PASSIF

Au passif, on transforme la phrase à la forme active ('il fait cela'), de manière à ce que le complément d'objet direct devienne le sujet ('cela est fait par lui').

Il existe deux voix passives en allemand : le passif-action, exprimant une action en cours (formé avec **werden**) et le passif-état, exprimant le résultat de cette action (formé avec **sein**) :

> **die Vase wurde zerbrochen**
> le vase a été cassé (*quelqu'un l'a fait tombé*)

> **die Vase war zebrochen**
> le vase était cassé (*il était en morceaux*)

Lorsque le complément d'agent (celui par qui l'action a été produite) est mentionné, il faut employer **werden** :

> **diese Wohnungen werden von der Stadt gebaut**
> ces appartements sont construits par la municipalité

mais :

> **unser Haus ist schon gebaut**
> notre maison est déjà construite

Vous trouverez la conjugaison d'un verbe au passif au dos de cette page :

GEBRAUCHT WERDEN être utilisé, être nécessaire

PRESENT	**PRETERIT**	**FUTUR**
ich werde gebraucht	ich wurde gebraucht	ich werde gebraucht werden
du wirst gebraucht	du wurdest gebraucht	du wirst gebraucht werden
er/sie wird gebraucht	er/sie wurde gebraucht	er/sie wird gebraucht werden
wir werden gebraucht	wir wurden gebraucht	wir werden gebraucht werden
ihr werdet gebraucht	ihr wurdet gebraucht	ihr werdet gebraucht werden
Sie werden gebraucht	Sie wurden gebraucht	Sie werden gebraucht werden
sie werden gebraucht	sie wurden gebraucht	sie werden gebraucht werden

PARFAIT	**PLUS-QUE-PARFAIT**	**CONDITIONNEL**
ich bin gebraucht worden	ich war gebraucht worden	ich würde gebraucht (werden)
du bist gebraucht worden	du warst gebraucht worden	du würdest gebraucht (werden)
er/sie ist gebraucht worden	er/sie war gebraucht worden	er/sie würde gebraucht (werden)
wir sind gebraucht worden	wir waren gebraucht worden	wir würden gebraucht (werden)
ihr seid gebraucht worden	ihr wart gebraucht worden	ihr würdet gebraucht (werden)
Sie sind gebraucht worden	Sie waren gebraucht worden	Sie würden gebraucht (werden)
sie sind gebraucht worden	sie waren gebraucht worden	sie würden gebraucht (werden)

SUBJONCTIF

PRESENT	**PASSE COMPOSE**
ich werde gebraucht	ich würde gebraucht
du werdest gebraucht	du würdest gebraucht
er/sie werde gebraucht	er/sie würde gebraucht
wir werden gebraucht	wir würden gebraucht
ihr werdet gebraucht	ihr würdet gebraucht
Sie werden gebraucht	Sie würden gebraucht
sie werden gebraucht	sie würden gebraucht

PRETERIT	**PLUS-QUE-PARFAIT**
ich sei gebraucht worden	ich wäre gebraucht worden
du sei(e)st gebraucht worden	du wär(e)st gebraucht worden
er/sie sei gebraucht worden	er/sie wäre gebraucht worden
wir seien gebraucht worden	wir wären gebraucht worden
ihr seiet gebraucht worden	ihr wär(e)t gebraucht worden
Sie seien gebraucht worden	Sie wären gebraucht worden
sie seien gebraucht worden	sie wären gebraucht worden

INFINITIF

PRESENT
gebraucht werden

PASSE
gebraucht worden sein

PARTICIPE

PRESENT
gebraucht werdend

PASSE
gebraucht worden

IMPERATIF

werde gebraucht!
werdet gebraucht!
werden Sie gebraucht!
werden wir gebraucht!

FUTUR ANTERIEUR

ich werde gebraucht worden sein
du wirst gebraucht worden sein *etc*

G LES PARTICULES

1 Les **PARTICULES INSEPARABLES** sont :

zer-	miß-
be-	emp-
er-	ent-
ge-	ver-

Les particules inséparables ont la particularité de ne jamais être séparées du verbe. Au participe passé les verbes à particule inséparable ne prennent pas de **ge-**.

er hat es mir empfohlen
il me l'a recommandé

ich bat ihn, mir ein Restaurant zu empfehlen
je lui ai demandé de me recommander un restaurant

die Bremsen haben versagt
les freins n'ont pas fonctionné

2 Toutes les autres particules employées couramment sont **SEPARABLES**. Ceci signifie qu'elles sont séparables du verbe comme le montrent les exemples ci-dessous, à partir du verbe à particule séparable **mitkommen** :

sie kommt mit
elle vient aussi

kommst du mit?
tu viens ?

wir kommen nicht mit
nous ne venons pas

kommen Sie mit!
venez avec moi/nous !

Cependant, avec des auxiliaires de mode et dans une proposition subordonnée, ces verbes ne sont pas séparés de leur particule :

ich kann leider nicht mitkommen
je ne peux malheureusement pas venir

ich weiß nicht, ob er mitkommt
je ne sais pas s'il vient

Le participe passé des verbes à particule séparable se forme en ajoutant **-ge-**, placé entre la particule et la racine du verbe :

mitkommen - mitgekommen
anfangen - angefangen

sie haben schon angefangen
ils ont déjà commencé

Lorsqu'un verbe à particule séparable est à l'infinitif et qu'il est employé avec **zu**, le **zu** se place entre la particule et la racine du verbe :

er bat uns mitzukommen
il nous demanda de venir aussi

er versuchte, den Weg abzukürzen
il essaya de prendre un raccourci

3 Les particules suivantes peuvent être soit **SEPARABLES** soit **INSÉPARABLES** :

durch-	**unter-**
hinter-	**wider-**
über-	**voll-**
um-	

Dans la plupart des cas, suivant que la particule est séparable ou inséparable, le sens du verbe diffère :

er setzte ans andere Ufer über
il a atteint l'autre rive

mais :

er übersetzte den Brief
il a traduit la lettre

En règle générale le verbe à particule séparable a un sens concret, tandis que le verbe à particule inséparable a un sens abstrait.

H LES VERBES SE CONSTRUISANT AVEC LE DATIF

Voici une liste des verbes les plus courants ayant un complément au datif, comme dans :

er folgt mir	**ich glaube ihr nicht**
il me suit	je ne la crois pas

auffallen	frapper
ausweichen	céder le pas à
befehlen	ordonner
begegnen	rencontrer
danken	remercier
dienen	servir
empfehlen	recommander
erlauben	permettre
fehlen	manquer
folgen	suivre
gefallen	plaire à
gehorchen	obéir à
gehören	appartenir à
gelingen	réussir à
genügen	suffire à
glauben	croire
gratulieren	féliciter
helfen	aider
mißtrauen	se méfier de
passen	aller, convenir
raten	conseiller
reichen	offrir à, suffire à
schaden	endommager
schmeicheln	flatter
trauen	faire confiance à
verbieten	interdire
versichern	assurer
vertrauen	faire confiance à
verzeihen	excuser
vorstehen	présider
weh tun	blesser
widersprechen	contredire
widerstehen	résister
zusehen	veiller à
zustimmen	consentir à

I LES VERBES SUIVIS D'UNE PREPOSITION

Beaucoup de verbes en allemand sont suivis d'une préposition. Il faut donc apprendre le verbe et la préposition qui le suit, ainsi que le cas qui régit cette préposition. Voici une liste de verbes les plus couramment employés :

1 an + *acc*
denken an	penser à (*avoir à l'esprit*)
sich erinnern an	se souvenir de
erinnern an	rappeler
sich gewöhnen an	s'habituer à

2 an + *dat*
es fehlt an	il manque de
leiden an	souffrir de (*maladie*)

3 auf + *acc*
achtgeben auf	faire attention
aufpassen auf	surveiller
sich beschränken auf	se limiter à
sich freuen auf	avoir hâte de
hoffen auf	espérer
reagieren auf	réagir à
rechnen auf	compter sur
sich verlassen auf	compter sur
verzichten auf	renoncer à
warten auf	attendre

4 auf + *dat*
bestehen auf	insister sur

5 aus + *dat*
bestehen aus	se composer de

6 für + *acc*
sich bedanken für	remercier pour
sich einsetzen für	s'employer à
sich entscheiden für	se décider pour
halten für	considérer
sich interessieren für	s'intéresser à
sorgen für	s'occuper de

7 **mit** + *dat*
aufhören mit   arrêter de
einverstanden sein mit   être d'accord avec
rechnen mit   compter sur

8 **nach** + *dat*
fragen nach   demander
schmecken nach   avoir goût de
suchen nach   chercher

9 **über** + *acc*
sich freuen über   se réjouir de
lachen über   rire de
nachdenken über   réfléchir à

10 **um** + *acc*
sich kümmern um   se préoccuper de
sich sorgen um   s'inquiéter pour
es geht um   il s'agit de
es handelt sich um   il s'agit de

11 **unter** + *dat*
leiden unter   souffrir de (*bruit etc*)
verstehen unter   comprendre par

12 **von** + *dat*
abhängen von   dépendre de
sich erholen von   se remettre de
handeln von   traiter de

13 **vor** + *dat*
sich fürchten vor   craindre

14 **zu** + *dat*
beitragen zu   contribuer à
sich entschließen zu   décider de

Tableaux des Conjugaisons

PRESENT	**PRETERIT**	**FUTUR**
ich lehne ab	ich lehnte ab	ich werde ablehnen
du lehnst ab	du lehntest ab	du wirst ablehnen
er/sie lehnt ab	er/sie lehnte ab	er/sie wird ablehnen
wir lehnen ab	wir lehnten ab	wir werden ablehnen
ihr lehnt ab	ihr lehntet ab	ihr werdet ablehnen
Sie lehnen ab	Sie lehnten ab	Sie werden ablehnen
sie lehnen ab	sie lehnten ab	sie werden ablehnen

PARFAIT	**PLUS-QUE-PARFAIT**	**CONDITIONNEL**
ich habe abgelehnt	ich hatte abgelehnt	ich würde ablehnen
du hast abgelehnt	du hattest abgelehnt	du würdest ablehnen
er/sie hat abgelehnt	er/sie hatte abgelehnt	er/sie würde ablehnen
wir haben abgelehnt	wir hatten abgelehnt	wir würden ablehnen
ihr habt abgelehnt	ihr hattet abgelehnt	ihr würdet ablehnen
Sie haben abgelehnt	Sie hatten abgelehnt	Sie würden ablehnen
sie haben abgelehnt	sie hatten abgelehnt	sie würden ablehnen

SUBJONCTIF

PRESENT	**PASSE COMPOSE**
ich lehne ab	ich habe abgelehnt
du lehnest ab	du habest abgelehnt
er/sie lehne ab	er/sie habe abgelehnt
wir lehnen ab	wir haben abgelehnt
ihr lehnet ab	ihr habet abgelehnt
Sie lehnen ab	Sie haben abgelehnt
sie lehnen ab	sie haben abgelehnt

PRETERIT	**PLUS-QUE-PARFAIT**
ich lehnte ab	ich hätte abgelehnt
du lehntest ab	du hättest abgelehnt
er/sie lehnte ab	er/sie hätte abgelehnt
wir lehnten ab	wir hätten abgelehnt
ihr lehntet ab	ihr hättet abgelehnt
Sie lehnten ab	Sie hätten abgelehnt
sie lehnten ab	sie hätten abgelehnt

INFINITIF

PRESENT
ablehnen

PASSE
abgelehnt haben

PARTICIPE

PRESENT
ablehnend

PASSE
abgelehnt

IMPERATIF

lehn(e) ab!
lehnt ab!
lehnen Sie ab!
lehnen wir ab!

FUTUR ANTERIEUR

ich werde abgelehnt haben
du wirst abgelehnt haben *etc.*

2 ABREISEN
partir

PRESENT

ich reise ab
du reist ab
er/sie reist ab
wir reisen ab
ihr reist ab
Sie reisen ab
sie reisen ab

PRETERIT

ich reiste ab
du reistest ab
er/sie reiste ab
wir reisten ab
ihr reistet ab
Sie reisten ab
sie reisten ab

FUTUR

ich werde abreisen
du wirst abreisen
er/sie wird abreisen
wir werden abreisen
ihr werdet abreisen
Sie werden abreisen
sie werden abreisen

PARFAIT

ich bin abgereist
du bist abgereist
er/sie ist abgereist
wir sind abgereist
ihr seid abgereist
Sie sind abgereist
sie sind abgereist

PLUS-QUE-PARFAIT

ich war abgereist
du warst abgereist
er/sie war abgereist
wir waren abgereist
ihr wart abgereist
Sie waren abgereist
sie waren abgereist

CONDITIONNEL

ich würde abreisen
du würdest abreisen
er/sie würde abreisen
wir würden abreisen
ihr würdet abreisen
Sie würden abreisen
sie würden abreisen

SUBJONCTIF
PRESENT

ich reise ab
du reisest ab
er/sie reise ab
wir reisen ab
ihr reiset ab
Sie reisen ab
sie reisen ab

PASSE COMPOSE

ich sei abgereist
du sei(e)st abgereist
er/sie sei abgereist
wir seien abgereist
ihr seiet abgereist
Sie seien abgereist
sie seien abgereist

INFINITIF
PRESENT
abreisen
PASSE
abgereist sein

PARTICIPE
PRESENT
abreisend

PRETERIT

ich reiste ab
du reistest ab
er/sie reiste ab
wir reisten ab
ihr reistet ab
Sie reisten ab
sie reisten ab

PLUS-QUE-PARFAIT

ich wäre abgereist
du wär(e)st abgereist
er/sie wäre abgereist
wir wären abgereist
ihr wär(e)t abgereist
Sie wären abgereist
sie wären abgereist

PASSE
abgereist

IMPERATIF
reis(e) ab!
reist ab!
reisen Sie ab!
reisen wir ab!

FUTUR ANTERIEUR

ich werde abgereist sein
du wirst abgereist sein *etc.*

PRESENT

ich änd(e)re mich
du änderst dich
er/sie ändert sich
wir ändern uns
ihr ändert euch
Sie ändern sich
sie ändern sich

PRETERIT

ich änderte mich
du ändertest dich
er/sie änderte sich
wir änderten uns
ihr ändertet euch
Sie änderten sich
sie änderten sich

FUTUR

ich werde mich ändern
du wirst dich ändern
er/sie wird sich ändern
wir werden uns ändern
ihr werdet euch ändern
Sie werden sich ändern
sie werden sich ändern

PARFAIT

ich habe mich geändert
du hast dich geändert
er/sie hat sich geändert
wir haben uns geändert
ihr habt euch geändert
Sie haben sich geändert
sie haben sich geändert

PLUS-QUE-PARFAIT

ich hatte mich geändert
du hattest dich geändert
er/sie hatte sich geändert
wir hatten uns geändert
ihr hattet euch geändert
Sie hatten sich geändert
sie hatten sich geändert

CONDITIONNEL

ich würde mich ändern
du würdest dich ändern
er/sie würde sich ändern
wir würden uns ändern
ihr würdet euch ändern
Sie würden sich ändern
sie würden sich ändern

SUBJONCTIF
PRESENT

ich ändere mich
du änderest dich
er/sie ändere sich
wir änderen uns
ihr änderet euch
Sie änderen sich
sie änderen sich

PASSE COMPOSE

ich habe mich geändert
du habest dich geändert
er/sie habe sich geändert
wir haben uns geändert
ihr habet euch geändert
Sie haben sich geändert
sie haben sich geändert

INFINITIF
PRESENT

sich ändern

PASSE

sich geändert haben

PARTICIPE
PRESENT

mich/sich *etc.* ändernd

PRETERIT

ich änderte mich
du ändertest dich
er/sie änderte sich
wir änderten uns
ihr ändertet euch
Sie änderten sich
sie änderten sich

PLUS-QUE-PARFAIT

ich hätte mich geändert
du hättest dich geändert
er/sie hätte sich geändert
wir hätten uns geändert
ihr hättet euch geändert
Sie hätten sich geändert
sie hätten sich geändert

IMPERATIF

änd(e)re dich!
ändert euch!
ändern Sie sich!
ändern wir uns!

FUTUR ANTERIEUR

ich werde mich geändert haben
du wirst dich geändert haben *etc.*

4 ANFANGEN
commencer

PRESENT	**PRETERIT**	**FUTUR**
ich fange an	ich fing an	ich werde anfangen
du fängst an	du fingst an	du wirst anfangen
er/sie fängt an	er/sie fing an	er/sie wird anfangen
wir fangen an	wir fingen an	wir werden anfangen
ihr fangt an	ihr fingt an	ihr werdet anfangen
Sie fangen an	Sie fingen an	Sie werden anfangen
sie fangen an	sie fingen an	sie werden anfangen

PARFAIT	**PLUS-QUE-PARFAIT**	**CONDITIONNEL**
ich habe angefangen	ich hatte angefangen	ich würde anfangen
du hast angefangen	du hattest angefangen	du würdest anfangen
er/sie hat angefangen	er/sie hatte angefangen	er/sie würde anfangen
wir haben angefangen	wir hatten angefangen	wir würden anfangen
ihr habt angefangen	ihr hattet angefangen	ihr würdet anfangen
Sie haben angefangen	Sie hatten angefangen	Sie würden anfangen
sie haben angefangen	sie hatten angefangen	sie würden anfangen

SUBJONCTIF

PRESENT	**PASSE COMPOSE**
ich fange an	ich habe angefangen
du fangest an	du habest angefangen
er/sie fange an	er/sie habe angefangen
wir fangen an	wir haben angefangen
ihr fanget an	ihr habet angefangen
Sie fangen an	Sie haben angefangen
sie fangen an	sie haben angefangen

PRETERIT	**PLUS-QUE-PARFAIT**
ich finge an	ich hätte angefangen
du fingest an	du hättest angefangen
er/sie finge an	er/sie hätte angefangen
wir fingen an	wir hätten angefangen
ihr finget an	ihr hättet angefangen
Sie fingen an	Sie hätten angefangen
sie fingen an	sie hätten angefangen

INFINITIF

PRESENT
anfangen

PASSE
angefangen haben

PARTICIPE

PRESENT
anfangend

PASSE
angefangen

IMPERATIF
fang(e) an!
fangt an!
fangen Sie an!
fangen wir an!

FUTUR ANTERIEUR
ich werde angefangen haben
du wirst angefangen haben *etc.*

PRESENT

ich höre mir an
du hörst dir an
er/sie hört sich an
wir hören uns an
ihr hört euch an
Sie hören sich an
sie hören sich an

PRETERIT

ich hörte mir an
du hörtest dir an
er/sie hörte sich an
wir hörten uns an
ihr hörtet euch an
Sie hörten sich an
sie hörten sich an

FUTUR

ich werde mir anhören
du wirst dir anhören
er/sie wird sich anhören
wir werden uns anhören
ihr werdet euch anhören
Sie werden sich anhören
sie werden sich anhören

PARFAIT

ich habe mir angehört
du hast dir angehört
er/sie hat sich angehört
wir haben uns angehört
ihr habt euch angehört
Sie haben sich angehört
sie haben sich angehört

PLUS-QUE-PARFAIT

ich hatte mir angehört
du hattest dir angehört
er/sie hatte sich angehört
wir hatten uns angehört
ihr hattet euch angehört
Sie hatten sich angehört
sie hatten sich angehört

CONDITIONNEL

ich würde mir anhören
du würdest dir anhören
er/sie würde sich anhören
wir würden uns anhören
ihr würdet euch anhören
Sie würden sich anhören
sie würden sich anhören

SUBJONCTIF
PRESENT

ich höre mir an
du hörest dir an
er/sie höre sich an
wir hören uns an
ihr höret euch an
Sie hören sich an
sie hören sich an

PASSE COMPOSE

ich habe mir angehört
du habest dir angehört
er/sie habe sich angehört
wir haben uns angehört
ihr habet euch angehört
Sie haben sich angehört
sie haben sich angehört

INFINITIF
PRESENT

sich anhören

PASSE

sich angehört haben

PARTICIPE
PRESENT

mir/sich *etc.* anhörend

PRETERIT

ich hörte mir an
du hörtest dir an
er/sie hörte sich an
wir hörten uns an
ihr hörtet euch an
Sie hörten sich an
sie hörten sich an

PLUS-QUE-PARFAIT

ich hätte mir angehört
du hättest dir angehört
er/sie hätte sich angehört
wir hätten uns angehört
ihr hättet euch angehört
Sie hätten sich angehört
sie hätten sich angehört

IMPERATIF

hör(e) dir an!
hört euch an!
hören Sie sich an!
hören wir uns an!

FUTUR ANTERIEUR

ich werde mir angehört haben
du wirst dir angehört haben *etc.*

6 ANKOMMEN
arriver

PRESENT

ich komme an
du kommst an
er/sie kommt an
wir kommen an
ihr kommt an
Sie kommen an
sie kommen an

PRETERIT

ich kam an
du kamst an
er/sie kam an
wir kamen an
ihr kamt an
Sie kamen an
sie kamen an

FUTUR

ich werde ankommen
du wirst ankommen
er/sie wird ankommen
wir werden ankommen
ihr werdet ankommen
Sie werden ankommen
sie werden ankommen

PARFAIT

ich bin angekommen
du bist angekommen
er/sie ist angekommen
wir sind angekommen
ihr seid angekommen
Sie sind angekommen
sie sind angekommen

PLUS-QUE-PARFAIT

ich war angekommen
du warst angekommen
er/sie war angekommen
wir waren angekommen
ihr wart angekommen
Sie waren angekommen
sie waren angekommen

CONDITIONNEL

ich würde ankommen
du würdest ankommen
er/sie würde ankommen
wir würden ankommen
ihr würdet ankommen
Sie würden ankommen
sie würden ankommen

SUBJONCTIF
PRESENT

ich komme an
du kommest an
er/sie komme an
wir kommen an
ihr kommet an
Sie kommen an
sie kommen an

PASSE COMPOSE

ich sei angekommen
du sei(e)st angekommen
er/sie sei angekommen
wir seien angekommen
ihr seiet angekommen
Sie seien angekommen
sie seien angekommen

INFINITIF
PRESENT

ankommen

PASSE

angekommen sein

PARTICIPE
PRESENT

ankommend

PRETERIT

ich käme an
du kämest an
er/sie käme an
wir kämen an
ihr kämet an
Sie kämen an
sie kämen an

PLUS-QUE-PARFAIT

ich wäre angekommen
du wär(e)st angekommen
er/sie wäre angekommen
wir wären angekommen
ihr wär(e)t angekommen
Sie wären angekommen
sie wären angekommen

PASSE

angekommen

IMPERATIF

komm(e) an!
kommt an!
kommen Sie an!
kommen wir an!

FUTUR ANTERIEUR

ich werde angekommen sein
du wirst angekommen sein *etc*.

PRESENT

ich melde mich an
du meldest dich an
er/sie meldet sich an
wir melden uns an
ihr meldet euch an
Sie melden sich an
sie melden sich an

PRETERIT

ich meldete mich an
du meldetest dich an
er/sie meldete sich an
wir meldeten uns an
ihr meldetet euch an
Sie meldeten sich an
sie meldeten sich an

FUTUR

ich werde mich anmelden
du wirst dich anmelden
er/sie wird sich anmelden
wir werden uns anmelden
ihr werdet euch anmelden
Sie werden sich anmelden
sie werden sich anmelden

PARFAIT

ich habe mich angemeldet
du hast dich angemeldet
er/sie hat sich angemeldet
wir haben uns angemeldet
ihr habt euch angemeldet
Sie haben sich angemeldet
sie haben sich angemeldet

PLUS-QUE-PARFAIT

ich hatte mich angemeldet
du hattest dich angemeldet
er/sie hatte sich angemeldet
wir hatten uns angemeldet
ihr hattet euch angemeldet
Sie hatten sich angemeldet
sie hatten sich angemeldet

CONDITIONNEL

ich würde mich anmelden
du würdest dich anmelden
er/sie würde sich anmelden
wir würden uns anmelden
ihr würdet euch anmelden
Sie würden sich anmelden
sie würden sich anmelden

SUBJONCTIF
PRESENT

ich melde mich an
du meldest dich an
er/sie melde sich an
wir melden uns an
ihr meldet euch an
Sie melden sich an
sie melden sich an

PASSE COMPOSE

ich habe mich angemeldet
du habest dich angemeldet
er/sie habe sich angemeldet
wir haben uns angemeldet
ihr habet euch angemeldet
Sie haben sich angemeldet
sie haben sich angemeldet

INFINITIF
PRESENT
sich anmelden

PASSE
sich angemeldet haben

PARTICIPE
PRESENT
mich/sich *etc*. anmeldend

PRETERIT

ich meldete mich an
du meldetest dich an
er/sie meldete sich an
wir meldeten uns an
ihr meldetet euch an
Sie meldeten sich an
sie meldeten sich an

PLUS-QUE-PARFAIT

ich hätte mich angemeldet
du hättest dich angemeldet
er/sie hätte sich angemeldet
wir hätten uns angemeldet
ihr hättet euch angemeldet
Sie hätten sich angemeldet
sie hätten sich angemeldet

IMPERATIF

meld(e) dich an!
meldet euch an!
melden Sie sich an!
melden wir uns an!

FUTUR ANTERIEUR

ich werde mich angemeldet haben
du wirst dich angemeldet haben *etc.*

8 ÄRGERN
fâcher, contrarier

PRESENT	**PRETERIT**	**FUTUR**
ich ärgere	ich ärgerte	ich werde ärgern
du ärgerst	du ärgertest	du wirst ärgern
er/sie ärgert	er/sie ärgerte	er/sie wird ärgern
wir ärgern	wir ärgerten	wir werden ärgern
ihr ärgert	ihr ärgertet	ihr werdet ärgern
Sie ärgern	Sie ärgerten	Sie werden ärgern
sie ärgern	sie ärgerten	sie werden ärgern

PARFAIT	**PLUS-QUE-PARFAIT**	**CONDITIONNEL**
ich habe geärgert	ich hatte geärgert	ich würde ärgern
du hast geärgert	du hattest geärgert	du würdest ärgern
er/sie hat geärgert	er/sie hatte geärgert	er/sie würde ärgern
wir haben geärgert	wir hatten geärgert	wir würden ärgern
ihr habt geärgert	ihr hattet geärgert	ihr würdet ärgern
Sie haben geärgert	Sie hatten geärgert	Sie würden ärgern
sie haben geärgert	sie hatten geärgert	sie würden ärgern

SUBJONCTIF

PRESENT	**PASSE COMPOSE**
ich ärgere	ich habe geärgert
du ärgerest	du habest geärgert
er/sie ärgere	er/sie habe geärgert
wir ärgeren	wir haben geärgert
ihr ärgeret	ihr habet geärgert
Sie ärgeren	Sie haben geärgert
sie ärgeren	sie haben geärgert

PRETERIT	**PLUS-QUE-PARFAIT**
ich ärgerte	ich hätte geärgert
du ärgertest	du hättest geärgert
er/sie ärgerte	er/sie hätte geärgert
wir ärgerten	wir hätten geärgert
ihr ärgertet	ihr hättet geärgert
Sie ärgerten	Sie hätten geärgert
sie ärgerten	sie hätten geärgert

INFINITIF

PRESENT
ärgern

PASSE
geärgert haben

PARTICIPE

PRESENT
ärgernd

PASSE
geärgert

IMPERATIF
ärg(e)re!
ärgert!
ärgern Sie!
ärgern wir!

FUTUR ANTERIEUR
ich werde geärgert haben
du wirst geärgert haben *etc.*

PRESENT

ich backe
du backst *(1)*
er/sie backt *(1)*
wir backen
ihr backt
Sie backen
sie backen

PRETERIT *(2)*

ich backte
du backtest
er/sie backte
wir backten
ihr backtet
Sie backten
sie backten

FUTUR

ich werde backen
du wirst backen
er/sie wird backen
wir werden backen
ihr werdet backen
Sie werden backen
sie werden backen

PARFAIT

ich habe gebacken
du hast gebacken
er/sie hat gebacken
wir haben gebacken
ihr habt gebacken
Sie haben gebacken
sie haben gebacken

PLUS-QUE-PARFAIT

ich hatte gebacken
du hattest gebacken
er/sie hatte gebacken
wir hatten gebacken
ihr hattet gebacken
Sie hatten gebacken
sie hatten gebacken

CONDITIONNEL

ich würde backen
du würdest backen
er/sie würde backen
wir würden backen
ihr würdet backen
Sie würden backen
sie würden backen

SUBJONCTIF

PRESENT

ich backe
du backest
er/sie backe
wir backen
ihr backet
Sie backen
sie backen

PASSE COMPOSE

ich habe gebacken
du habest gebacken
er/sie habe gebacken
wir haben gebacken
ihr habet gebacken
Sie haben gebacken
sie haben gebacken

INFINITIF

PRESENT

backen

PASSE

gebacken haben

PRETERIT

ich backte
du backtest
er/sie backte
wir backten
ihr backtet
Sie backten
sie backten

PLUS-QUE-PARFAIT

ich hätte gebacken
du hättest gebacken
er/sie hätte gebacken
wir hätten gebacken
ihr hättet gebacken
Sie hätten gebacken
sie hätten gebacken

PARTICIPE

PRESENT

backend

PASSE

gebacken

IMPERATIF

back(e)!
backt!
backen Sie!
backen wir!

FUTUR ANTERIEUR

ich werde gebacken haben
du wirst gebacken haben *etc.*

N.B. :

(1) on trouve aussi du bäckst *et* er/sie bäckt
(2) formes archaïques : ich buk, du bukst, er/sie buk *etc.*

10 SICH BEEILEN
se dépêcher

PRESENT

ich beeile mich
du beeilst dich
er/sie beeilt sich
wir beeilen uns
ihr beeilt euch
Sie beeilen sich
sie beeilen sich

PRETERIT

ich beeilte mich
du beeiltest dich
er/sie beeilte sich
wir beeilten uns
ihr beeiltet euch
Sie beeilten sich
sie beeilten sich

FUTUR

ich werde mich beeilen
du wirst dich beeilen
er/sie wird sich beeilen
wir werden uns beeilen
ihr werdet euch beeilen
Sie werden sich beeilen
sie werden sich beeilen

PARFAIT

ich habe mich beeilt
du hast dich beeilt
er/sie hat sich beeilt
wir haben uns beeilt
ihr habt euch beeilt
Sie haben sich beeilt
sie haben sich beeilt

PLUS-QUE-PARFAIT

ich hatte mich beeilt
du hattest dich beeilt
er/sie hatte sich beeilt
wir hatten uns beeilt
ihr hattet euch beeilt
Sie hatten sich beeilt
sie hatten sich beeilt

CONDITIONNEL

ich würde mich beeilen
du würdest dich beeilen
er/sie würde sich beeilen
wir würden uns beeilen
ihr würdet euch beeilen
Sie würden sich beeilen
sie würden sich beeilen

SUBJONCTIF
PRESENT

ich beeile mich
du beeilest dich
er/sie beeile sich
wir beeilen uns
ihr beeilet euch
Sie beeilen sich
sie beeilen sich

PASSE COMPOSE

ich habe mich beeilt
du habest dich beeilt
er/sie habe sich beeilt
wir haben uns beeilt
ihr habet euch beeilt
Sie haben sich beeilt
sie haben sich beeilt

INFINITIF
PRESENT
sich beeilen

PASSE
sich beeilt haben

PRETERIT

ich beeilte mich
du beeiltest dich
er/sie beeilte sich
wir beeilten uns
ihr beeiltet euch
Sie beeilten sich
sie beeilten sich

PLUS-QUE-PARFAIT

ich hätte mich beeilt
du hättest dich beeilt
er/sie hätte sich beeilt
wir hätten uns beeilt
ihr hättet euch beeilt
Sie hätten sich beeilt
sie hätten sich beeilt

PARTICIPE
PRESENT
mich/sich *etc.*
beeilend

IMPERATIF

beeil(e) dich!
beeilt euch!
beeilen Sie sich!
beeilen wir uns!

FUTUR ANTERIEUR

ich werde mich beeilt haben
du wirst dich beeilt haben *etc.*

PRESENT

ich befehle
du befiehlst
er/sie befiehlt
wir befehlen
ihr befehlt
Sie befehlen
sie befehlen

PRETERIT

ich befahl
du befahlst
er/sie befahl
wir befahlen
ihr befahlt
Sie befahlen
sie befahlen

FUTUR

ich werde befehlen
du wirst befehlen
er/sie wird befehlen
wir werden befehlen
ihr werdet befehlen
Sie werden befehlen
sie werden befehlen

PARFAIT

ich habe befohlen
du hast befohlen
er/sie hat befohlen
wir haben befohlen
ihr habt befohlen
Sie haben befohlen
sie haben befohlen

PLUS-QUE-PARFAIT

ich hatte befohlen
du hattest befohlen
er/sie hatte befohlen
wir hatten befohlen
ihr hattet befohlen
Sie hatten befohlen
sie hatten befohlen

CONDITIONNEL

ich würde befehlen
du würdest befehlen
er/sie würde befehlen
wir würden befehlen
ihr würdet befehlen
Sie würden befehlen
sie würden befehlen

SUBJONCTIF
PRESENT

ich befehle
du befehlest
er/sie befehle
wir befehlen
ihr befehlet
Sie befehlen
sie befehlen

PASSE COMPOSE

ich habe befohlen
du habest befohlen
er/sie habe befohlen
wir haben befohlen
ihr habet befohlen
Sie haben befohlen
sie haben befohlen

INFINITIF
PRESENT
befehlen

PASSE
befohlen haben

PARTICIPE
PRESENT
befehlend

PRETERIT *(1)*

ich befähle
du befählest
er/sie befähle
wir befählen
ihr befählet
Sie befählen
sie befählen

PLUS-QUE-PARFAIT

ich hätte befohlen
du hättest befohlen
er/sie hätte befohlen
wir hätten befohlen
ihr hättet befohlen
Sie hätten befohlen
sie hätten befohlen

PASSE
befohlen

IMPERATIF
befiehl!
befehlt!
befehlen Sie!
befehlen wir!

FUTUR ANTERIEUR

ich werde befohlen haben
du wirst befohlen haben *etc.*

N.B. :

(1) on trouve aussi ich beföhle, du
beföhlest *etc.*

12 BEGEGNEN
rencontrer

PRESENT

ich begegne
du begegnest
er/sie begegnet
wir begegnen
ihr begegnet
Sie begegnen
sie begegnen

PRETERIT

ich begegnete
du begegnetest
er/sie begegnete
wir begegneten
ihr begegnetet
Sie begegneten
sie begegneten

FUTUR

ich werde begegnen
du wirst begegnen
er/sie wird begegnen
wir werden begegnen
ihr werdet begegnen
Sie werden begegnen
sie werden begegnen

PARFAIT

ich bin begegnet
du bist begegnet
er/sie ist begegnet
wir sind begegnet
ihr seid begegnet
Sie sind begegnet
sie sind begegnet

PLUS-QUE-PARFAIT

ich war begegnet
du warst begegnet
er/sie war begegnet
wir waren begegnet
ihr wart begegnet
Sie waren begegnet
sie waren begegnet

CONDITIONNEL

ich würde begegnen
du würdest begegnen
er/sie würde begegnen
wir würden begegnen
ihr würdet begegnen
Sie würden begegnen
sie würden begegnen

SUBJONCTIF
PRESENT

ich begegne
du begegnest
er/sie begegnet
wir begegnen
ihr begegnet
Sie begegnen
sie begegnen

PASSE COMPOSE

ich sei begegnet
du sei(e)st begegnet
er/sie sei begegnet
wir seien begegnet
ihr seiet begegnet
Sie seien begegnet
sie seien begegnet

INFINITIF
PRESENT

begegnen

PASSE

begegnet sein

PRETERIT

ich begegnete
du begegnetest
er/sie begegnete
wir begegneten
ihr begegnetet
Sie begegneten
sie begegneten

PLUS-QUE-PARFAIT

ich wäre begegnet
du wär(e)st begegnet
er/sie wäre begegnet
wir wären begegnet
ihr wär(e)t begegnet
Sie wären begegnet
sie wären begegnet

PARTICIPE
PRESENT

begegnend

PASSE

begegnet

IMPERATIF

begegne!
begegnet!
begegnen Sie!
begegnen wir!

FUTUR ANTERIEUR

ich werde begegnet sein
du wirst begegnet sein *etc*.

N.B. :

se construit avec le datif : ich begegne ihm, ich bin ihm begegnet *etc.*

PRESENT

ich beginne
du beginnst
er/sie beginnt
wir beginnen
ihr beginnt
Sie beginnen
sie beginnen

PRETERIT

ich begann
du begannst
er/sie begann
wir begannen
ihr begannt
Sie begannen
sie begannen

FUTUR

ich werde beginnen
du wirst beginnen
er/sie wird beginnen
wir werden beginnen
ihr werdet beginnen
Sie werden beginnen
sie werden beginnen

PARFAIT

ich habe begonnen
du hast begonnen
er/sie hat begonnen
wir haben begonnen
ihr habt begonnen
Sie haben begonnen
sie haben begonnen

PLUS-QUE-PARFAIT

ich hatte begonnen
du hattest begonnen
er/sie hatte begonnen
wir hatten begonnen
ihr hattet begonnen
Sie hatten begonnen
sie hatten begonnen

CONDITIONNEL

ich würde beginnen
du würdest beginnen
er/sie würde beginnen
wir würden beginnen
ihr würdet beginnen
Sie würden beginnen
sie würden beginnen

SUBJONCTIF
PRESENT

ich beginne
du beginnest
er/sie beginne
wir beginnen
ihr beginnet
Sie beginnen
sie beginnen

PASSE COMPOSE

ich habe begonnen
du habest begonnen
er/sie habe begonnen
wir haben begonnen
ihr habet begonnen
Sie haben begonnen
sie haben begonnen

INFINITIF
PRESENT

beginnen

PASSE

begonnen haben

PARTICIPE
PRESENT

beginnend

PRETERIT

ich begänne
du begännest
er/sie begänne
wir begännen
ihr begännet
Sie begännen
sie begännen

PLUS-QUE-PARFAIT

ich hätte begonnen
du hättest begonnen
er/sie hätte begonnen
wir hätten begonnen
ihr hättet begonnen
Sie hätten begonnen
sie hätten begonnen

PASSE

begonnen

IMPERATIF

beginn(e)!
beginnt!
beginnen Sie!
beginnen wir!

FUTUR ANTERIEUR

ich werde begonnen haben
du wirst begonnen haben *etc.*

14 BEISSEN
mordre

PRESENT	PRETERIT	FUTUR
ich beiße	ich biß	ich werde beißen
du beißt	du bissest	du wirst beißen
er/sie beißt	er/sie biß	er/sie wird beißen
wir beißen	wir bissen	wir werden beißen
ihr beißt	ihr bißt	ihr werdet beißen
Sie beißen	Sie bissen	Sie werden beißen
sie beißen	sie bissen	sie werden beißen

PARFAIT	PLUS-QUE-PARFAIT	CONDITIONNEL
ich habe gebissen	ich hatte gebissen	ich würde beißen
du hast gebissen	du hattest gebissen	du würdest beißen
er/sie hat gebissen	er/sie hatte gebissen	er/sie würde beißen
wir haben gebissen	wir hatten gebissen	wir würden beißen
ihr habt gebissen	ihr hattet gebissen	ihr würdet beißen
Sie haben gebissen	Sie hatten gebissen	Sie würden beißen
sie haben gebissen	sie hatten gebissen	sie würden beißen

SUBJONCTIF

PRESENT	PASSE COMPOSE
ich beiße	ich habe gebissen
du beißest	du habest gebissen
er/sie beiße	er/sie habe gebissen
wir beißen	wir haben gebissen
ihr beißet	ihr habet gebissen
Sie beißen	Sie haben gebissen
sie beißen	sie haben gebissen

PRETERIT	PLUS-QUE-PARFAIT
ich bisse	ich hätte gebissen
du bissest	du hättest gebissen
er/sie bisse	er/sie hätte gebissen
wir bissen	wir hätten gebissen
ihr bisset	ihr hättet gebissen
Sie bissen	Sie hätten gebissen
sie bissen	sie hätten gebissen

INFINITIF
PRESENT
beißen

PASSE
gebissen haben

PARTICIPE
PRESENT
beißend

PASSE
gebissen

IMPERATIF
beiß(e)!
beißt!
beißen Sie!
beißen wir!

FUTUR ANTERIEUR

ich werde gebissen haben
du wirst gebissen haben *etc*.

PRESENT

ich bekomme
du bekommst
er/sie bekommt
wir bekommen
ihr bekommt
Sie bekommen
sie bekommen

PRETERIT

ich bekam
du bekamst
er/sie bekam
wir bekamen
ihr bekamt
Sie bekamen
sie bekamen

FUTUR

ich werde bekommen
du wirst bekommen
er/sie wird bekommen
wir werden bekommen
ihr werdet bekommen
Sie werden bekommen
sie werden bekommen

PARFAIT

ich habe bekommen
du hast bekommen
er/sie hat bekommen
wir haben bekommen
ihr habt bekommen
Sie haben bekommen
sie haben bekommen

PLUS-QUE-PARFAIT

ich hatte bekommen
du hattest bekommen
er/sie hatte bekommen
wir hatten bekommen
ihr hattet bekommen
Sie hatten bekommen
sie hatten bekommen

CONDITIONNEL

ich würde bekommen
du würdest bekommen
er/sie würde bekommen
wir würden bekommen
ihr würdet bekommen
Sie würden bekommen
sie würden bekommen

SUBJONCTIF
PRESENT

ich bekomme
du bekommest
er/sie bekomme
wir bekommen
ihr bekommet
Sie bekommen
sie bekommen

PRETERIT

ich bekäme
du bekämest
er/sie bekäme
wir bekämen
ihr bekämet
Sie bekämen
sie bekämen

PASSE COMPOSE

ich habe bekommen
du habest bekommen
er/sie habe bekommen
wir haben bekommen
ihr habet bekommen
Sie haben bekommen
sie haben bekommen

PLUS-QUE-PARFAIT

ich hätte bekommen
du hättest bekommen
er/sie hätte bekommen
wir hätten bekommen
ihr hättet bekommen
Sie hätten bekommen
sie hätten bekommen

INFINITIF
PRESENT

bekommen

PASSE

bekommen haben

PARTICIPE
PRESENT

bekommend

PASSE

bekommen

IMPERATIF

bekomm(e)!
bekommt!
bekommen Sie!
bekommen wir!

FUTUR ANTERIEUR

ich werde bekommen haben
du wirst bekommen haben *etc*.

16 BERGEN
sauver

PRESENT

ich berge
du birgst
er/sie birgt
wir bergen
ihr bergt
Sie bergen
sie bergen

PRETERIT

ich barg
du bargst
er/sie barg
wir bargen
ihr bargt
Sie bargen
sie bargen

FUTUR

ich werde bergen
du wirst bergen
er/sie wird bergen
wir werden bergen
ihr werdet bergen
Sie werden bergen
sie werden bergen

PARFAIT

ich habe geborgen
du hast geborgen
er/sie hat geborgen
wir haben geborgen
ihr habt geborgen
Sie haben geborgen
sie haben geborgen

PLUS-QUE-PARFAIT

ich hatte geborgen
du hattest geborgen
er/sie hatte geborgen
wir hatten geborgen
ihr hattet geborgen
Sie hatten geborgen
sie hatten geborgen

CONDITIONNEL

ich würde bergen
du würdest bergen
er/sie würde bergen
wir würden bergen
ihr würdet bergen
Sie würden bergen
sie würden bergen

SUBJONCTIF
PRESENT

ich berge
du bergest
er/sie berge
wir bergen
ihr berget
Sie bergen
sie bergen

PASSE COMPOSE

ich habe geborgen
du habest geborgen
er/sie habe geborgen
wir haben geborgen
ihr habet geborgen
Sie haben geborgen
sie haben geborgen

INFINITIF
PRESENT

bergen

PASSE

geborgen haben

PRETERIT

ich bärge
du bärgest
er/sie bärge
wir bärgen
ihr bärget
Sie bärgen
sie bärgen

PLUS-QUE-PARFAIT

ich hätte geborgen
du hättest geborgen
er/sie hätte geborgen
wir hätten geborgen
ihr hättet geborgen
Sie hätten geborgen
sie hätten geborgen

PARTICIPE
PRESENT

bergend

PASSE

geborgen

IMPERATIF

birg!
bergt!
bergen Sie!
bergen wir!

FUTUR ANTERIEUR

ich werde geborgen haben
du wirst geborgen haben *etc.*

PRESENT

ich berste
du birst
er/sie birst
wir bersten
ihr berstet
Sie bersten
sie bersten

PRETERIT

ich barst
du barstest
er/sie barst
wir barsten
ihr barstet
Sie barsten
sie barsten

FUTUR

ich werde bersten
du wirst bersten
er/sie wird bersten
wir werden bersten
ihr werdet bersten
Sie werden bersten
sie werden bersten

PARFAIT

ich bin geborsten
du bist geborsten
er/sie ist geborsten
wir sind geborsten
ihr seid geborsten
Sie sind geborsten
sie sind geborsten

PLUS-QUE-PARFAIT

ich war geborsten
du warst geborsten
er/sie war geborsten
wir waren geborsten
ihr wart geborsten
Sie waren geborsten
sie waren geborsten

CONDITIONNEL

ich würde bersten
du würdest bersten
er/sie würde bersten
wir würden bersten
ihr würdet bersten
Sie würden bersten
sie würden bersten

SUBJONCTIF
PRESENT

ich berste
du berstest
er/sie berste
wir bersten
ihr berstet
Sie bersten
sie bersten

PASSE COMPOSE

ich sei geborsten
du sei(e)st geborsten
er/sie sei geborsten
wir seien geborsten
ihr seiet geborsten
Sie seien geborsten
sie seien geborsten

INFINITIF
PRESENT

bersten

PASSE

geborsten sein

PARTICIPE
PRESENT

berstend

PRETERIT

ich bärste
du bärstest
er/sie bärste
wir bärsten
ihr bärstet
Sie bärsten
sie bärsten

PLUS-QUE-PARFAIT

ich wäre geborsten
du wär(e)st geborsten
er/sie wäre geborsten
wir wären geborsten
ihr wär(e)t geborsten
Sie wären geborsten
sie wären geborsten

PASSE

geborsten

IMPERATIF

birst!
berstet!
bersten Sie!
bersten wir!

FUTUR ANTERIEUR

ich werde geborsten sein
du wirst geborsten sein *etc*.

18 BESTELLEN
commander

PRESENT	**PRETERIT**	**FUTUR**
ich bestelle	ich bestellte	ich werde bestellen
du bestellst	du bestelltest	du wirst bestellen
er/sie bestellt	er/sie bestellte	er/sie wird bestellen
wir bestellen	wir bestellten	wir werden bestellen
ihr bestellt	ihr bestelltet	ihr werdet bestellen
Sie bestellen	Sie bestellten	Sie werden bestellen
sie bestellen	sie bestellten	sie werden bestellen

PARFAIT	**PLUS-QUE-PARFAIT**	**CONDITIONNEL**
ich habe bestellt	ich hatte bestellt	ich würde bestellen
du hast bestellt	du hattest bestellt	du würdest bestellen
er/sie hat bestellt	er/sie hatte bestellt	er/sie würde bestellen
wir haben bestellt	wir hatten bestellt	wir würden bestellen
ihr habt bestellt	ihr hattet bestellt	ihr würdet bestellen
Sie haben bestellt	Sie hatten bestellt	Sie würden bestellen
sie haben bestellt	sie hatten bestellt	sie würden bestellen

SUBJONCTIF

PRESENT	**PASSE COMPOSE**
ich bestelle	ich habe bestellt
du bestellest	du habest bestellt
er/sie bestelle	er/sie habe bestellt
wir bestellen	wir haben bestellt
ihr bestellet	ihr habet bestellt
Sie bestellen	Sie haben bestellt
sie bestellen	sie haben bestellt

PRETERIT	**PLUS-QUE-PARFAIT**
ich bestellte	ich hätte bestellt
du bestelltest	du hättest bestellt
er/sie bestellte	er/sie hätte bestellt
wir bestellten	wir hätten bestellt
ihr bestelltet	ihr hättet bestellt
Sie bestellten	Sie hätten bestellt
sie bestellten	sie hätten bestellt

INFINITIF
PRESENT
bestellen

PASSE
bestellt haben

PARTICIPE
PRESENT
bestellend

PASSE
bestellt

IMPERATIF
bestell(e)!
bestellt!
bestellen Sie!
bestellen wir!

FUTUR ANTERIEUR

ich werde bestellt haben
du wirst bestellt haben *etc.*

PRESENT

ich bewege
du bewegst
er/sie bewegt
wir bewegen
ihr bewegt
Sie bewegen
sie bewegen

PRETERIT

ich bewog
du bewogst
er/sie bewog
wir bewogen
ihr bewogt
Sie bewogen
sie bewogen

FUTUR

ich werde bewegen
du wirst bewegen
er/sie wird bewegen
wir werden bewegen
ihr werdet bewegen
Sie werden bewegen
sie werden bewegen

PARFAIT

ich habe bewogen
du hast bewogen
er/sie hat bewogen
wir haben bewogen
ihr habt bewogen
Sie haben bewogen
sie haben bewogen

PLUS-QUE-PARFAIT

ich hatte bewogen
du hattest bewogen
er/sie hatte bewogen
wir hatten bewogen
ihr hattet bewogen
Sie hatten bewogen
sie hatten bewogen

CONDITIONNEL

ich würde bewegen
du würdest bewegen
er/sie würde bewegen
wir würden bewegen
ihr würdet bewegen
Sie würden bewegen
sie würden bewegen

SUBJONCTIF
PRESENT

ich bewege
du bewegest
er/sie bewege
wir bewegen
ihr beweget
Sie bewegen
sie bewegen

PASSE COMPOSE

ich habe bewogen
du habest bewogen
er/sie habe bewogen
wir haben bewogen
ihr habet bewogen
Sie haben bewogen
sie haben bewogen

INFINITIF
PRESENT

bewegen

PASSE

bewogen haben

PARTICIPE
PRESENT

bewegend

PRETERIT

ich bewöge
du bewögest
er/sie bewöge
wir bewögen
ihr bewöget
Sie bewögen
sie bewögen

PLUS-QUE-PARFAIT

ich hätte bewogen
du hättest bewogen
er/sie hätte bewogen
wir hätten bewogen
ihr hättet bewogen
Sie hätten bewogen
sie hätten bewogen

PASSE

bewogen

IMPERATIF

beweg(e)!
bewegt!
bewegen Sie!
bewegen wir!

FUTUR ANTERIEUR

ich werde bewogen haben
du wirst bewogen haben *etc*.

N.B. :

(1) lorsqu'il est faible ('agiter') :
ich bewegte, ich habe bewegt *etc*.

PRESENT	**PRETERIT**	**FUTUR**
ich biege	ich bog	ich werde biegen
du biegst	du bogst	du wirst biegen
er/sie biegt	er/sie bog	er/sie wird biegen
wir biegen	wir bogen	wir werden biegen
ihr biegt	ihr bogt	ihr werdet biegen
Sie biegen	Sie bogen	Sie werden biegen
sie biegen	sie bogen	sie werden biegen

PARFAIT *(1)*	**PLUS-QUE-PARFAIT** *(2)*	**CONDITIONNEL**
ich habe gebogen	ich hatte gebogen	ich würde biegen
du hast gebogen	du hattest gebogen	du würdest biegen
er/sie hat gebogen	er/sie hatte gebogen	er/sie würde biegen
wir haben gebogen	wir hatten gebogen	wir würden biegen
ihr habt gebogen	ihr hattet gebogen	ihr würdet biegen
Sie haben gebogen	Sie hatten gebogen	Sie würden biegen
sie haben gebogen	sie hatten gebogen	sie würden biegen

SUBJONCTIF

PRESENT	**PASSE COMPOSE** *(3)*	*INFINITIF* **PRESENT**
ich biege	ich habe gebogen	biegen
du biegest	du habest gebogen	**PASSE** *(6)*
er/sie biege	er/sie habe gebogen	gebogen haben
wir biegen	wir haben gebogen	
ihr bieget	ihr habet gebogen	*PARTICIPE*
Sie biegen	Sie haben gebogen	**PRESENT**
sie biegen	sie haben gebogen	biegend

PRETERIT	**PLUS-QUE-PARFAIT** *(4)*	**PASSE**
ich böge	ich hätte gebogen	gebogen
du bögest	du hättest gebogen	
er/sie böge	er/sie hätte gebogen	*IMPERATIF*
wir bögen	wir hätten gebogen	bieg(e)!
ihr böget	ihr hättet gebogen	biegt!
Sie bögen	Sie hätten gebogen	biegen Sie!
sie bögen	sie hätten gebogen	biegen wir!

FUTUR ANTERIEUR *(5)*

ich werde gebogen haben
du wirst gebogen haben *etc.*

N.B. :

lorsqu'il est intransitif ('tourner') :
(1) ich bin gebogen *etc.* *(2)* ich war
gebogen *etc.* *(3)* ich sei gebogen *etc.*
(4) ich wäre gebogen *etc.* *(5)* ich werde
gebogen sein *etc.* *(6)* gebogen sein

PRESENT

ich biete
du bietest
er/sie bietet
wir bieten
ihr bietet
Sie bieten
sie bieten

PRETERIT

ich bot
du bot(e)st
er/sie bot
wir boten
ihr botet
Sie boten
sie boten

FUTUR

ich werde bieten
du wirst bieten
er/sie wird bieten
wir werden bieten
ihr werdet bieten
Sie werden bieten
sie werden bieten

PARFAIT

ich habe geboten
du hast geboten
er/sie hat geboten
wir haben geboten
ihr habt geboten
Sie haben geboten
sie haben geboten

PLUS-QUE-PARFAIT

ich hatte geboten
du hattest geboten
er/sie hatte geboten
wir hatten geboten
ihr hattet geboten
Sie hatten geboten
sie hatten geboten

CONDITIONNEL

ich würde bieten
du würdest bieten
er/sie würde bieten
wir würden bieten
ihr würdet bieten
Sie würden bieten
sie würden bieten

SUBJONCTIF
PRESENT

ich biete
du bietest
er/sie biete
wir bieten
ihr bietet
Sie bieten
sie bieten

PASSE COMPOSE

ich habe geboten
du habest geboten
er/sie habe geboten
wir haben geboten
ihr habet geboten
Sie haben geboten
sie haben geboten

INFINITIF
PRESENT

bieten

PASSE

geboten haben

PARTICIPE
PRESENT

bietend

PRETERIT

ich böte
du bötest
er/sie böte
wir böten
ihr bötet
Sie böten
sie böten

PLUS-QUE-PARFAIT

ich hätte geboten
du hättest geboten
er/sie hätte geboten
wir hätten geboten
ihr hättet geboten
Sie hätten geboten
sie hätten geboten

PASSE

geboten

IMPERATIF

biet(e)!
bietet!
bieten Sie!
bieten wir!

FUTUR ANTERIEUR

ich werde geboten haben
du wirst geboten haben *etc.*

22 BINDEN
lier, nouer

PRESENT	PRETERIT	FUTUR
ich binde	ich band	ich werde binden
du bindest	du band(e)st	du wirst binden
er/sie bindet	er/sie band	er/sie wird binden
wir binden	wir banden	wir werden binden
ihr bindet	ihr bandet	ihr werdet binden
Sie binden	Sie banden	Sie werden binden
sie binden	sie banden	sie werden binden

PARFAIT *(1)*	PLUS-QUE-PARFAIT *(2)*	CONDITIONNEL
ich habe gebunden	ich hatte gebunden	ich würde binden
du hast gebunden	du hattest gebunden	du würdest binden
er/sie hat gebunden	er/sie hatte gebunden	er/sie würde binden
wir haben gebunden	wir hatten gebunden	wir würden binden
ihr habt gebunden	ihr hattet gebunden	ihr würdet binden
Sie haben gebunden	Sie hatten gebunden	Sie würden binden
sie haben gebunden	sie hatten gebunden	sie würden binden

SUBJONCTIF

PRESENT

	PASSE COMPOSE *(3)*
ich binde	ich habe gebunden
du bindest	du habest gebunden
er/sie bindet	er/sie habe gebunden
wir binden	wir haben gebunden
ihr bindet	ihr habet gebunden
Sie binden	Sie haben gebunden
sie binden	sie haben gebunden

PRETERIT

	PLUS-QUE-PARFAIT *(4)*
ich bände	ich hätte gebunden
du bändest	du hättest gebunden
er/sie bände	er/sie hätte gebunden
wir bänden	wir hätten gebunden
ihr bändet	ihr hättet gebunden
Sie bänden	Sie hätten gebunden
sie bänden	sie hätten gebunden

INFINITIF

PRESENT
binden

PASSE *(6)*
gebunden haben

PARTICIPE

PRESENT
bindend

PASSE
gebunden

IMPERATIF
bind(e)!
bindet!
binden Sie!
binden wir!

FUTUR ANTERIEUR *(5)*

ich werde gebunden haben
du wirst gebunden haben *etc.*

N.B. :

lorsqu'il est intransitif ('faire la liaison') : *(1)* ich bin gebunden *etc.* (2) ich war gebunden *etc.* (3) ich sei gebunden *etc.* *(4)* ich wäre gebunden *etc.* *(5)* ich werde gebunden sein *etc.* (6) gebunden sein

PRESENT

ich bitte
du bittest
er/sie bittet
wir bitten
ihr bittet
Sie bitten
sie bitten

PRETERIT

ich bat
du bat(e)st
er/sie bat
wir baten
ihr batet
Sie baten
sie baten

FUTUR

ich werde bitten
du wirst bitten
er/sie wird bitten
wir werden bitten
ihr werdet bitten
Sie werden bitten
sie werden bitten

PARFAIT

ich habe gebeten
du hast gebeten
er/sie hat gebeten
wir haben gebeten
ihr habt gebeten
Sie haben gebeten
sie haben gebeten

PLUS-QUE-PARFAIT

ich hatte gebeten
du hattest gebeten
er/sie hatte gebeten
wir hatten gebeten
ihr hattet gebeten
Sie hatten gebeten
sie hatten gebeten

CONDITIONNEL

ich würde bitten
du würdest bitten
er/sie würde bitten
wir würden bitten
ihr würdet bitten
Sie würden bitten
sie würden bitten

SUBJONCTIF
PRESENT

ich bitte
du bittest
er/sie bitte
wir bitten
ihr bittet
Sie bitten
sie bitten

PASSE COMPOSE

ich habe gebeten
du habest gebeten
er/sie habe gebeten
wir haben gebeten
ihr habet gebeten
Sie haben gebeten
sie haben gebeten

INFINITIF
PRESENT

bitten

PASSE

gebeten haben

PARTICIPE
PRESENT

bittend

PRETERIT

ich bäte
du bätest
er/sie bäte
wir bäten
ihr bätet
Sie bäten
sie bäten

PLUS-QUE-PARFAIT

ich hätte gebeten
du hättest gebeten
er/sie hätte gebeten
wir hätten gebeten
ihr hättet gebeten
Sie hätten gebeten
sie hätten gebeten

PASSE

gebeten

IMPERATIF

bitt(e)!
bittet!
bitten Sie!
bitten wir!

FUTUR ANTERIEUR

ich werde gebeten haben
du wirst gebeten haben *etc.*

24 BLASEN
souffler

PRESENT	PRETERIT	FUTUR
ich blase	ich blies	ich werde blasen
du bläst	du bliesest	du wirst blasen
er/sie bläst	er/sie blies	er/sie wird blasen
wir blasen	wir bliesen	wir werden blasen
ihr blast	ihr bliest	ihr werdet blasen
Sie blasen	Sie bliesen	Sie werden blasen
sie blasen	sie bliesen	sie werden blasen

PARFAIT	PLUS-QUE-PARFAIT	CONDITIONNEL
ich habe geblasen	ich hatte geblasen	ich würde blasen
du hast geblasen	du hattest geblasen	du würdest blasen
er/sie hat geblasen	er/sie hatte geblasen	er/sie würde blasen
wir haben geblasen	wir hatten geblasen	wir würden blasen
ihr habt geblasen	ihr hattet geblasen	ihr würdet blasen
Sie haben geblasen	Sie hatten geblasen	Sie würden blasen
sie haben geblasen	sie hatten geblasen	sie würden blasen

SUBJONCTIF

PRESENT	PASSE COMPOSE
ich blase	ich habe geblasen
du blasest	du habest geblasen
er/sie blase	er/sie habe geblasen
wir blasen	wir haben geblasen
ihr blaset	ihr habet geblasen
Sie blasen	Sie haben geblasen
sie blasen	sie haben geblasen

PRETERIT	PLUS-QUE-PARFAIT
ich bliese	ich hätte geblasen
du bliesest	du hättest geblasen
er/sie bliese	er/sie hätte geblasen
wir bliesen	wir hätten geblasen
ihr blieset	ihr hättet geblasen
Sie bliesen	Sie hätten geblasen
sie bliesen	sie hätten geblasen

INFINITIF
PRESENT
blasen

PASSE
geblasen haben

PARTICIPE
PRESENT
blasend

PASSE
geblasen

IMPERATIF
blas(e)!
blast!
blasen Sie!
blasen wir!

FUTUR ANTERIEUR
ich werde geblasen haben
du wirst geblasen haben *etc*.

PRESENT

ich bleibe
du bleibst
er/sie bleibt
wir bleiben
ihr bleibt
Sie bleiben
sie bleiben

PRETERIT

ich blieb
du bliebst
er/sie blieb
wir blieben
ihr bliebt
Sie blieben
sie blieben

FUTUR

ich werde bleiben
du wirst bleiben
er/sie wird bleiben
wir werden bleiben
ihr werdet bleiben
Sie werden bleiben
sie werden bleiben

PARFAIT

ich bin geblieben
du bist geblieben
er/sie ist geblieben
wir sind geblieben
ihr seid geblieben
Sie sind geblieben
sie sind geblieben

PLUS-QUE-PARFAIT

ich war geblieben
du warst geblieben
er/sie war geblieben
wir waren geblieben
ihr wart geblieben
Sie waren geblieben
sie waren geblieben

CONDITIONNEL

ich würde bleiben
du würdest bleiben
er/sie würde bleiben
wir würden bleiben
ihr würdet bleiben
Sie würden bleiben
sie würden bleiben

SUBJONCTIF
PRESENT

ich bleibe
du bleibest
er/sie bleibe
wir bleiben
ihr bleibet
Sie bleiben
sie bleiben

PASSE COMPOSE

ich sei geblieben
du sei(e)st geblieben
er/sie sei geblieben
wir seien geblieben
ihr seiet geblieben
Sie seien geblieben
sie seien geblieben

INFINITIF
PRESENT

bleiben

PASSE

geblieben sein

PRETERIT

ich bliebe
du bliebest
er/sie bliebe
wir blieben
ihr bliebet
Sie blieben
sie blieben

PLUS-QUE-PARFAIT

ich wäre geblieben
du wär(e)st geblieben
er/sie wäre geblieben
wir wären geblieben
ihr wär(e)t geblieben
Sie wären geblieben
sie wären geblieben

PARTICIPE
PRESENT

bleibend

PASSE

geblieben

IMPERATIF

bleib(e)!
bleibt!
bleiben Sie!
bleiben wir!

FUTUR ANTERIEUR

ich werde geblieben sein
du wirst geblieben sein *etc.*

26 BRATEN
rôtir, frire

PRESENT	**PRETERIT**	**FUTUR**
ich brate	ich briet	ich werde braten
du brätst	du brietst	du wirst braten
er/sie brät	er/sie briet	er/sie wird braten
wir braten	wir brieten	wir werden braten
ihr bratet	ihr brietet	ihr werdet braten
Sie braten	Sie brieten	Sie werden braten
sie braten	sie brieten	sie werden braten

PARFAIT	**PLUS-QUE-PARFAIT**	**CONDITIONNEL**
ich habe gebraten	ich hatte gebraten	ich würde braten
du hast gebraten	du hattest gebraten	du würdest braten
er/sie hat gebraten	er/sie hatte gebraten	er/sie würde braten
wir haben gebraten	wir hatten gebraten	wir würden braten
ihr habt gebraten	ihr hattet gebraten	ihr würdet braten
Sie haben gebraten	Sie hatten gebraten	Sie würden braten
sie haben gebraten	sie hatten gebraten	sie würden braten

SUBJONCTIF

PRESENT	**PASSE COMPOSE**
ich brate	ich habe gebraten
du bratest	du habest gebraten
er/sie brate	er/sie habe gebraten
wir braten	wir haben gebraten
ihr bratet	ihr habet gebraten
Sie braten	Sie haben gebraten
sie braten	sie haben gebraten

PRETERIT	**PLUS-QUE-PARFAIT**
ich briete	ich hätte gebraten
du brietest	du hättest gebraten
er/sie briete	er/sie hätte gebraten
wir brieten	wir hätten gebraten
ihr brietet	ihr hättet gebraten
Sie brieten	Sie hätten gebraten
sie brieten	sie hätten gebraten

INFINITIF
PRESENT
braten

PASSE
gebraten haben

PARTICIPE
PRESENT
bratend

PASSE
gebraten

IMPERATIF
brat(e)!
bratet!
braten Sie!
braten wir!

FUTUR ANTERIEUR

ich werde gebraten haben
du wirst gebraten haben *etc*.

PRESENT

ich brauche
du brauchst
er/sie braucht
wir brauchen
ihr braucht
Sie brauchen
sie brauchen

PRETERIT

ich brauchte
du brauchtest
er/sie brauchte
wir brauchten
ihr brauchtet
Sie brauchten
sie brauchten

FUTUR

ich werde brauchen
du wirst brauchen
er/sie wird brauchen
wir werden brauchen
ihr werdet brauchen
Sie werden brauchen
sie werden brauchen

PARFAIT

ich habe gebraucht
du hast gebraucht
er/sie hat gebraucht
wir haben gebraucht
ihr habt gebraucht
Sie haben gebraucht
sie haben gebraucht

PLUS-QUE-PARFAIT

ich hatte gebraucht
du hattest gebraucht
er/sie hatte gebraucht
wir hatten gebraucht
ihr hattet gebraucht
Sie hatten gebraucht
sie hatten gebraucht

CONDITIONNEL

ich würde brauchen
du würdest brauchen
er/sie würde brauchen
wir würden brauchen
ihr würdet brauchen
Sie würden brauchen
sie würden brauchen

SUBJONCTIF
PRESENT

ich brauche
du brauchest
er/sie brauche
wir brauchen
ihr brauchet
Sie brauchen
sie brauchen

PASSE COMPOSE

ich habe gebraucht
du habest gebraucht
er/sie habe gebraucht
wir haben gebraucht
ihr habet gebraucht
Sie haben gebraucht
sie haben gebraucht

INFINITIF
PRESENT

brauchen

PASSE

gebraucht haben

PRETERIT

ich brauchte
du brauchtest
er/sie brauchte
wir brauchten
ihr brauchtet
Sie brauchten
sie brauchten

PLUS-QUE-PARFAIT

ich hätte gebraucht
du hättest gebraucht
er/sie hätte gebraucht
wir hätten gebraucht
ihr hättet gebraucht
Sie hätten gebraucht
sie hätten gebraucht

PARTICIPE
PRESENT

brauchend

PASSE

gebraucht

IMPERATIF

brauch(e)!
braucht!
brauchen Sie!
brauchen wir!

FUTUR ANTERIEUR

ich werde gebraucht haben
du wirst gebraucht haben *etc*.

PRESENT

ich breche
du brichst
er/sie bricht
wir brechen
ihr brecht
Sie brechen
sie brechen

PRETERIT

ich brach
du brachst
er/sie brach
wir brachen
ihr bracht
Sie brachen
sie brachen

FUTUR

ich werde brechen
du wirst brechen
er/sie wird brechen
wir werden brechen
ihr werdet brechen
Sie werden brechen
sie werden brechen

PARFAIT *(1)*

ich habe gebrochen
du hast gebrochen
er/sie hat gebrochen
wir haben gebrochen
ihr habt gebrochen
Sie haben gebrochen
sie haben gebrochen

PLUS-QUE-PARFAIT *(2)*

ich hatte gebrochen
du hattest gebrochen
er/sie hatte gebrochen
wir hatten gebrochen
ihr hattet gebrochen
Sie hatten gebrochen
sie hatten gebrochen

CONDITIONNEL

ich würde brechen
du würdest brechen
er/sie würde brechen
wir würden brechen
ihr würdet brechen
Sie würden brechen
sie würden brechen

SUBJONCTIF
PRESENT

ich breche
du brechest
er/sie breche
wir brechen
ihr brechet
Sie brechen
sie brechen

PASSE COMPOSE *(3)*

ich habe gebrochen
du habest gebrochen
er/sie habe gebrochen
wir haben gebrochen
ihr habet gebrochen
Sie haben gebrochen
sie haben gebrochen

INFINITIF
PRESENT

brechen

PASSE *(6)*

gebrochen haben

PARTICIPE
PRESENT

brechend

PRETERIT

ich bräche
du brächest
er/sie bräche
wir brächen
ihr brächet
Sie brächen
sie brächen

PLUS-QUE-PARFAIT *(4)*

ich hätte gebrochen
du hättest gebrochen
er/sie hätte gebrochen
wir hätten gebrochen
ihr hättet gebrochen
Sie hätten gebrochen
sie hätten gebrochen

PASSE

gebrochen

IMPERATIF

brich!
brecht!
brechen Sie!
brechen wir!

FUTUR ANTERIEUR *(5)*

ich werde gebrochen haben
du wirst gebrochen haben *etc.*

N.B. :

lorsqu'il est intransitif ('se rompre') :
(1) ich bin gebrochen *etc. (2)* ich war
gebrochen *etc. (3)* ich sei gebrochen *etc.*
(4) ich wäre gebrochen *etc. (5)* ich werde
gebrochen sein *etc. (6)* gebrochen sein

PRESENT

ich brenne
du brennst
er/sie brennt
wir brennen
ihr brennt
Sie brennen
sie brennen

PRETERIT

ich brannte
du branntest
er/sie brannte
wir brannten
ihr branntet
Sie brannten
sie brannten

FUTUR

ich werde brennen
du wirst brennen
er/sie wird brennen
wir werden brennen
ihr werdet brennen
Sie werden brennen
sie werden brennen

PARFAIT

ich habe gebrannt
du hast gebrannt
cr/sie hat gebrannt
wir haben gebrannt
ihr habt gebrannt
Sie haben gebrannt
sie haben gebrannt

PLUS-QUE-PARFAIT

ich hatte gebrannt
du hattest gebrannt
er/sie hatte gebrannt
wir hatten gebrannt
ihr hattet gebrannt
Sie hatten gebrannt
sie hatten gebrannt

CONDITIONNEL

ich würde brennen
du würdest brennen
er/sie würde brennen
wir würden brennen
ihr würdet brennen
Sie würden brennen
sie würden brennen

SUBJONCTIF
PRESENT

ich brenne
du brennest
er/sie brenne
wir brennen
ihr brennet
Sie brennen
sie brennen

PASSE COMPOSE

ich habe gebrannt
du habest gebrannt
er/sie habe gebrannt
wir haben gebrannt
ihr habet gebrannt
Sie haben gebrannt
sie haben gebrannt

INFINITIF
PRESENT

brennen

PASSE

gebrannt haben

PRETERIT

ich brennte
du brenntest
er/sie brennte
wir brennten
ihr brenntet
Sie brennten
sie brennten

PLUS-QUE-PARFAIT

ich hätte gebrannt
du hättest gebrannt
er/sie hätte gebrannt
wir hätten gebrannt
ihr hättet gebrannt
Sie hätten gebrannt
sie hätten gebrannt

PARTICIPE
PRESENT

brennend

PASSE

gebrannt

IMPERATIF

brenn(e)!
brennt!
brennen Sie!
brennen wir!

FUTUR ANTERIEUR

ich werde gebrannt haben
du wirst gebrannt haben *etc.*

30 BRINGEN
apporter

PRESENT	**PRETERIT**	**FUTUR**
ich bringe	ich brachte	ich werde bringen
du bringst	du brachtest	du wirst bringen
er/sie bringt	er/sie brachte	er/sie wird bringen
wir bringen	wir brachten	wir werden bringen
ihr bringt	ihr brachtet	ihr werdet bringen
Sie bringen	Sie brachten	Sie werden bringen
sie bringen	sie brachten	sie werden bringen

PARFAIT	**PLUS-QUE-PARFAIT**	**CONDITIONNEL**
ich habe gebracht	ich hatte gebracht	ich würde bringen
du hast gebracht	du hattest gebracht	du würdest bringen
er/sie hat gebracht	er/sie hatte gebracht	er/sie würde bringen
wir haben gebracht	wir hatten gebracht	wir würden bringen
ihr habt gebracht	ihr hattet gebracht	ihr würdet bringen
Sie haben gebracht	Sie hatten gebracht	Sie würden bringen
sie haben gebracht	sie hatten gebracht	sie würden bringen

SUBJONCTIF

PRESENT	**PASSE COMPOSE**
ich bringe	ich habe gebracht
du bringest	du habest gebracht
er/sie bringe	er/sie habe gebracht
wir bringen	wir haben gebracht
ihr bringet	ihr habet gebracht
Sie bringen	Sie haben gebracht
sie bringen	sie haben gebracht

PRETERIT	**PLUS-QUE-PARFAIT**
ich brächte	ich hätte gebracht
du brächtest	du hättest gebracht
er/sie brächte	er/sie hätte gebracht
wir brächten	wir hätten gebracht
ihr brächtet	ihr hättet gebracht
Sie brächten	Sie hätten gebracht
sie brächten	sie hätten gebracht

INFINITIF

PRESENT
bringen

PASSE
gebracht haben

PARTICIPE

PRESENT
bringend

PASSE
gebracht

IMPERATIF

bring(e)!
bringt!
bringen Sie!
bringen wir!

FUTUR ANTERIEUR

ich werde gebracht haben
du wirst gebracht haben *etc*.

PRESENT

ich bin da
du bist da
er/sie ist da
wir sind da
ihr seid da
Sie sind da
sie sind da

PRETERIT

ich war da
du warst da
er/sie war da
wir waren da
ihr wart da
Sie waren da
sie waren da

FUTUR

ich werde dasein
du wirst dasein
er/sie wird dasein
wir werden dasein
ihr werdet dasein
Sie werden dasein
sie werden dasein

PARFAIT

ich bin dagewesen
du bist dagewesen
er/sie ist dagewescn
wir sind dagewesen
ihr seid dagewesen
Sie sind dagewesen
sie sind dagewesen

PLUS-QUE-PARFAIT

ich war dagewesen
du warst dagewesen
er/sie war dagewesen
wir waren dagewesen
ihr wart dagewesen
Sie waren dagewesen
sie waren dagewesen

CONDITIONNEL

ich würde dasein
du würdest dasein
er/sie würde dasein
wir würden dasein
ihr würdet dasein
Sie würden dasein
sie würden dasein

SUBJONCTIF
PRESENT

ich sei da
du seist da
er/sie sei da
wir seien da
ihr seiet da
Sie seien da
sie seien da

PASSE COMPOSE

ich sei dagewesen
du sei(e)st dagewesen
er/sie sei dagewesen
wir seien dagewesen
ihr seiet dagewesen
Sie seien dagewesen
sie seien dagewesen

INFINITIF
PRESENT

dasein

PASSE

dagewesen sein

PARTICIPE
PRESENT

daseiend

PRETERIT

ich wäre da
du wärest da
er/sie wäre da
wir wären da
ihr wäret da
Sie wären da
sie wären da

PLUS-QUE-PARFAIT

ich wäre dagewesen
du wär(e)st dagewesen
er/sie wäre dagewesen
wir wären dagewesen
ihr wär(e)t dagewesen
Sie wären dagewesen
sie wären dagewesen

PASSE

dagewesen

IMPERATIF

sei da!
seid da!
seien Sie da!
seien wir da!

FUTUR ANTERIEUR

ich werde dagewesen sein
du wirst dagewesen sein *etc*.

32 DENKEN
penser

PRESENT

ich denke
du denkst
er/sie denkt
wir denken
ihr denkt
Sie denken
sie denken

PRETERIT

ich dachte
du dachtest
er/sie dachte
wir dachten
ihr dachtet
Sie dachten
sie dachten

FUTUR

ich werde denken
du wirst denken
er/sie wird denken
wir werden denken
ihr werdet denken
Sie werden denken
sie werden denken

PARFAIT

ich habe gedacht
du hast gedacht
er/sie hat gedacht
wir haben gedacht
ihr habt gedacht
Sie haben gedacht
sie haben gedacht

PLUS-QUE-PARFAIT

ich hatte gedacht
du hattest gedacht
er/sie hatte gedacht
wir hatten gedacht
ihr hattet gedacht
Sie hatten gedacht
sie hatten gedacht

CONDITIONNEL

ich würde denken
du würdest denken
er/sie würde denken
wir würden denken
ihr würdet denken
Sie würden denken
sie würden denken

SUBJONCTIF

PRESENT

ich denke
du denkest
er/sie denke
wir denken
ihr denket
Sie denken
sie denken

PASSE COMPOSE

ich habe gedacht
du habest gedacht
er/sie habe gedacht
wir haben gedacht
ihr habet gedacht
Sie haben gedacht
sie haben gedacht

PRETERIT

ich dächte
du dächtest
er/sie dächte
wir dächten
ihr dächtet
Sie dächten
sie dächten

PLUS-QUE-PARFAIT

ich hätte gedacht
du hättest gedacht
er/sie hätte gedacht
wir hätten gedacht
ihr hättet gedacht
Sie hätten gedacht
sie hätten gedacht

INFINITIF

PRESENT

denken

PASSE

gedacht haben

PARTICIPE

PRESENT

denkend

PASSE

gedacht

IMPERATIF

denk(e)!
denkt!
denken Sie!
denken wir!

FUTUR ANTERIEUR

ich werde gedacht haben
du wirst gedacht haben *etc.*

PRESENT

ich dresche
du drischst
er/sie drischt
wir dreschen
ihr drescht
Sie dreschen
sie dreschen

PRETERIT *(1)*

ich drosch
du droschst
er/sie drosch
wir droschen
ihr droscht
Sie droschen
sie droschen

FUTUR

ich werde dreschen
du wirst dreschen
er/sie wird dreschen
wir werden dreschen
ihr werdet dreschen
Sie werden dreschen
sie werden dreschen

PARFAIT

ich habe gedroschen
du hast gedroschen
er/sie hat gedroschen
wir haben gedroschen
ihr habt gedroschen
Sie haben gedroschen
sie haben gedroschen

PLUS-QUE-PARFAIT

ich hatte gedroschen
du hattest gedroschen
er/sie hatte gedroschen
wir hatten gedroschen
ihr hattet gedroschen
Sie hatten gedroschen
sie hatten gedroschen

CONDITIONNEL

ich würde dreschen
du würdest dreschen
er/sie würde dreschen
wir würden dreschen
ihr würdet dreschen
Sie würden dreschen
sie würden dreschen

SUBJONCTIF

PRESENT

ich dresche
du dreschest
er/sie dresche
wir dreschen
ihr dreschet
Sie dreschen
sie dreschen

PASSE COMPOSE

ich habe gedroschen
du habest gedroschen
er/sie habe gedroschen
wir haben gedroschen
ihr habet gedroschen
Sie haben gedroschen
sie haben gedroschen

INFINITIF

PRESENT

dreschen

PASSE

gedroschen haben

PARTICIPE

PRESENT

dreschen

PRETERIT

ich drösche
du dröschest
er/sie drösche
wir dröschen
ihr dröschet
Sie dröschen
sie dröschen

PLUS-QUE-PARFAIT

ich hätte gedroschen
du hättest gedroschen
er/sie hätte gedroschen
wir hätten gedroschen
ihr hättet gedroschen
Sie hätten gedroschen
sie hätten gedroschen

PASSE

gedroschen

IMPERATIF

drisch!
drescht!
dreschen Sie!
dreschen wir!

FUTUR ANTERIEUR

ich werde gedroschen haben
du wirst gedroschen haben *etc.*

N.B. :

(1) formes archaïques :
ich drasch, du draschst *etc.*

34 DRINGEN
pénétrer

PRESENT

ich dringe
du dringst
er/sie dringt
wir dringen
ihr dringt
Sie dringen
sie dringen

PRETERIT

ich drang
du drangst
er/sie drang
wir drangen
ihr drangt
Sie drangen
sie drangen

FUTUR

ich werde dringen
du wirst dringen
er/sie wird dringen
wir werden dringen
ihr werdet dringen
Sie werden dringen
sie werden dringen

PARFAIT

ich bin gedrungen
du bist gedrungen
er/sie ist gedrungen
wir sind gedrungen
ihr seid gedrungen
Sie sind gedrungen
sie sind gedrungen

PLUS-QUE-PARFAIT

ich war gedrungen
du warst gedrungen
er/sie war gedrungen
wir waren gedrungen
ihr wart gedrungen
Sie waren gedrungen
sie waren gedrungen

CONDITIONNEL

ich würde dringen
du würdest dringen
er/sie würde dringen
wir würden dringen
ihr würdet dringen
Sie würden dringen
sie würden dringen

SUBJONCTIF
PRESENT

ich dringe
du dringest
er/sie dringe
wir dringen
ihr dringet
Sie dringen
sie dringen

PASSE COMPOSE

ich sei gedrungen
du sei(e)st gedrungen
er/sie sei gedrungen
wir seien gedrungen
ihr seiet gedrungen
Sie seien gedrungen
sie seien gedrungen

INFINITIF
PRESENT

dringen

PASSE

gedrungen sein

PRETERIT

ich dränge
du drängest
er/sie dränge
wir drängen
ihr dränget
Sie drängen
sie drängen

PLUS-QUE-PARFAIT

ich wäre gedrungen
du wär(e)st gedrungen
er/sie wäre gedrungen
wir wären gedrungen
ihr wär(e)t gedrungen
Sie wären gedrungen
sie wären gedrungen

PARTICIPE
PRESENT

dringend

PASSE

gedrungen

IMPERATIF

dring(e)!
dringt!
dringen Sie!
dringen wir!

FUTUR ANTERIEUR

ich werde gedrungen sein
du wirst gedrungen sein *etc.*

PRESENT	**PRETERIT**	**FUTUR**
ich darf	ich durfte	ich werde dürfen
du darfst	du durftest	du wirst dürfen
er/sie darf	er/sie durfte	er/sie wird dürfen
wir dürfen	wir durften	wir werden dürfen
ihr dürft	ihr durftet	ihr werdet dürfen
Sie dürfen	Sie durften	Sie werden dürfen
sie dürfen	sie durften	sie werden dürfen

PARFAIT *(1)*	**PLUS-QUE-PARFAIT** *(2)*	**CONDITIONNEL**
ich habe gedurft	ich hatte gedurft	ich würde dürfen
du hast gedurft	du hattest gedurft	du würdest dürfen
er/sie hat gedurft	er/sie hatte gedurft	er/sie würde dürfen
wir haben gedurft	wir hatten gedurft	wir würden dürfen
ihr habt gedurft	ihr hattet gedurft	ihr würdet dürfen
Sie haben gedurft	Sie hatten gedurft	Sie würden dürfen
sie haben gedurft	sie hatten gedurft	sie würden dürfen

SUBJONCTIF

PRESENT	**PASSE COMPOSE** *(1)*
ich dürfe	ich habe gedurft
du dürfest	du habest gedurft
er/sie dürfe	er/sie habe gedurft
wir dürfen	wir haben gedurft
ihr dürfet	ihr habet gedurft
Sie dürfen	Sie haben gedurft
sie dürfen	sie haben gedurft

PRETERIT	**PLUS-QUE-PARFAIT** *(3)*
ich dürfte	ich hätte gedurft
du dürftest	du hättest gedurft
er/sie dürfte	er/sie hätte gedurft
wir dürften	wir hätten gedurft
ihr dürftet	ihr hättet gedurft
Sie dürften	Sie hätten gedurft
sie dürften	sie hätten gedurft

INFINITIF

PRESENT

dürfen

PASSE

gedurft haben

PARTICIPE

PRESENT

dürfend

PASSE

gedurft

N.B. :
lorsqu'il est précédé d'un infinitif :
(1) ich habe . . . dürfen *etc.*
(2) ich hatte . . . dürfen *etc.*
(3) ich hätte . . . dürfen *etc.*

36 EILEN
se dépêcher

PRESENT	PRETERIT	FUTUR
ich eile	ich eilte	ich werde eilen
du eilst	du eiltest	du wirst eilen
er/sie eilt	er/sie eilte	er/sie wird eilen
wir eilen	wir eilten	wir werden eilen
ihr eilt	ihr eiltet	ihr werdet eilen
Sie eilen	Sie eilten	Sie werden eilen
sie eilen	sie eilten	sie werden eilen

PARFAIT	PLUS-QUE-PARFAIT	CONDITIONNEL
ich bin geeilt	ich war geeilt	ich würde eilen
du bist geeilt	du warst geeilt	du würdest eilen
er/sie ist geeilt	er/sie war geeilt	er/sie würde eilen
wir sind geeilt	wir waren geeilt	wir würden eilen
ihr seid geeilt	ihr wart geeilt	ihr würdet eilen
Sie sind geeilt	Sie waren geeilt	Sie würden eilen
sie sind geeilt	sie waren geeilt	sie würden eilen

SUBJONCTIF

PRESENT	PASSE COMPOSE
ich eile	ich sei geeilt
du eilest	du sei(e)st geeilt
er/sie eile	er/sie sei geeilt
wir eilen	wir seien geeilt
ihr eilet	ihr seiet geeilt
Sie eilen	Sie seien geeilt
sie eilen	sie seien geeilt

PRETERIT	PLUS-QUE-PARFAIT
ich eilte	ich wäre geeilt
du eiltest	du wär(e)st geeilt
er/sie eilte	er/sie wäre geeilt
wir eilten	wir wären geeilt
ihr eiltet	ihr wär(e)t geeilt
Sie eilten	Sie wären geeilt
sie eilten	sie wären geeilt

INFINITIF

PRESENT
eilen

PASSE
geeilt sein

PARTICIPE

PRESENT
eilend

PASSE
geeilt

IMPERATIF

eil(e)!
eilt!
eilen Sie!
eilen wir!

FUTUR ANTERIEUR

ich werde geeilt sein
du wirst geeilt sein *etc*.

PRESENT

ich empfehle
du empfiehlst
er/sie empfiehlt
wir empfehlen
ihr empfehlt
Sie empfehlen
sie empfehlen

PRETERIT

ich empfahl
du empfahlst
er/sie empfahl
wir empfahlen
ihr empfahlt
Sie empfahlen
sie empfahlen

FUTUR

ich werde empfehlen
du wirst empfehlen
er/sie wird empfehlen
wir werden empfehlen
ihr werdet empfehlen
Sie werden empfehlen
sie werden empfehlen

PARFAIT

ich habe empfohlen
du hast empfohlen
er/sie hat empfohlen
wir haben empfohlen
ihr habt empfohlen
Sie haben empfohlen
sie haben empfohlen

PLUS-QUE-PARFAIT

ich hatte empfohlen
du hattest empfohlen
er/sie hatte empfohlen
wir hatten empfohlen
ihr hattet empfohlen
Sie hatten empfohlen
sie hatten empfohlen

CONDITIONNEL

ich würde empfehlen
du würdest empfehlen
er/sie würde empfehlen
wir würden empfehlen
ihr würdet empfehlen
Sie würden empfehlen
sie würden empfehlen

SUBJONCTIF
PRESENT

ich empfehle
du empfehlest
er/sie empfehle
wir empfehlen
ihr empfehlet
Sie empfehlen
sie empfehlen

PASSE COMPOSE

ich habe empfohlen
du habest empfohlen
er/sie habe empfohlen
wir haben empfohlen
ihr habet empfohlen
Sie haben empfohlen
sie haben empfohlen

INFINITIF
PRESENT
empfehlen
PASSE
empfohlen haben

PARTICIPE
PRESENT
empfehlend

PRETERIT *(1)*

ich empföhle
du empföhlest
er/sie empföhle
wir empföhlen
ihr empföhlet
Sie empföhlen
sie empföhlen

PLUS-QUE-PARFAIT

ich hätte empfohlen
du hättest empfohlen
er/sie hätte empfohlen
wir hätten empfohlen
ihr hättet empfohlen
Sie hätten empfohlen
sie hätten empfohlen

PASSE
empfohlen

IMPERATIF
empfiehl!
empfehlt!
empfehlen Sie!
empfehlen wir!

FUTUR ANTERIEUR

ich werde empfohlen haben
du wirst empfohlen haben *etc.*

N.B. :

(1) on trouve aussi ich empfähle,
du empfählest *etc.*

38 ENTSCHEIDEN
décider

PRESENT

ich entscheide
du entscheidest
er/sie entscheidet
wir entscheiden
ihr entscheidet
Sie entscheiden
sie entscheiden

PRETERIT

ich entschied
du entschiedest
er/sie entschied
wir entschieden
ihr entschiedet
Sie entschieden
sie entschieden

FUTUR

ich werde entscheiden
du wirst entscheiden
er/sie wird entscheiden
wir werden entscheiden
ihr werdet entscheiden
Sie werden entscheiden
sie werden entscheiden

PARFAIT

ich habe entschieden
du hast entschieden
er/sie hat entschieden
wir haben entschieden
ihr habt entschieden
Sie haben entschieden
sie haben entschieden

PLUS-QUE-PARFAIT

ich hatte entschieden
du hattest entschieden
er/sie hatte entschieden
wir hatten entschieden
ihr hattet entschieden
Sie hatten entschieden
sie hatten entschieden

CONDITIONNEL

ich würde entscheiden
du würdest entscheiden
er/sie würde entscheiden
wir würden entscheiden
ihr würdet entscheiden
Sie würden entscheiden
sie würden entscheiden

SUBJONCTIF
PRESENT

ich entscheide
du entscheidest
er/sie entscheide
wir entscheiden
ihr entscheidet
Sie entscheiden
sie entscheiden

PASSE COMPOSE

ich habe entschieden
du habest entschieden
er/sie habe entschieden
wir haben entschieden
ihr habet entschieden
Sie haben entschieden
sie haben entschieden

INFINITIF
PRESENT
entscheiden

PASSE
entschieden haben

PARTICIPE
PRESENT
entscheidend

PRETERIT

ich entschiede
du entschiedest
er/sie entschiede
wir entschieden
ihr entschiedet
Sie entschieden
sie entschieden

PLUS-QUE-PARFAIT

ich hätte entschieden
du hättest entschieden
er/sie hätte entschieden
wir hätten entschieden
ihr hättet entschieden
Sie hätten entschieden
sie hätten entschieden

PASSE
entschieden

IMPERATIF

entscheid(e)!
entscheidet!
entscheiden Sie!
entscheiden wir!

FUTUR ANTERIEUR

ich werde entschieden haben
du wirst entschieden haben *etc*.

PRESENT

ich erklimme
du erklimmst
er/sie erklimmt
wir erklimmen
ihr erklimmt
Sie erklimmen
sie erklimmen

PRETERIT

ich erklomm
du erklommst
er/sie erklomm
wir erklommen
ihr erklommt
Sie erklommen
sie erklommen

FUTUR

ich werde erklimmen
du wirst erklimmen
er/sie wird erklimmen
wir werden erklimmen
ihr werdet erklimmen
Sie werden erklimmen
sie werden erklimmen

PARFAIT

ich habe erklommen
du hast erklommen
er/sie hat erklommen
wir haben erklommen
ihr habt erklommen
Sie haben erklommen
sie haben erklommen

PLUS-QUE-PARFAIT

ich hatte erklommen
du hattest erklommen
er/sie hatte erklommen
wir hatten erklommen
ihr hattet erklommen
Sie hatten erklommen
sie hatten erklommen

CONDITIONNEL

ich würde erklimmen
du würdest erklimmen
er/sie würde erklimmen
wir würden erklimmen
ihr würdet erklimmen
Sie würden erklimmen
sie würden erklimmen

SUBJONCTIF
PRESENT

ich erklimme
du erklimmest
er/sie erklimme
wir erklimmen
ihr erklimmet
Sie erklimmen
sie erklimmen

PASSE COMPOSE

ich habe erklommen
du habest erklommen
er/sie habe erklommen
wir haben erklommen
ihr habet erklommen
Sie haben erklommen
sie haben erklommen

INFINITIF
PRESENT

erklimmen

PASSE

erklommen haben

PRETERIT

ich erklömme
du erklömmest
er/sie erklömme
wir erklömmen
ihr erklömmet
Sie erklömmen
sie erklömmen

PLUS-QUE-PARFAIT

ich hätte erklommen
du hättest erklommen
er/sie hätte erklommen
wir hätten erklommen
ihr hättet erklommen
Sie hätten erklommen
sie hätten erklommen

PARTICIPE
PRESENT

erklimmend

PASSE

erklommen

IMPERATIF

erklimm(e)!
erklimmt!
erklimmen Sie!
erklimmt ihr!

FUTUR ANTERIEUR

ich werde erklommen haben
du wirst erklommen haben *etc.*

40 ERSCHRECKEN
s'effrayer *(1)*

PRESENT	PRETERIT	FUTUR
ich erschrecke	ich erschrak	ich werde erschreckt
du erschrickst	du erschrakst	du wirst erschreckt
er/sie erschrickt	er/sie erschrak	er/sie wird erschreckt
wir erschrecken	wir erschraken	wir werden erschreckt
ihr erschreckt	ihr erschrakt	ihr werdet erschreckt
Sie erschrecken	Sie erschraken	Sie werden erschreckt
sie erschrecken	sie erschraken	sie werden erschreckt

PARFAIT	PLUS-QUE-PARFAIT	CONDITIONNEL
ich bin erschrocken	ich war erschrocken	ich würde erschreckt
du bist erschrocken	du warst erschrocken	du würdest erschreckt
er/sie ist erschrocken	er/sie war erschrocken	er/sie würde erschreckt
wir sind erschrocken	wir waren erschrocken	wir würden erschreckt
ihr seid erschrocken	ihr wart erschrocken	ihr würdet erschreckt
Sie sind erschrocken	Sie waren erschrocken	Sie würden erschreckt
sie sind erschrocken	sie waren erschrocken	sie würden erschreckt

SUBJONCTIF

PRESENT	PASSE COMPOSE
ich erschrecke	ich sei erschrocken
du erschreckest	du sei(e)st erschrocken
er/sie erschrecke	er/sie sei erschrocken
wir erschrecken	wir seien erschrocken
ihr erschrecket	ihr seiet erschrocken
Sie erschrecken	Sie seien erschrocken
sie erschrecken	sie seien erschrocken

PRETERIT	PLUS-QUE-PARFAIT
ich erschräke	ich wäre erschrocken
du erschräkest	du wär(e)st erschrocken
er/sie erschräke	er/sie wäre erschrocken
wir erschräken	wir wären erschrocken
ihr erschräket	ihr wär(e)t erschrocken
Sie erschräken	Sie wären erschrocken
sie erschräken	sie wären erschrocken

INFINITIF

PRESENT
erschrecken

PASSE
erschrocken sein

PARTICIPE

PRESENT
erschreckend

PASSE
erschrocken

IMPERATIF
erschrick!
erschreckt!
erschrecken Sie!
erschrecken wir!

FUTUR ANTERIEUR
ich werde erschrocken sein
du wirst erschrocken sein *etc.*

N.B. :
(1) lorsqu'il est faible transitif ('faire peur à'), il se conjugue alors avec haben : ich erschreckte, ich habe erschreckt *etc.*

PRESENT

ich erwäge
du erwägst
er/sie erwägt
wir erwägen
ihr erwägt
Sie erwägen
sie erwägen

PRETERIT

ich erwog
du erwogst
er/sie erwog
wir erwogen
ihr erwogt
Sie erwogen
sie erwogen

FUTUR

ich werde erwägen
du wirst erwägen
er/sie wird erwägen
wir werden erwägen
ihr werdet erwägen
Sie werden erwägen
sie werden erwägen

PARFAIT

ich habe erwogen
du hast erwogen
er/sie hat erwogen
wir haben erwogen
ihr habt erwogen
Sie haben erwogen
sie haben erwogen

PLUS-QUE-PARFAIT

ich hatte erwogen
du hattest erwogen
er/sie hatte erwogen
wir hatten erwogen
ihr hattet erwogen
Sie hatten erwogen
sie hatten erwogen

CONDITIONNEL

ich würde erwägen
du würdest erwägen
er/sie würde erwägen
wir würden erwägen
ihr würdet erwägen
Sie würden erwägen
sie würden erwägen

SUBJONCTIF
PRESENT

ich erwäge
du erwägest
er/sie erwäge
wir erwägen
ihr erwäget
Sie erwägen
sie erwägen

PASSE COMPOSE

ich habe erwogen
du habest erwogen
er/sie habe erwogen
wir haben erwogen
ihr habet erwogen
Sie haben erwogen
sie haben erwogen

INFINITIF
PRESENT

erwägen

PASSE

erwogen haben

PRETERIT

ich erwöge
du erwögest
er/sie erwöge
wir erwögen
ihr erwöget
Sie erwögen
sie erwögen

PLUS-QUE-PARFAIT

ich hätte erwogen
du hättest erwogen
er/sie hätte erwogen
wir hätten erwogen
ihr hättet erwogen
Sie hätten erwogen
sie hätten erwogen

PARTICIPE
PRESENT

erwägen

PASSE

erwogen

IMPERATIF

erwäg(e)!
erwägt!
erwägen Sie!
erwägen wir!

FUTUR ANTERIEUR

ich werde erwogen haben
du wirst erwogen haben *etc.*

42 ESSEN
manger

PRESENT	**PRETERIT**	**FUTUR**
ich esse	ich aß	ich werde essen
du ißt	du aßest	du wirst essen
er/sie ißt	er/sie aß	er/sie wird essen
wir essen	wir aßen	wir werden essen
ihr eßt	ihr aßt	ihr werdet essen
Sie essen	Sie aßen	Sie werden essen
sie essen	sie aßen	sie werden essen

PARFAIT	**PLUS-QUE-PARFAIT**	**CONDITIONNEL**
ich habe gegessen	ich hatte gegessen	ich würde essen
du hast gegessen	du hattest gegessen	du würdest essen
er/sie hat gegessen	er/sie hatte gegessen	er/sie würde essen
wir haben gegessen	wir hatten gegessen	wir würden essen
ihr habt gegessen	ihr hattet gegessen	ihr würdet essen
Sie haben gegessen	Sie hatten gegessen	Sie würden essen
sie haben gegessen	sie hatten gegessen	sie würden essen

SUBJONCTIF

PRESENT	**PASSE COMPOSE**
ich esse	ich habe gegessen
du essest	du habest gegessen
er/sie esse	er/sie habe gegessen
wir essen	wir haben gegessen
ihr esset	ihr habet gegessen
Sie essen	Sie haben gegessen
sie essen	sie haben gegessen

PRETERIT	**PLUS-QUE-PARFAIT**
ich äße	ich hätte gegessen
du äßest	du hättest gegessen
er/sie äße	er/sie hätte gegessen
wir äßen	wir hätten gegessen
ihr äßet	ihr hättet gegessen
Sie äßen	Sie hätten gegessen
sie äßen	sie hätten gegessen

INFINITIF

PRESENT

essen

PASSE

gegessen haben

PARTICIPE

PRESENT

essend

PASSE

gegessen

IMPERATIF

iß!
eßt!
essen Sie!
essen wir!

FUTUR ANTERIEUR

ich werde gegessen haben
du wirst gegessen haben *etc.*

PRESENT

ich fahre
du fährst
er/sie fährt
wir fahren
ihr fahrt
Sie fahren
sie fahren

PRETERIT

ich fuhr
du fuhrst
er/sie fuhr
wir fuhren
ihr fuhrt
Sie fuhren
sie fuhren

FUTUR

ich werde fahren
du wirst fahren
er/sie wird fahren
wir werden fahren
ihr werdet fahren
Sie werden fahren
sie werden fahren

PARFAIT *(1)*

ich bin gefahren
du bist gefahren
er/sie ist gefahren
wir sind gefahren
ihr seid gefahren
Sie sind gefahren
sie sind gefahren

PLUS-QUE-PARFAIT *(2)*

ich war gefahren
du warst gefahren
er/sie war gefahren
wir waren gefahren
ihr wart gefahren
Sie waren gefahren
sie waren gefahren

CONDITIONNEL

ich würde fahren
du würdest fahren
er/sie würde fahren
wir würden fahren
ihr würdet fahren
Sie würden fahren
sie würden fahren

SUBJONCTIF
PRESENT

ich fahre
du fahrest
er/sie fahre
wir fahren
ihr fahret
Sie fahren
sie fahren

PASSE COMPOSE *(1)*

ich sei gefahren
du sei(e)st gefahren
er/sie sei gefahren
wir seien gefahren
ihr seiet gefahren
Sie seien gefahren
sie seien gefahren

INFINITIF
PRESENT
fahren

PASSE *(5)*
gefahren haben

PARTICIPE
PRESENT
fahrend

PRETERIT

ich führe
du führest
er/sie führe
wir führen
ihr führet
Sie führen
sie führen

PLUS-QUE-PARFAIT *(3)*

ich wäre gefahren
du wär(e)st gefahren
er/sie wäre gefahren
wir wären gefahren
ihr wär(e)t gefahren
Sie wären gefahren
sie wären gefahren

PASSE
gefahren

IMPERATIF
fahr(e)!
fahrt!
fahren Sie!
fahren wir!

FUTUR ANTERIEUR *(4)*

ich werde gefahren sein
du wirst gefahren sein *etc.*

N.B. :

*lorsqu'il est transitif ('conduire') :
(1) ich habe gefahren etc. (2) ich hatte
gefahren etc. (3) ich hätte gefahren etc.
(4) ich werde gefahren haben etc.
(5) gefahren haben*

44 FALLEN
tomber

PRESENT	PRETERIT	FUTUR
ich falle	ich fiel	ich werde fallen
du fällst	du fielst	du wirst fallen
er/sie fällt	er/sie fiel	er/sie wird fallen
wir fallen	wir fielen	wir werden fallen
ihr fallt	ihr fielt	ihr werdet fallen
Sie fallen	Sie fielen	Sie werden fallen
sie fallen	sie fielen	sie werden fallen

PARFAIT	PLUS-QUE-PARFAIT	CONDITIONNEL
ich bin gefallen	ich war gefallen	ich würde fallen
du bist gefallen	du warst gefallen	du würdest fallen
er/sie ist gefallen	er/sie war gefallen	er/sie würde fallen
wir sind gefallen	wir waren gefallen	wir würden fallen
ihr seid gefallen	ihr wart gefallen	ihr würdet fallen
Sie sind gefallen	Sie waren gefallen	Sie würden fallen
sie sind gefallen	sie waren gefallen	sie würden fallen

SUBJONCTIF

PRESENT	PASSE COMPOSE
ich falle	ich sei gefallen
du fallest	du sei(e)st gefallen
er/sie falle	er/sie sei gefallen
wir fallen	wir seien gefallen
ihr fallet	ihr seiet gefallen
Sie fallen	Sie seien gefallen
sie fallen	sie seien gefallen

PRETERIT	PLUS-QUE-PARFAIT
ich fiele	ich wäre gefallen
du fielest	du wär(e)st gefallen
er/sie fiele	er/sie wäre gefallen
wir fielen	wir wären gefallen
ihr fielet	ihr wär(e)t gefallen
Sie fielen	Sie wären gefallen
sie fielen	sie wären gefallen

INFINITIF
PRESENT
fallen

PASSE
gefallen sein

PARTICIPE
PRESENT
fallend

PASSE
gefallen

IMPERATIF
fall(e)!
fallt!
fallen Sie!
fallen wir!

FUTUR ANTERIEUR

ich werde gefallen sein
du wirst gefallen sein *etc*.

PRESENT

ich fange
du fängst
er/sie fängt
wir fangen
ihr fangt
Sie fangen
sie fangen

PRETERIT

ich fing
du fingst
er/sie fing
wir fingen
ihr fingt
Sie fingen
sie fingen

FUTUR

ich werde fangen
du wirst fangen
er/sie wird fangen
wir werden fangen
ihr werdet fangen
Sie werden fangen
sie werden fangen

PARFAIT

ich habe gefangen
du hast gefangen
er/sie hat gefangen
wir haben gefangen
ihr habt gefangen
Sie haben gefangen
sie haben gefangen

PLUS-QUE-PARFAIT

ich hatte gefangen
du hattest gefangen
er/sie hatte gefangen
wir hatten gefangen
ihr hattet gefangen
Sie hatten gefangen
sie hatten gefangen

CONDITIONNEL

ich würde fangen
du würdest fangen
er/sie würde fangen
wir würden fangen
ihr würdet fangen
Sie würden fangen
sie würden fangen

SUBJONCTIF
PRESENT

ich fange
du fangest
er/sie fange
wir fangen
ihr fanget
Sie fangen
sie fangen

PASSE COMPOSE

ich habe gefangen
du habest gefangen
er/sie habe gefangen
wir haben gefangen
ihr habet gefangen
Sie haben gefangen
sie haben gefangen

INFINITIF
PRESENT

fangen

PASSE

gefangen haben

PARTICIPE
PRESENT

fangend

PRETERIT

ich finge
du fingest
er/sie finge
wir fingen
ihr finget
Sie fingen
sie fingen

PLUS-QUE-PARFAIT

ich hätte gefangen
du hättest gefangen
er/sie hätte gefangen
wir hätten gefangen
ihr hättet gefangen
Sie hätten gefangen
sie hätten gefangen

PASSE

gefangen

IMPERATIF

fang(e)!
fangt!
fangen Sie!
fangen wir!

FUTUR ANTERIEUR

ich werde gefangen haben
du wirst gefangen haben *etc.*

PRESENT	PRETERIT	FUTUR
ich fechte	ich focht	ich werde fechten
du fichtst *(1)*	du fochtest	du wirst fechten
er/sie ficht	er/sie focht	er/sie wird fechten
wir fechten	wir fochten	wir werden fechten
ihr fechtet	ihr fochtet	ihr werdet fechten
Sie fechten	Sie fochten	Sie werden fechten
sie fechten	sie fochten	sie werden fechten

PARFAIT	PLUS-QUE-PARFAIT	CONDITIONNEL
ich habe gefochten	ich hatte gefochten	ich würde fechten
du hast gefochten	du hattest gefochten	du würdest fechten
er/sie hat gefochten	er/sie hatte gefochten	er/sie würde fechten
wir haben gefochten	wir hatten gefochten	wir würden fechten
ihr habt gefochten	ihr hattet gefochten	ihr würdet fechten
Sie haben gefochten	Sie hatten gefochten	Sie würden fechten
sie haben gefochten	sie hatten gefochten	sie würden fechten

SUBJONCTIF

PRESENT	PASSE COMPOSE
ich fechte	ich habe gefochten
du fechtest	du habest gefochten
er/sie fechte	er/sie habe gefochten
wir fechten	wir haben gefochten
ihr fechtet	ihr habet gefochten
Sie fechten	Sie haben gefochten
sie fechten	sie haben gefochten

PRETERIT	PLUS-QUE-PARFAIT
ich föchte	ich hätte gefochten
du föchtest	du hättest gefochten
er/sie föchte	er/sie hätte gefochten
wir föchten	wir hätten gefochten
ihr föchtet	ihr hättet gefochten
Sie föchten	Sie hätten gefochten
sie föchten	sie hätten gefochten

INFINITIF

PRESENT
fechten

PASSE
gefochten haben

PARTICIPE

PRESENT
fechtend

PASSE
gefochten

IMPERATIF

ficht!
fechtet!
fechten Sie!
fechten wir!

FUTUR ANTERIEUR

ich werde gefochten haben
du wirst gefochten haben *etc*.

N.B. :

(1) on trouve aussi du fichst

PRESENT

ich finde
du findest
er/sie findet
wir finden
ihr findet
Sie finden
sie finden

PRETERIT

ich fand
du fandest
er/sie fand
wir fanden
ihr fandet
Sie fanden
sie fanden

FUTUR

ich werde finden
du wirst finden
er/sie wird finden
wir werden finden
ihr werdet finden
Sie werden finden
sie werden finden

PARFAIT

ich habe gefunden
du hast gefunden
er/sie hat gefunden
wir haben gefunden
ihr habt gefunden
Sie haben gefunden
sie haben gefunden

PLUS-QUE-PARFAIT

ich hatte gefunden
du hattest gefunden
er/sie hatte gefunden
wir hatten gefunden
ihr hattet gefunden
Sie hatten gefunden
sie hatten gefunden

CONDITIONNEL

ich würde finden
du würdest finden
er/sie würde finden
wir würden finden
ihr würdet finden
Sie würden finden
sie würden finden

SUBJONCTIF
PRESENT

ich finde
du findest
er/sie finde
wir finden
ihr findet
Sie finden
sie finden

PASSE COMPOSE

ich habe gefunden
du habest gefunden
er/sie habe gefunden
wir haben gefunden
ihr habet gefunden
Sie haben gefunden
sie haben gefunden

INFINITIF
PRESENT

finden

PASSE

gefunden haben

PARTICIPE
PRESENT

findend

PRETERIT

ich fände
du fändest
er/sie fände
wir fänden
ihr fändet
Sie fänden
sie fänden

PLUS-QUE-PARFAIT

ich hätte gefunden
du hättest gefunden
er/sie hätte gefunden
wir hätten gefunden
ihr hättet gefunden
Sie hätten gefunden
sie hätten gefunden

PASSE

gefunden

IMPERATIF

find(e)!
findet!
finden Sie!
finden wir!

FUTUR ANTERIEUR

ich werde gefunden haben
du wirst gefunden haben *etc.*

48 FLECHTEN
tresser

PRESENT	**PRETERIT**	**FUTUR**
ich flechte	ich flocht	ich werde flechten
du flichtst *(1)*	du flochtest	du wirst flechten
er/sie flicht	er/sie flocht	er/sie wird flechten
wir flechten	wir flochten	wir werden flechten
ihr flechtet	ihr flochtet	ihr werdet flechten
Sie flechten	Sie flochten	Sie werden flechten
sie flechten	sie flochten	sie werden flechten

PARFAIT	**PLUS-QUE-PARFAIT**	**CONDITIONNEL**
ich habe geflochten	ich hatte geflochten	ich würde flechten
du hast geflochten	du hattest geflochten	du würdest flechten
er/sie hat geflochten	er/sie hatte geflochten	er/sie würde flechten
wir haben geflochten	wir hatten geflochten	wir würden flechten
ihr habt geflochten	ihr hattet geflochten	ihr würdet flechten
Sie haben geflochten	Sie hatten geflochten	Sie würden flechten
sie haben geflochten	sie hatten geflochten	sie würden flechten

SUBJONCTIF

PRESENT	**PASSE COMPOSE**
ich flechte	ich habe geflochten
du flechtest	du habest geflochten
er/sie flechte	er/sie habe geflochten
wir flechten	wir haben geflochten
ihr flechtet	ihr habet geflochten
Sie flechten	Sie haben geflochten
sie flechten	sie haben geflochten

PRETERIT	**PLUS-QUE-PARFAIT**
ich flöchte	ich hätte geflochten
du flöchtest	du hättest geflochten
er/sie flöchte	er/sie hätte geflochten
wir flöchten	wir hätten geflochten
ihr flöchtet	ihr hättet geflochten
Sie flöchten	Sie hätten geflochten
sie flöchten	sie hätten geflochten

INFINITIF

PRESENT
flechten

PASSE
geflochten haben

PARTICIPE

PRESENT
flechtend

PASSE
geflochten

IMPERATIF

flicht!
flechtet!
flechten Sie!
flechten wir!

FUTUR ANTERIEUR

ich werde geflochten haben
du wirst geflochten haben *etc*.

N.B. :

(1) on trouve aussi du flichst

PRESENT

ich fliege
du fliegst
er/sie fliegt
wir fliegen
ihr fliegt
Sie fliegen
sie fliegen

PRETERIT

ich flog
du flogst
er/sie flog
wir flogen
ihr flogt
Sie flogen
sie flogen

FUTUR

ich werde fliegen
du wirst fliegen
er/sie wird fliegen
wir werden fliegen
ihr werdet fliegen
Sie werden fliegen
sie werden fliegen

PARFAIT *(1)*

ich bin geflogen
du bist geflogen
er/sie ist geflogen
wir sind geflogen
ihr seid geflogen
Sie sind geflogen
sie sind geflogen

PLUS-QUE-PARFAIT *(2)*

ich war geflogen
du warst geflogen
er/sie war geflogen
wir waren geflogen
ihr wart geflogen
Sie waren geflogen
sie waren geflogen

CONDITIONNEL

ich würde fliegen
du würdest fliegen
er/sie würde fliegen
wir würden fliegen
ihr würdet fliegen
Sie würden fliegen
sie würden fliegen

SUBJONCTIF
PRESENT

ich fliege
du fliegest
er/sie fliege
wir fliegen
ihr flieget
Sie fliegen
sie fliegen

PASSE COMPOSE *(1)*

ich sei geflogen
du sei(e)st geflogen
er/sie sei geflogen
wir seien geflogen
ihr seiet geflogen
Sie seien geflogen
sie seien geflogen

INFINITIF
PRESENT

fliegen

PASSE *(5)*

geflogen sein

PARTICIPE
PRESENT

fliegend

PRETERIT

ich flöge
du flögest
er/sie flöge
wir flögen
ihr flöget
Sie flögen
sie flögen

PLUS-QUE-PARFAIT *(3)*

ich wäre geflogen
du wär(e)st geflogen
er/sie wäre geflogen
wir wären geflogen
ihr wär(e)t geflogen
Sie wären geflogen
sie wären geflogen

PASSE

geflogen

IMPERATIF

flieg(e)!
fliegt!
fliegen Sie!
fliegen wir!

FUTUR ANTERIEUR *(4)*

ich werde geflogen sein
du wirst geflogen sein *etc.*

N.B. :

lorsqu'il est transitif ('transporter par avion') : (1) ich habe geflogen *etc. (2)* ich hatte geflogen *etc. (3)* ich hätte geflogen *etc. (4)* ich werde geflogen haben *etc. (5)* geflogen haben

50 FLIEHEN
fuir

PRESENT

ich fliehe
du fliehst
er/sie flieht
wir fliehen
ihr flieht
Sie fliehen
sie fliehen

PRETERIT

ich floh
du flohst
er/sie floh
wir flohen
ihr floht
Sie flohen
sie flohen

FUTUR

ich werde fliehen
du wirst fliehen
er/sie wird fliehen
wir werden fliehen
ihr werdet fliehen
Sie werden fliehen
sie werden fliehen

PARFAIT

ich bin geflohen
du bist geflohen
er/sie ist geflohen
wir sind geflohen
ihr seid geflohen
Sie sind geflohen
sie sind geflohen

PLUS-QUE-PARFAIT

ich war geflohen
du warst geflohen
er/sie war geflohen
wir waren geflohen
ihr wart geflohen
Sie waren geflohen
sie waren geflohen

CONDITIONNEL

ich würde fliehen
du würdest fliehen
er/sie würde fliehen
wir würden fliehen
ihr würdet fliehen
Sie würden fliehen
sie würden fliehen

SUBJONCTIF
PRESENT

ich fliehe
du fliehest
er/sie fliehe
wir fliehen
ihr fliehet
Sie fliehen
sie fliehen

PASSE COMPOSE

ich sei geflohen
du sei(e)st geflohen
er/sie sei geflohen
wir seien geflohen
ihr seiet geflohen
Sie seien geflohen
sie seien geflohen

INFINITIF
PRESENT

fliehen

PASSE

geflohen sein

PRETERIT

ich flöhe
du flöhest
er/sie flöhe
wir flöhen
ihr flöhet
Sie flöhen
sie flöhen

PLUS-QUE-PARFAIT

ich wäre geflohen
du wär(e)st geflohen
er/sie wäre geflohen
wir wären geflohen
ihr wär(e)t geflohen
Sie wären geflohen
sie wären geflohen

PARTICIPE
PRESENT

fliehend

PASSE

geflohen

IMPERATIF

flieh(e)!
flieht!
fliehen Sie!
fliehen wir!

FUTUR ANTERIEUR

ich werde geflohen sein
du wirst geflohen sein *etc*.

PRESENT

ich fließe
du fließt
er/sie fließt
wir fließen
ihr fließt
Sie fließen
sie fließen

PRETERIT

ich floß
du flossest
er/sie floß
wir flossen
ihr floßt
Sie flossen
sie flossen

FUTUR

ich werde fließen
du wirst fließen
er/sie wird fließen
wir werden fließen
ihr werdet fließen
Sie werden fließen
sie werden fließen

PARFAIT

ich bin geflossen
du bist geflossen
er/sie ist geflosscn
wir sind geflossen
ihr seid geflossen
Sie sind geflossen
sie sind geflossen

PLUS-QUE-PARFAIT

ich war geflossen
du warst geflossen
er/sie war geflossen
wir waren geflossen
ihr wart geflossen
Sie waren geflossen
sie waren geflossen

CONDITIONNEL

ich würde fließen
du würdest fließen
er/sie würde fließen
wir würden fließen
ihr würdet fließen
Sie würden fließen
sie würden fließen

SUBJONCTIF
PRESENT

ich fließe
du fließest
er/sie fließe
wir fließen
ihr fließet
Sie fließen
sie fließen

PASSE COMPOSE

ich sei geflossen
du sei(e)st geflossen
er/sie sei geflossen
wir seien geflossen
ihr seiet geflossen
Sie seien geflossen
sie seien geflossen

INFINITIF
PRESENT
fließen

PASSE
geflossen sein

PARTICIPE
PRESENT
fließend

PRETERIT

ich flösse
du flössest
er/sie flösse
wir flössen
ihr flösset
Sie flössen
sie flössen

PLUS-QUE-PARFAIT

ich wäre geflossen
du wär(e)st geflossen
er/sie wäre geflossen
wir wären geflossen
ihr wär(e)t geflossen
Sie wären geflossen
sie wären geflossen

PASSE
geflossen

IMPERATIF
fließ(e)!
fließt!
fließen Sie!
fließen wir!

FUTUR ANTERIEUR

ich werde geflossen sein
du wirst geflossen sein *etc*.

PRESENT	PRETERIT *(1)*	FUTUR
ich frage	ich fragte	ich werde fragen
du fragst	du fragtest	du wirst fragen
er/sie fragt	er/sie fragte	er/sie wird fragen
wir fragen	wir fragten	wir werden fragen
ihr fragt	ihr fragtet	ihr werdet fragen
Sie fragen	Sie fragten	Sie werden fragen
sie fragen	sie fragten	sie werden fragen

PARFAIT	PLUS-QUE-PARFAIT	CONDITIONNEL
ich habe gefragt	ich hatte gefragt	ich würde fragen
du hast gefragt	du hattest gefragt	du würdest fragen
er/sie hat gefragt	er/sie hatte gefragt	er/sie würde fragen
wir haben gefragt	wir hatten gefragt	wir würden fragen
ihr habt gefragt	ihr hattet gefragt	ihr würdet fragen
Sie haben gefragt	Sie hatten gefragt	Sie würden fragen
sie haben gefragt	sie hatten gefragt	sie würden fragen

SUBJONCTIF

PRESENT	PASSE COMPOSE
ich frage	ich habe gefragt
du fragest	du habest gefragt
er/sie frage	er/sie habe gefragt
wir fragen	wir haben gefragt
ihr fraget	ihr habet gefragt
Sie fragen	Sie haben gefragt
sie fragen	sie haben gefragt

PRETERIT	PLUS-QUE-PARFAIT
ich fragte	ich hätte gefragt
du fragtest	du hättest gefragt
er/sie fragte	er/sie hätte gefragt
wir fragten	wir hätten gefragt
ihr fragtet	ihr hättet gefragt
Sie fragten	Sie hätten gefragt
sie fragten	sie hätten gefragt

INFINITIF
PRESENT
fragen

PASSE
gefragt haben

PARTICIPE
PRESENT
fragend

PASSE
gefragt

IMPERATIF
frag(e)!
fragt!
fragen Sie!
fragen wir!

FUTUR ANTERIEUR

ich werde gefragt haben
du wirst gefragt haben *etc*.

N.B. :

(1) formes archaïques : ich frug,
du frugst *etc*.

PRESENT

ich fresse
du frißt
er/sie frißt
wir fressen
ihr freßt
Sie fressen
sie fressen

PRETERIT

ich fraß
du fraßest
er/sie fraß
wir fraßen
ihr fraßt
Sie fraßen
sie fraßen

FUTUR

ich werde fressen
du wirst fressen
er/sie wird fressen
wir werden fressen
ihr werdet fressen
Sie werden fressen
sie werden fressen

PARFAIT

ich habe gefressen
du hast gefressen
er/sie hat gefressen
wir haben gefressen
ihr habt gefressen
Sie haben gefressen
sie haben gefressen

PLUS-QUE-PARFAIT

ich hatte gefressen
du hattest gefressen
er/sie hatte gefressen
wir hatten gefressen
ihr hattet gefressen
Sie hatten gefressen
sie hatten gefressen

CONDITIONNEL

ich würde fressen
du würdest fressen
er/sie würde fressen
wir würden fressen
ihr würdet fressen
Sie würden fressen
sie würden fressen

SUBJONCTIF
PRESENT

ich fresse
du fressest
er/sie fresse
wir fressen
ihr fresset
Sie fressen
sie fressen

PASSE COMPOSE

ich habe gefressen
du habest gefressen
er/sie habe gefressen
wir haben gefressen
ihr habet gefressen
Sie haben gefressen
sie haben gefressen

INFINITIF
PRESENT

fressen

PASSE

gefressen haben

PRETERIT

ich fräße
du fräßest
er/sie fräße
wir fräßen
ihr fräßet
Sie fräßen
sie fräßen

PLUS-QUE-PARFAIT

ich hätte gefressen
du hättest gefressen
er/sie hätte gefressen
wir hätten gefressen
ihr hättet gefressen
Sie hätten gefressen
sie hätten gefressen

PARTICIPE
PRESENT

fressend

PASSE

gefressen

IMPERATIF

friß!
freßt!
fressen Sie!
fressen wir!

FUTUR ANTERIEUR

ich werde gefressen haben
du wirst gefressen haben *etc*.

PRESENT	**PRETERIT**	**FUTUR**
ich friere	ich fror	ich werde frieren
du frierst	du frorst	du wirst frieren
er/sie friert	er/sie fror	er/sie wird frieren
wir frieren	wir froren	wir werden frieren
ihr friert	ihr frort	ihr werdet frieren
Sie frieren	Sie froren	Sie werden frieren
sie frieren	sie froren	sie werden frieren

PARFAIT *(1)*	**PLUS-QUE-PARFAIT** *(2)*	**CONDITIONNEL**
ich habe gefroren	ich hatte gefroren	ich würde frieren
du hast gefroren	du hattest gefroren	du würdest frieren
er/sie hat gefroren	er/sie hatte gefroren	er/sie würde frieren
wir haben gefroren	wir hatten gefroren	wir würden frieren
ihr habt gefroren	ihr hattet gefroren	ihr würdet frieren
Sie haben gefroren	Sie hatten gefroren	Sie würden frieren
sie haben gefroren	sie hatten gefroren	sie würden frieren

SUBJONCTIF

PRESENT	**PASSE COMPOSE** *(3)*
ich friere	ich habe gefroren
du frierest	du habest gefroren
er/sie friere	er/sie habe gefroren
wir frieren	wir haben gefroren
ihr frieret	ihr habet gefroren
Sie frieren	Sie haben gefroren
sie frieren	sie haben gefroren

PRETERIT	**PLUS-QUE-PARFAIT** *(4)*
ich fröre	ich hätte gefroren
du frörest	du hättest gefroren
er/sie fröre	er/sie hätte gefroren
wir frören	wir hätten gefroren
ihr fröret	ihr hättet gefroren
Sie frören	Sie hätten gefroren
sie frören	sie hätten gefroren

INFINITIF

PRESENT
frieren

PASSE *(6)*
gefroren haben

PARTICIPE

PRESENT
frierend

PASSE
gefroren

IMPERATIF
frier(e)!
friert!
frieren Sie!
frieren wir!

FUTUR ANTERIEUR *(5)*

ich werde gefroren haben
du wirst gefroren haben *etc.*

N.B. :

lorsqu'il est intransitif : (1) ich bin gefroren *etc. (2)* ich war gefroren *etc. (3)* ich sei gefroren *etc. (4)* ich wäre gefroren *etc. (5)* ich werde gefroren sein *etc. (6)* gefroren sein

PRESENT

ich gebäre
du gebärst *(1)*
er/sie gebärt *(2)*
wir gebären
ihr gebärt
Sie gebären
sie gebären

PRETERIT

ich gebar
du gebarst
er/sie gebar
wir gebaren
ihr gebart
Sie gebaren
sie gebaren

FUTUR

ich werde gebären
du wirst gebären
er/sie wird gebären
wir werden gebären
ihr werdet gebären
Sie werden gebären
sie werden gebären

PARFAIT

ich habe geboren
du hast geboren
cr/sie hat geboren
wir haben geboren
ihr habt geboren
Sie haben geboren
sie haben geboren

PLUS-QUE-PARFAIT

ich hatte geboren
du hattest geboren
er/sie hatte geboren
wir hatten geboren
ihr hattet geboren
Sie hatten geboren
sie hatten geboren

CONDITIONNEL

ich würde gebären
du würdest gebären
er/sie würde gebären
wir würden gebären
ihr würdet gebären
Sie würden gebären
sie würden gebären

SUBJONCTIF
PRESENT

ich gebäre
du gebärest
er/sie gebäre
wir gebären
ihr gebäret
Sie gebären
sie gebären

PASSE COMPOSE

ich habe geboren
du habest geboren
er/sie habe geboren
wir haben geboren
ihr habet geboren
Sie haben geboren
sie haben geboren

INFINITIF
PRESENT

gebären

PASSE

geboren haben

PARTICIPE
PRESENT

gebärend

PRETERIT

ich gebäre
du gebärest
er/sie gebäre
wir gebären
ihr gebäret
Sie gebären
sie gebären

PLUS-QUE-PARFAIT

ich hättc geboren
du hättest geboren
er/sie hätte geboren
wir hätten geboren
ihr hättet geboren
Sie hätten geboren
sie hätten geboren

PASSE

gcborcn

IMPERATIF

gebär(e)! *(3)*
gebärt!
gebären Sie!
gebären wir!

FUTUR ANTERIEUR

ich werde geboren haben
du wirst geboren haben *etc.*

N.B. :

formes archaïques :
(1) du gebierst
(2) er/sie gebiert
(3) gebier!

56 GEBEN
donner

PRESENT	**PRETERIT**	**FUTUR**
ich gebe	ich gab	ich werde geben
du gibst	du gabst	du wirst geben
er/sie gibt	er/sie gab	er/sie wird geben
wir geben	wir gaben	wir werden geben
ihr gebt	ihr gabt	ihr werdet geben
Sie geben	Sie gaben	Sie werden geben
sie geben	sie gaben	sie werden geben

PARFAIT	**PLUS-QUE-PARFAIT**	**CONDITIONNEL**
ich habe gegeben	ich hatte gegeben	ich würde geben
du hast gegeben	du hattest gegeben	du würdest geben
er/sie hat gegeben	er/sie hatte gegeben	er/sie würde geben
wir haben gegeben	wir hatten gegeben	wir würden geben
ihr habt gegeben	ihr hattet gegeben	ihr würdet geben
Sie haben gegeben	Sie hatten gegeben	Sie würden geben
sie haben gegeben	sie hatten gegeben	sie würden geben

SUBJONCTIF

PRESENT	**PASSE COMPOSE**
ich gebe	ich habe gegeben
du gebest	du habest gegeben
er/sie gebe	er/sie habe gegeben
wir geben	wir haben gegeben
ihr gebet	ihr habet gegeben
Sie geben	Sie haben gegeben
sie geben	sie haben gegeben

PRETERIT	**PLUS-QUE-PARFAIT**
ich gäbe	ich hätte gegeben
du gäbest	du hättest gegeben
er/sie gäbe	er/sie hätte gegeben
wir gäben	wir hätten gegeben
ihr gäbet	ihr hättet gegeben
Sie gäben	Sie hätten gegeben
sie gäben	sie hätten gegeben

INFINITIF

PRESENT
geben

PASSE
gegeben haben

PARTICIPE

PRESENT
gebend

PASSE
gegeben

IMPERATIF

gib!
gebt!
geben Sie!
geben wir!

FUTUR ANTERIEUR

ich werde gegeben haben
du wirst gegeben haben *etc.*

PRESENT

ich gedeihe
du gedeihst
er/sie gedeiht
wir gedeihen
ihr gedeiht
Sie gedeihen
sie gedeihen

PRETERIT

ich gedieh
du gediehst
er/sie gedieh
wir gediehen
ihr gedieht
Sie gediehen
sie gediehen

FUTUR

ich werde gedeihen
du wirst gedeihen
er/sie wird gedeihen
wir werden gedeihen
ihr werdet gedeihen
Sie werden gedeihen
sie werden gedeihen

PARFAIT

ich bin gediehen
du bist gediehen
er/sie ist gediehen
wir sind gediehen
ihr seid gediehen
Sie sind gediehen
sie sind gediehen

PLUS-QUE-PARFAIT

ich war gediehen
du warst gediehen
er/sie war gediehen
wir waren gediehen
ihr wart gediehen
Sie waren gediehen
sie waren gediehen

CONDITIONNEL

ich würde gedeihen
du würdest gedeihen
er/sie würde gedeihen
wir würden gedeihen
ihr würdet gedeihen
Sie würden gedeihen
sie würden gedeihen

SUBJONCTIF
PRESENT

ich gedeihe
du gedeihest
er/sie gedeihe
wir gedeihen
ihr gedeihet
Sie gedeihen
sie gedeihen

PASSE COMPOSE

ich sei gediehen
du sei(e)st gediehen
er/sie sei gediehen
wir seien gediehen
ihr seiet gediehen
Sie seien gediehen
sie seien gediehen

INFINITIF
PRESENT

gedeihen

PASSE

gediehen sein

PARTICIPE
PRESENT

gedeihend

PRETERIT

ich gediehe
du gediehest
er/sie gediehe
wir gediehen
ihr gediehet
Sie gediehen
sie gediehen

PLUS-QUE-PARFAIT

ich wäre gediehen
du wär(e)st gediehen
er/sie wäre gediehen
wir wären gediehen
ihr wär(e)t gediehen
Sie wären gediehen
sie wären gediehen

PASSE

gediehen

IMPERATIF

gedeih(e)!
gedeiht!
gedeihen Sie!
gedeihen wir!

FUTUR ANTERIEUR

ich werde gediehen sein
du wirst gediehen sein *etc.*

PRESENT

ich gehe
du gehst
er/sie geht
wir gehen
ihr geht
Sie gehen
sie gehen

PRETERIT

ich ging
du gingst
er/sie ging
wir gingen
ihr gingt
Sie gingen
sie gingen

FUTUR

ich werde gehen
du wirst gehen
er/sie wird gehen
wir werden gehen
ihr werdet gehen
Sie werden gehen
sie werden gehen

PARFAIT

ich bin gegangen
du bist gegangen
er/sie ist gegangen
wir sind gegangen
ihr seid gegangen
Sie sind gegangen
sie sind gegangen

PLUS-QUE-PARFAIT

ich war gegangen
du warst gegangen
er/sie war gegangen
wir waren gegangen
ihr wart gegangen
Sie waren gegangen
sie waren gegangen

CONDITIONNEL

ich würde gehen
du würdest gehen
er/sie würde gehen
wir würden gehen
ihr würdet gehen
Sie würden gehen
sie würden gehen

SUBJONCTIF
PRESENT

ich gehe
du gehest
er/sie gehe
wir gehen
ihr gehet
Sie gehen
sie gehen

PASSE COMPOSE

ich sei gegangen
du sei(e)st gegangen
er/sie sei gegangen
wir seien gegangen
ihr seiet gegangen
Sie seien gegangen
sie seien gegangen

INFINITIF
PRESENT

gehen

PASSE

gegangen sein

PRETERIT

ich ginge
du gingest
er/sie ginge
wir gingen
ihr ginget
Sie gingen
sie gingen

PLUS-QUE-PARFAIT

ich wäre gegangen
du wär(e)st gegangen
er/sie wäre gegangen
wir wären gegangen
ihr wär(e)t gegangen
Sie wären gegangen
sie wären gegangen

PARTICIPE
PRESENT

gehend

PASSE

gegangen

IMPERATIF

geh(e)!
geht!
gehen Sie!
gehen wir!

FUTUR ANTERIEUR

ich werde gegangen sein
du wirst gegangen sein *etc*.

PRESENT	**PRETERIT**	**FUTUR**
es gelingt	es gelang	es wird gelingen

PARFAIT	**PLUS-QUE-PARFAIT**	**CONDITIONNEL**
cs ist gclungen	es war gelungen	es würde gelingen

SUBJONCTIF		*INFINITIF*
PRESENT	**PASSE COMPOSE**	**PRESENT**
		gelingen
		PASSE
es gelinge	es sei gelungen	gelungen sein
		PARTICIPE
		PRESENT
		gelingend
PRETERIT	**PLUS-QUE-PARFAIT**	**PASSE**
		gelungen
es gelänge	es wäre gelungen	*IMPERATIF*
		geling(e)!
		gelingt!

FUTUR ANTERIEUR
es wird gelungen sein

N.B. :
verbe impersonnel, utilisé uniquement à la 3ème personne du singulier

60 GELTEN
valoir, être valable

PRESENT	**PRETERIT**	**FUTUR**
ich gelte	ich galt	ich werde gelten
du giltst	du galtst	du wirst gelten
er/sie gilt	er/sie galt	er/sie wird gelten
wir gelten	wir galten	wir werden gelten
ihr geltet	ihr galtet	ihr werdet gelten
Sie gelten	Sie galten	Sie werden gelten
sie gelten	sie galten	sie werden gelten

PARFAIT	**PLUS-QUE-PARFAIT**	**CONDITIONNEL**
ich habe gegolten	ich hatte gegolten	ich würde gelten
du hast gegolten	du hattest gegolten	du würdest gelten
er/sie hat gegolten	er/sie hatte gegolten	er/sie würde gelten
wir haben gegolten	wir hatten gegolten	wir würden gelten
ihr habt gegolten	ihr hattet gegolten	ihr würdet gelten
Sie haben gegolten	Sie hatten gegolten	Sie würden gelten
sie haben gegolten	sie hatten gegolten	sie würden gelten

SUBJONCTIF

PRESENT	**PASSE COMPOSE**
ich gelte	ich habe gegolten
du geltest	du habest gegolten
er/sie geltet	er/sie habe gegolten
wir gelten	wir haben gegolten
ihr geltet	ihr habet gegolten
Sie gelten	Sie haben gegolten
sie gelten	sie haben gegolten

PRETERIT *(1)*	**PLUS-QUE-PARFAIT**
ich gälte	ich hätte gegolten
du gältest	du hättest gegolten
er/sie gälte	er/sie hätte gegolten
wir gälten	wir hätten gegolten
ihr gältet	ihr hättet gegolten
Sie gälten	Sie hätten gegolten
sie gälten	sie hätten gegolten

INFINITIF

PRESENT
gelten

PASSE
gegolten haben

PARTICIPE

PRESENT
geltend

PASSE
gegolten

IMPERATIF

gilt!
geltet!
gelten Sie!
gelten wir!

FUTUR ANTERIEUR

ich werde gegolten haben
du wirst gegolten haben *etc*.

N.B. :

(1) on trouve aussi ich gölte, du göltest *etc*.

PRESENT

ich genese
du genest
er/sie genest
wir genesen
ihr genest
Sie genesen
sie genesen

PRETERIT

ich genas
du genasest
er/sie genas
wir genasen
ihr genast
Sie genasen
sie genasen

FUTUR

ich werde genesen
du wirst genesen
er/sie wird genesen
wir werden genesen
ihr werdet genesen
Sie werden genesen
sie werden genesen

PARFAIT

ich bin genesen
du bist genesen
er/sie ist genesen
wir sind genesen
ihr seid genesen
Sie sind genesen
sie sind genesen

PLUS-QUE-PARFAIT

ich war genesen
du warst genesen
er/sie war genesen
wir waren genesen
ihr wart genesen
Sie waren genesen
sie waren genesen

CONDITIONNEL

ich würde genesen
du würdest genesen
er/sie würde genesen
wir würden genesen
ihr würdet genesen
Sie würden genesen
sie würden genesen

SUBJONCTIF
PRESENT

ich genese
du genesest
er/sie genese
wir genesen
ihr geneset
Sie genesen
sie genesen

PASSE COMPOSE

ich sei genesen
du sei(e)st genesen
er/sie sei genesen
wir seien genesen
ihr seiet genesen
Sie seien genesen
sie seien genesen

INFINITIF
PRESENT

genesen

PASSE

genesen sein

PRETERIT

ich genäse
du genäsest
er/sie genäse
wir genäsen
ihr genäset
Sie genäsen
sie genäsen

PLUS-QUE-PARFAIT

ich wäre genesen
du wär(e)st genesen
er/sie wäre genesen
wir wären genesen
ihr wär(e)t genesen
Sie wären genesen
sie wären genesen

PARTICIPE
PRESENT

genesend

PASSE

genesen

IMPERATIF

genes(e)!
genest!
genesen Sie!
genesen wir!

FUTUR ANTERIEUR

ich werde genesen sein
du wirst genesen sein *etc.*

62 GENIESSEN
savourer

PRESENT	**PRETERIT**	**FUTUR**
ich genieße	ich genoß	ich werde genießen
du genießt	du genossest	du wirst genießen
er/sie genießt	er/sie genoß	er/sie wird genießen
wir genießen	wir genossen	wir werden genießen
ihr genießt	ihr genoßt	ihr werdet genießen
Sie genießen	Sie genossen	Sie werden genießen
sie genießen	sie genossen	sie werden genießen

PARFAIT	**PLUS-QUE-PARFAIT**	**CONDITIONNEL**
ich habe genossen	ich hatte genossen	ich würde genießen
du hast genossen	du hattest genossen	du würdest genießen
er/sie hat genossen	er/sie hatte genossen	er/sie würde genießen
wir haben genossen	wir hatten genossen	wir würden genießen
ihr habt genossen	ihr hattet genossen	ihr würdet genießen
Sie haben genossen	Sie hatten genossen	Sie würden genießen
sie haben genossen	sie hatten genossen	sie würden genießen

SUBJONCTIF

PRESENT	**PASSE COMPOSE**
ich genieße	ich habe genossen
du genießest	du habest genossen
er/sie genieße	er/sie habe genossen
wir genießen	wir haben genossen
ihr genießet	ihr habet genossen
Sie genießen	Sie haben genossen
sie genießen	sie haben genossen

PRETERIT	**PLUS-QUE-PARFAIT**
ich genösse	ich hätte genossen
du genössest	du hättest genossen
er/sie genösse	er/sie hätte genossen
wir genössen	wir hätten genossen
ihr genösset	ihr hättet genossen
Sie genössen	Sie hätten genossen
sie genössen	sie hätten genossen

INFINITIF
PRESENT
genießen

PASSE
genossen haben

PARTICIPE
PRESENT
genießend

PASSE
genossen

IMPERATIF
genieß(e)!
genießt!
genießen Sie!
genießen wir!

FUTUR ANTERIEUR

ich werde genossen haben
du wirst genossen haben *etc.*

PRESENT	**PRETERIT**	**FUTUR**
ich gerate	ich geriet	ich werde geraten
du gerätst	du gerietst	du wirst geraten
er/sie gerät	er/sie geriet	er/sie wird geraten
wir geraten	wir gerieten	wir werden geraten
ihr geratet	ihr gerietet	ihr werdet geraten
Sie geraten	Sie gerieten	Sie werden geraten
sie geraten	sie gerieten	sie werden geraten

PARFAIT	**PLUS-QUE-PARFAIT**	**CONDITIONNEL**
ich bin geraten	ich war geraten	ich würde geraten
du bist geraten	du warst geraten	du würdest geraten
er/sie ist geraten	er/sie war geraten	cr/sic würde geraten
wir sind geraten	wir waren geraten	wir würden geraten
ihr seid geraten	ihr wart geraten	ihr würdet geraten
Sie sind geraten	Sie waren geraten	Sie würden geraten
sie sind geraten	sie waren geraten	sie würden geraten

SUBJONCTIF

PRESENT	**PASSE COMPOSE**
ich gerate	ich sei geraten
du geratest	du sei(e)st geraten
er/sie gerate	er/sie sei geraten
wir geraten	wir seien geraten
ihr geratet	ihr seiet geraten
Sie geraten	Sie seien geraten
sie geraten	sie seien geraten

PRETERIT	**PLUS-QUE-PARFAIT**
ich geriete	ich wäre geraten
du gerietest	du wär(e)st geraten
cr/sic geriete	er/sie wäre geraten
wir gerieten	wir wären geraten
ihr gerietet	ihr wär(e)t geraten
Sie gerieten	Sie wären geraten
sie gerieten	sie wären geraten

INFINITIF

PRESENT

geraten

PASSE

geraten sein

PARTICIPE

PRESENT

geratend

PASSE

geraten

IMPERATIF

gerat(e)!
geratet!
geraten Sie!
geraten wir!

FUTUR ANTERIEUR

ich werde geraten sein
du wirst geraten sein *etc.*

64 GESCHEHEN
se produire

PRESENT	PRETERIT	FUTUR
es geschieht	es geschah	es wird geschehen

PARFAIT	PLUS-QUE-PARFAIT	CONDITIONNEL
es ist geschehen	es war geschehen	es würde geschehen

SUBJONCTIF

PRESENT	PASSE COMPOSE
es geschehe	es sei geschehen

PRETERIT	PLUS-QUE-PARFAIT
es geschähe	es wäre geschehen

INFINITIF
PRESENT
geschehen
PASSE
geschehen sein

PARTICIPE
PRESENT
geschehend
PASSE
geschehen

IMPERATIF
gescheh(e)!
gescheht!

FUTUR ANTERIEUR
es wird geschehen sein

N.B. :
verbe impersonnel, utilisé uniquement à la 3ème personne du singulier

PRESENT

ich gewinne
du gewinnst
er/sie gewinnt
wir gewinnen
ihr gewinnt
Sie gewinnen
sie gewinnen

PRETERIT

ich gewann
du gewannst
er/sie gewann
wir gewannen
ihr gewannt
Sie gewannen
sie gewannen

FUTUR

ich werde gewinnen
du wirst gewinnen
er/sie wird gewinnen
wir werden gewinnen
ihr werdet gewinnen
Sie werden gewinnen
sie werden gewinnen

PARFAIT

ich habe gewonnen
du hast gewonnen
er/sie hat gewonnen
wir haben gewonnen
ihr habt gewonnen
Sie haben gewonnen
sie haben gewonnen

PLUS-QUE-PARFAIT

ich hatte gewonnen
du hattest gewonnen
er/sie hatte gewonnen
wir hatten gewonnen
ihr hattet gewonnen
Sie hatten gewonnen
sie hatten gewonnen

CONDITIONNEL

ich würde gewinnen
du würdest gewinnen
er/sie würde gewinnen
wir würden gewinnen
ihr würdet gewinnen
Sie würden gewinnen
sie würden gewinnen

SUBJONCTIF
PRESENT

ich gewinne
du gewinnest
er/sie gewinne
wir gewinnen
ihr gewinnet
Sie gewinnen
sie gewinnen

PASSE COMPOSE

ich habe gewonnen
du habest gewonnen
er/sie habe gewonnen
wir haben gewonnen
ihr habet gewonnen
Sie haben gewonnen
sie haben gewonnen

INFINITIF
PRESENT

gewinnen

PASSE

gewonnen haben

PARTICIPE
PRESENT

gewinnend

PRETERIT *(1)*

ich gewänne
du gewännest
er/sie gewänne
wir gewännen
ihr gewännet
Sie gewännen
sie gewännen

PLUS-QUE-PARFAIT

ich hätte gewonnen
du hättest gewonnen
er/sie hätte gewonnen
wir hätten gewonnen
ihr hättet gewonnen
Sie hätten gewonnen
sie hätten gewonnen

PASSE

gewonnen

IMPERATIF

gewinn(e)!
gewinnt!
gewinnen Sie!
gewinnen wir!

FUTUR ANTERIEUR

ich werde gewonnen haben
du wirst gewonnen haben *etc*.

N.B. :

(1) on trouve aussi ich gewönne, du
gewönnest *etc*.

66 GIESSEN
verser

PRESENT

ich gieße
du gießt
er/sie gießt
wir gießen
ihr gießt
Sie gießen
sie gießen

PRETERIT

ich goß
du gossest
er/sie goß
wir gossen
ihr goßt
Sie gossen
sie gossen

FUTUR

ich werde gießen
du wirst gießen
er/sie wird gießen
wir werden gießen
ihr werdet gießen
Sie werden gießen
sie werden gießen

PARFAIT

ich habe gegossen
du hast gegossen
er/sie hat gegossen
wir haben gegossen
ihr habt gegossen
Sie haben gegossen
sie haben gegossen

PLUS-QUE-PARFAIT

ich hatte gegossen
du hattest gegossen
er/sie hatte gegossen
wir hatten gegossen
ihr hattet gegossen
Sie hatten gegossen
sie hatten gegossen

CONDITIONNEL

ich würde gießen
du würdest gießen
er/sie würde gießen
wir würden gießen
ihr würdet gießen
Sie würden gießen
sie würden gießen

SUBJONCTIF
PRESENT

ich gieße
du gießest
er/sie gieße
wir gießen
ihr gießet
Sie gießen
sie gießen

PASSE COMPOSE

ich habe gegossen
du habest gegossen
er/sie habe gegossen
wir haben gegossen
ihr habet gegossen
Sie haben gegossen
sie haben gegossen

INFINITIF
PRESENT

gießen

PASSE

gegossen haben

PARTICIPE
PRESENT

gießend

PRETERIT

ich gösse
du gössest
er/sie gösse
wir gössen
ihr gösset
Sie gössen
sie gössen

PLUS-QUE-PARFAIT

ich hätte gegossen
du hättest gegossen
er/sie hätte gegossen
wir hätten gegossen
ihr hättet gegossen
Sie hätten gegossen
sie hätten gegossen

PASSE

gegossen

IMPERATIF

gieß(e)!
gießt!
gießen Sie!
gießen wir!

FUTUR ANTERIEUR

ich werde gegossen haben
du wirst gegossen haben *etc.*

PRESENT

ich gleiche
du gleichst
er/sie gleicht
wir gleichen
ihr gleicht
Sie gleichen
sie gleichen

PRETERIT

ich glich
du glichst
er/sie glich
wir glichen
ihr glicht
Sie glichen
sie glichen

FUTUR

ich werde gleichen
du wirst gleichen
er/sie wird gleichen
wir werden gleichen
ihr werdet gleichen
Sie werden gleichen
sie werden gleichen

PARFAIT

ich habe geglichen
du hast geglichen
er/sie hat geglichen
wir haben geglichen
ihr habt geglichen
Sie haben geglichen
sie haben geglichen

PLUS-QUE-PARFAIT

ich hatte geglichen
du hattest geglichen
er/sie hatte geglichen
wir hatten geglichen
ihr hattet geglichen
Sie hatten geglichen
sie hatten geglichen

CONDITIONNEL

ich würde gleichen
du würdest gleichen
er/sie würde gleichen
wir würden gleichen
ihr würdet gleichen
Sie würden gleichen
sie würden gleichen

SUBJONCTIF
PRESENT

ich gleiche
du gleichest
er/sie gleiche
wir gleichen
ihr gleichet
Sie gleichen
sie gleichen

PASSE COMPOSE

ich habe geglichen
du habest geglichen
er/sie habe geglichen
wir haben geglichen
ihr habet geglichen
Sie haben geglichen
sie haben geglichen

INFINITIF
PRESENT

gleichen

PASSE

geglichen haben

PARTICIPE
PRESENT

gleichend

PRETERIT

ich gliche
du glichest
er/sie gliche
wir glichen
ihr glichet
Sie glichen
sie glichen

PLUS-QUE-PARFAIT

ich hätte geglichen
du hättest geglichen
er/sie hätte geglichen
wir hätten geglichen
ihr hättet geglichen
Sie hätten geglichen
sie hätten geglichen

PASSE

geglichen

IMPERATIF

gleich(e)!
gleicht!
gleichen Sie!
gleichen wir!

FUTUR ANTERIEUR

ich werde geglichen haben
du wirst geglichen haben *etc*.

PRESENT	PRETERIT	FUTUR
ich gleite	ich glitt	ich werde gleiten
du gleitest	du glittst	du wirst gleiten
er/sie gleitet	er/sie glitt	er/sie wird gleiten
wir gleiten	wir glitten	wir werden gleiten
ihr gleitet	ihr glittet	ihr werdet gleiten
Sie gleiten	Sie glitten	Sie werden gleiten
sie gleiten	sie glitten	sie werden gleiten

PARFAIT	PLUS-QUE-PARFAIT	CONDITIONNEL
ich bin geglitten	ich war geglitten	ich würde gleiten
du bist geglitten	du warst geglitten	du würdest gleiten
er/sie ist geglitten	er/sie war geglitten	er/sie würde gleiten
wir sind geglitten	wir waren geglitten	wir würden gleiten
ihr seid geglitten	ihr wart geglitten	ihr würdet gleiten
Sie sind geglitten	Sie waren geglitten	Sie würden gleiten
sie sind geglitten	sie waren geglitten	sie würden gleiten

SUBJONCTIF

PRESENT	PASSE COMPOSE
ich gleite	ich sei geglitten
du gleitest	du sei(e)st geglitten
er/sie gleite	er/sie sei geglitten
wir gleiten	wir seien geglitten
ihr gleitet	ihr seiet geglitten
Sie gleiten	Sie seien geglitten
sie gleiten	sie seien geglitten

PRETERIT	PLUS-QUE-PARFAIT
ich glitte	ich wäre geglitten
du glittest	du wär(e)st geglitten
er/sie glitte	er/sie wäre geglitten
wir glitten	wir wären geglitten
ihr glittet	ihr wär(e)t geglitten
Sie glitten	Sie wären geglitten
sie glitten	sie wären geglitten

INFINITIF

PRESENT

gleiten

PASSE

geglitten sein

PARTICIPE

PRESENT

gleitend

PASSE

geglitten

IMPERATIF

gleit(e)!
gleitet!
gleiten Sie!
gleiten wir!

FUTUR ANTERIEUR

ich werde geglitten sein
du wirst geglitten sein *etc*.

PRESENT

ich grabe
du gräbst
er/sie gräbt
wir graben
ihr grabt
Sie graben
sie graben

PRETERIT

ich grub
du grubst
er/sie grub
wir gruben
ihr grubt
Sie gruben
sie gruben

FUTUR

ich werde graben
du wirst graben
er/sie wird graben
wir werden graben
ihr werdet graben
Sie werden graben
sie werden graben

PARFAIT

ich habe gegraben
du hast gegraben
er/sie hat gegraben
wir haben gegraben
ihr habt gegraben
Sie haben gegraben
sie haben gegraben

PLUS-QUE-PARFAIT

ich hatte gegraben
du hattest gegraben
er/sie hatte gegraben
wir hatten gegraben
ihr hattet gegraben
Sie hatten gegraben
sie hatten gegraben

CONDITIONNEL

ich würde graben
du würdest graben
er/sie würde graben
wir würden graben
ihr würdet graben
Sie würden graben
sie würden graben

SUBJONCTIF
PRESENT

ich grabe
du grabest
er/sie grabe
wir graben
ihr grabet
Sie graben
sie graben

PASSE COMPOSE

ich habe gegraben
du habest gegraben
er/sie habe gegraben
wir haben gegraben
ihr habet gegraben
Sie haben gegraben
sie haben gegraben

INFINITIF
PRESENT

graben

PASSE

gegraben haben

PRETERIT

ich grübe
du grübest
er/sie grübe
wir grüben
ihr grübet
Sie grüben
sie grüben

PLUS-QUE-PARFAIT

ich hätte gegraben
du hättest gegraben
er/sie hätte gegraben
wir hätten gegraben
ihr hättet gegraben
Sie hätten gegraben
sie hätten gegraben

PARTICIPE
PRESENT

grabend

PASSE

gegraben

IMPERATIF

grab(e)!
grabt!
graben Sie!
graben wir!

FUTUR ANTERIEUR

ich werde gegraben haben
du wirst gegraben haben *etc.*

GREIFEN
saisir

PRESENT	PRETERIT	FUTUR
ich greife	ich griff	ich werde greifen
du greifst	du griffst	du wirst greifen
er/sie greift	er/sie griff	er/sie wird greifen
wir greifen	wir griffen	wir werden greifen
ihr greift	ihr grifft	ihr werdet greifen
Sie greifen	Sie griffen	Sie werden greifen
sie greifen	sie griffen	sie werden greifen

PARFAIT	PLUS-QUE-PARFAIT	CONDITIONNEL
ich habe gegriffen	ich hatte gegriffen	ich würde greifen
du hast gegriffen	du hattest gegriffen	du würdest greifen
er/sie hat gegriffen	er/sie hatte gegriffen	er/sie würde greifen
wir haben gegriffen	wir hatten gegriffen	wir würden greifen
ihr habt gegriffen	ihr hattet gegriffen	ihr würdet greifen
Sie haben gegriffen	Sie hatten gegriffen	Sie würden greifen
sie haben gegriffen	sie hatten gegriffen	sie würden greifen

SUBJONCTIF

PRESENT	PASSE COMPOSE
ich greife	ich habe gegriffen
du greifest	du habest gegriffen
er/sie greife	er/sie habe gegriffen
wir greifen	wir haben gegriffen
ihr greifet	ihr habet gegriffen
Sie greifen	Sie haben gegriffen
sie greifen	sie haben gegriffen

PRETERIT	PLUS-QUE-PARFAIT
ich griffe	ich hätte gegriffen
du griffest	du hättest gegriffen
er/sie griffe	er/sie hätte gegriffen
wir griffen	wir hätten gegriffen
ihr griffet	ihr hättet gegriffen
Sie griffen	Sie hätten gegriffen
sie griffen	sie hätten gegriffen

INFINITIF

PRESENT
greifen

PASSE
gegriffen haben

PARTICIPE

PRESENT
greifend

PASSE
gegriffen

IMPERATIF
greif(e)!
greift!
greifen Sie!
greifen wir!

FUTUR ANTERIEUR

ich werde gegriffen haben
du wirst gegriffen haben *etc*.

PRESENT	**PRETERIT**	**FUTUR**
ich grüße	ich grüßte	ich werde grüßen
du grüßt	du grüßtest	du wirst grüßen
er/sie grüßt	er/sie grüßte	er/sie wird grüßen
wir grüßen	wir grüßten	wir werden grüßen
ihr grüßt	ihr grüßtet	ihr werdet grüßen
Sie grüßen	Sie grüßten	Sie werden grüßen
sie grüßen	sie grüßten	sie werden grüßen

PARFAIT	**PLUS-QUE-PARFAIT**	**CONDITIONNEL**
ich habe gegrüßt	ich hatte gegrüßt	ich würde grüßen
du hast gegrüßt	du hattest gegrüßt	du würdest grüßen
er/sie hat gegrüßt	er/sie hatte gegrüßt	er/sie würde grüßen
wir haben gegrüßt	wir hatten gegrüßt	wir würden grüßen
ihr habt gegrüßt	ihr hattet gegrüßt	ihr würdet grüßen
Sie haben gegrüßt	Sie hatten gegrüßt	Sie würden grüßen
sie haben gegrüßt	sie hatten gegrüßt	sie würden grüßen

SUBJONCTIF

PRESENT	**PASSE COMPOSE**
ich grüße	ich habe gegrüßt
du grüßest	du habest gegrüßt
er/sie grüße	er/sie habe gegrüßt
wir grüßen	wir haben gegrüßt
ihr grüßet	ihr habet gegrüßt
Sie grüßen	Sie haben gegrüßt
sie grüßen	sie haben gegrüßt

PRETERIT	**PLUS-QUE-PARFAIT**
ich grüßte	ich hätte gegrüßt
du grüßtest	du hättest gegrüßt
er/sie grüßte	er/sie hätte gegrüßt
wir grüßten	wir hätten gegrüßt
ihr grüßtet	ihr hättet gegrüßt
Sie grüßten	Sie hätten gegrüßt
sie grüßten	sie hätten gegrüßt

INFINITIF

PRESENT

grüßen

PASSE

gegrüßt haben

PARTICIPE

PRESENT

grüßend

PASSE

gegrüßt

IMPERATIF

grüß(e)!
grüßt!
grüßen Sie!
grüßen wir!

FUTUR ANTERIEUR

ich werde gegrüßt haben
du wirst gegrüßt haben *etc.*

72 HABEN
avoir

PRESENT

ich habe
du hast
er/sie hat
wir haben
ihr habt
Sie haben
sie haben

PRETERIT

ich hatte
du hattest
er/sie hatte
wir hatten
ihr hattet
Sie hatten
sie hatten

FUTUR

ich werde haben
du wirst haben
er/sie wird haben
wir werden haben
ihr werdet haben
Sie werden haben
sie werden haben

PARFAIT

ich habe gehabt
du hast gehabt
er/sie hat gehabt
wir haben gehabt
ihr habt gehabt
Sie haben gehabt
sie haben gehabt

PLUS-QUE-PARFAIT

ich hatte gehabt
du hattest gehabt
er/sie hatte gehabt
wir hatten gehabt
ihr hattet gehabt
Sie hatten gehabt
sie hatten gehabt

CONDITIONNEL

ich würde haben
du würdest haben
er/sie würde haben
wir würden haben
ihr würdet haben
Sie würden haben
sie würden haben

SUBJONCTIF
PRESENT

ich habe
du habest
er/sie habe
wir haben
ihr habet
Sie haben
sie haben

PASSE COMPOSE

ich habe gehabt
du habest gehabt
er/sie habe gehabt
wir haben gehabt
ihr habet gehabt
Sie haben gehabt
sie haben gehabt

INFINITIF
PRESENT

haben

PASSE

gehabt haben

PARTICIPE
PRESENT

habend

PRETERIT

ich hätte
du hättest
er/sie hätte
wir hätten
ihr hättet
Sie hätten
sie hätten

PLUS-QUE-PARFAIT

ich hätte gehabt
du hättest gehabt
er/sie hätte gehabt
wir hätten gehabt
ihr hättet gehabt
Sie hätten gehabt
sie hätten gehabt

PASSE

gehabt

IMPERATIF

hab(e)!
habt!
haben Sie !
haben wir!

FUTUR ANTERIEUR

ich werde gehabt haben
du wirst gehabt haben *etc*.

PRESENT

ich halte
du hältst
er/sie hält
wir halten
ihr haltet
Sie halten
sie halten

PRETERIT

ich hielt
du hieltst
er/sie hielt
wir hielten
ihr hieltet
Sie hielten
sie hielten

FUTUR

ich werde halten
du wirst halten
er/sie wird halten
wir werden halten
ihr werdet halten
Sie werden halten
sie werden halten

PARFAIT

ich habe gehalten
du hast gehalten
er/sie hat gehalten
wir haben gehalten
ihr habt gehalten
Sie haben gehalten
sie haben gehalten

PLUS-QUE-PARFAIT

ich hatte gehalten
du hattest gehalten
er/sie hatte gehalten
wir hatten gehalten
ihr hattet gehalten
Sie hatten gehalten
sie hatten gehalten

CONDITIONNEL

ich würde halten
du würdest halten
er/sie würde halten
wir würden halten
ihr würdet halten
Sie würden halten
sie würden halten

SUBJONCTIF
PRESENT

ich halte
du haltest
er/sie halte
wir halten
ihr haltet
Sie halten
sie halten

PASSE COMPOSE

ich habe gehalten
du habest gehalten
er/sie habe gehalten
wir haben gehalten
ihr habet gehalten
Sie haben gehalten
sie haben gehalten

INFINITIF
PRESENT

halten

PASSE

gehalten haben

PARTICIPE
PRESENT

haltend

PRETERIT

ich hielte
du hieltest
er/sie hielte
wir hielten
ihr hieltet
Sie hielten
sie hielten

PLUS-QUE-PARFAIT

ich hätte gehalten
du hättest gehalten
er/sie hätte gehalten
wir hätten gehalten
ihr hättet gehalten
Sie hätten gehalten
sie hätten gehalten

PASSE

gehalten

IMPERATIF

halt(e)!
haltet!
halten Sie!
halten wir!

FUTUR ANTERIEUR

ich werde gehalten haben
du wirst gehalten haben *etc*.

74

PRESENT

ich hänge
du hängst
er/sie hängt
wir hängen
ihr hängt
Sie hängen
sie hängen

PRETERIT

ich hing
du hingst
er/sie hing
wir hingen
ihr hingt
Sie hingen
sie hingen

FUTUR

ich werde hängen
du wirst hängen
er/sie wird hängen
wir werden hängen
ihr werdet hängen
Sie werden hängen
sie werden hängen

PARFAIT

ich habe gehangen
du hast gehangen
er/sie hat gehangen
wir haben gehangen
ihr habt gehangen
Sie haben gehangen
sie haben gehangen

PLUS-QUE-PARFAIT

ich hatte gehangen
du hattest gehangen
er/sie hatte gehangen
wir hatten gehangen
ihr hattet gehangen
Sie hatten gehangen
sie hatten gehangen

CONDITIONNEL

ich würde hängen
du würdest hängen
er/sie würde hängen
wir würden hängen
ihr würdet hängen
Sie würden hängen
sie würden hängen

SUBJONCTIF
PRESENT

ich hänge
du hängest
er/sie hänge
wir hängen
ihr hänget
Sie hängen
sie hängen

PASSE COMPOSE

ich habe gehangen
du habest gehangen
er/sie habe gehangen
wir haben gehangen
ihr habet gehangen
Sie haben gehangen
sie haben gehangen

INFINITIF
PRESENT

hängen

PASSE

gehangen haben

PARTICIPE
PRESENT

hängend

PRETERIT

ich hinge
du hingest
er/sie hinge
wir hingen
ihr hinget
Sie hingen
sie hingen

PLUS-QUE-PARFAIT

ich hätte gehangen
du hättest gehangen
er/sie hätte gehangen
wir hätten gehangen
ihr hättet gehangen
Sie hätten gehangen
sie hätten gehangen

PASSE

gehangen

IMPERATIF

häng(e)!
hängt!
hängen Sie!
hängen wir!

FUTUR ANTERIEUR

ich werde gehangen haben
du wirst gehangen haben *etc.*

N.B. :

*(1) a aussi une conjugaison faible
lorsqu'il est transitif :* ich hängte,
ich habe gehängt *etc.*

PRESENT	**PRETERIT**	**FUTUR**
ich haue	ich hieb	ich werde hauen
du haust	du hiebst	du wirst hauen
er/sie haut	er/sie hieb	er/sie wird hauen
wir hauen	wir hieben	wir werden hauen
ihr haut	ihr hiebt	ihr werdet hauen
Sie hauen	Sie hieben	Sie werden hauen
sie hauen	sie hieben	sie werden hauen

PARFAIT	**PLUS-QUE-PARFAIT**	**CONDITIONNEL**
ich habe gehauen	ich hatte gehauen	ich würde hauen
du hast gehauen	du hattest gehauen	du würdest hauen
er/sie hat gehauen	er/sie hatte gehauen	er/sie würde hauen
wir haben gehauen	wir hatten gehauen	wir würden hauen
ihr habt gehauen	ihr hattet gehauen	ihr würdet hauen
Sie haben gehauen	Sie hatten gehauen	Sie würden hauen
sie haben gehauen	sie hatten gehauen	sie würden hauen

SUBJONCTIF

PRESENT	**PASSE COMPOSE**
ich haue	ich habe gehauen
du hauest	du habest gehauen
er/sie haue	er/sie habe gehauen
wir hauen	wir haben gehauen
ihr hauet	ihr habet gehauen
Sie hauen	Sie haben gehauen
sie hauen	sie haben gehauen

PRETERIT	**PLUS-QUE-PARFAIT**
ich hiebe	ich hätte gehauen
du hiebest	du hättest gehauen
er/sie hiebe	er/sie hätte gehauen
wir hieben	wir hätten gehauen
ihr hiebet	ihr hättet gehauen
Sie hieben	Sie hätten gehauen
sie hieben	sie hätten gehauen

INFINITIF

PRESENT
hauen

PASSE
gehauen haben

PARTICIPE

PRESENT
hauend

PASSE
gehauen

IMPERATIF
hau(e)!
haut!
hauen Sie!
hauen wir!

FUTUR ANTERIEUR

ich werde gehauen haben
du wirst gehauen haben *etc*.

N.B. :

(1) a aussi une conjugaison faible :
ich haute, ich habe gehaut *etc*.

PRESENT

ich hebe
du hebst
er/sie hebt
wir heben
ihr hebt
Sie heben
sie heben

PRETERIT

ich hob
du hobst
er/sie hob
wir hoben
ihr hobt
Sie hoben
sie hoben

FUTUR

ich werde heben
du wirst heben
er/sie wird heben
wir werden heben
ihr werdet heben
Sie werden heben
sie werden heben

PARFAIT

ich habe gehoben
du hast gehoben
er/sie hat gehoben
wir haben gehoben
ihr habt gehoben
Sie haben gehoben
sie haben gehoben

PLUS-QUE-PARFAIT

ich hatte gehoben
du hattest gehoben
er/sie hatte gehoben
wir hatten gehoben
ihr hattet gehoben
Sie hatten gehoben
sie hatten gehoben

CONDITIONNEL

ich würde heben
du würdest heben
er/sie würde heben
wir würden heben
ihr würdet heben
Sie würden heben
sie würden heben

SUBJONCTIF
PRESENT

ich hebe
du hebest
er/sie hebe
wir heben
ihr hebet
Sie heben
sie heben

PASSE COMPOSE

ich habe gehoben
du habest gehoben
er/sie habe gehoben
wir haben gehoben
ihr habet gehoben
Sie haben gehoben
sie haben gehoben

INFINITIF
PRESENT

heben

PASSE

gehoben haben

PARTICIPE
PRESENT

hebend

PRETERIT

ich höbe
du höbest
er/sie höbe
wir höben
ihr höbet
Sie höben
sie höben

PLUS-QUE-PARFAIT

ich hätte gehoben
du hättest gehoben
er/sie hätte gehoben
wir hätten gehoben
ihr hättet gehoben
Sie hätten gehoben
sie hätten gehoben

PASSE

gehoben

IMPERATIF

heb(e)!
hebt!
heben Sie!
heben wir!

FUTUR ANTERIEUR

ich werde gehoben haben
du wirst gehoben haben *etc*.

PRESENT	**PRETERIT**	**FUTUR**
ich heiße	ich hieß	ich werde heißen
du heißt	du hießest	du wirst heißen
er/sie heißt	er/sie hieß	er/sie wird heißen
wir heißen	wir hießen	wir werden heißen
ihr heißt	ihr hießt	ihr werdet heißen
Sie heißen	Sie hießen	Sie werden heißen
sie heißen	sie hießen	sie werden heißen

PARFAIT	**PLUS-QUE-PARFAIT**	**CONDITIONNEL**
ich habe geheißen	ich hatte geheißen	ich würde heißen
du hast geheißen	du hattest geheißen	du würdest heißen
er/sie hat geheißen	er/sie hatte geheißen	er/sie würde heißen
wir haben geheißen	wir hatten geheißen	wir würden heißen
ihr habt geheißen	ihr hattet geheißen	ihr würdet heißen
Sie haben geheißen	Sie hatten geheißen	Sie würden heißen
sie haben geheißen	sie hatten geheißen	sie würden heißen

SUBJONCTIF

PRESENT	**PASSE COMPOSE**	*INFINITIF* **PRESENT**
ich heiße	ich habe geheißen	heißen
du heißest	du habest geheißen	**PASSE**
er/sie heiße	er/sie habe geheißen	geheißen haben
wir heißen	wir haben geheißen	
ihr heißet	ihr habet geheißen	*PARTICIPE*
Sie heißen	Sie haben geheißen	**PRESENT**
sie heißen	sie haben geheißen	heißend

PRETERIT	**PLUS-QUE-PARFAIT**	**PASSE**
ich hieße	ich hätte geheißen	geheißen
du hießest	du hättest geheißen	
er/sie hieße	er/sie hätte geheißen	*IMPERATIF*
wir hießen	wir hätten geheißen	heiß(e)!
ihr hießet	ihr hättet geheißen	heißt!
Sie hießen	Sie hätten geheißen	heißen Sie!
sie hießen	sie hätten geheißen	heißen wir!

FUTUR ANTERIEUR

ich werde geheißen haben
du wirst geheißen haben *etc.*

PRESENT

ich helfe
du hilfst
er/sie hilft
wir helfen
ihr helft
Sie helfen
sie helfen

PRETERIT

ich half
du halfst
er/sie half
wir halfen
ihr halft
Sie halfen
sie halfen

FUTUR

ich werde helfen
du wirst helfen
er/sie wird helfen
wir werden helfen
ihr werdet helfen
Sie werden helfen
sie werden helfen

PARFAIT

ich habe geholfen
du hast geholfen
er/sie hat geholfen
wir haben geholfen
ihr habt geholfen
Sie haben geholfen
sie haben geholfen

PLUS-QUE-PARFAIT

ich hatte geholfen
du hattest geholfen
er/sie hatte geholfen
wir hatten geholfen
ihr hattet geholfen
Sie hatten geholfen
sie hatten geholfen

CONDITIONNEL

ich würde helfen
du würdest helfen
er/sie würde helfen
wir würden helfen
ihr würdet helfen
Sie würden helfen
sie würden helfen

SUBJONCTIF

PRESENT

ich helfe
du helfest
er/sie helfe
wir helfen
ihr helfet
Sie helfen
sie helfen

PASSE COMPOSE

ich habe geholfen
du habest geholfen
er/sie habe geholfen
wir haben geholfen
ihr habet geholfen
Sie haben geholfen
sie haben geholfen

INFINITIF

PRESENT

helfen

PASSE

geholfen haben

PARTICIPE

PRESENT

helfend

PRETERIT

ich hülfe
du hülfest
er/sie hülfe
wir hülfen
ihr hülfet
Sie hülfen
sie hülfen

PLUS-QUE-PARFAIT

ich hätte geholfen
du hättest geholfen
er/sie hätte geholfen
wir hätten geholfen
ihr hättet geholfen
Sie hätten geholfen
sie hätten geholfen

PASSE

geholfen

IMPERATIF

hilf!
helft!
helfen Sie!
helfen wir!

FUTUR ANTERIEUR

ich werde geholfen haben
du wirst geholfen haben *etc.*

N.B. :

se construit avec le datif : ich helfe
ihm, ich habe ihm geholfen *etc.*

PRESENT

ich kenne
du kennst
er/sie kennt
wir kennen
ihr kennt
Sie kennen
sie kennen

PRETERIT

ich kannte
du kanntest
er/sie kannte
wir kannten
ihr kanntet
Sie kannten
sie kannten

FUTUR

ich werde kennen
du wirst kennen
er/sie wird kennen
wir werden kennen
ihr werdet kennen
Sie werden kennen
sie werden kennen

PARFAIT

ich habe gekannt
du hast gekannt
er/sie hat gekannt
wir haben gekannt
ihr habt gekannt
Sie haben gekannt
sie haben gekannt

PLUS-QUE-PARFAIT

ich hatte gekannt
du hattest gekannt
er/sie hatte gekannt
wir hatten gekannt
ihr hattet gekannt
Sie hatten gekannt
sie hatten gekannt

CONDITIONNEL

ich würde kennen
du würdest kennen
cr/sie würde kennen
wir würden kennen
ihr würdet kennen
Sie würden kennen
sie würden kennen

SUBJONCTIF
PRESENT

ich kenne
du kennest
er/sie kenne
wir kennen
ihr kennet
Sie kennen
sie kennen

PASSE COMPOSE

ich habe gekannt
du habest gekannt
er/sie habe gekannt
wir haben gekannt
ihr habet gekannt
Sie haben gekannt
sie haben gekannt

INFINITIF
PRESENT

kennen

PASSE

gekannt haben

PRETERIT

ich kennte
du kenntest
er/sie kennte
wir kennten
ihr kenntet
Sie kennten
sie kennten

PLUS-QUE-PARFAIT

ich hätte gekannt
du hättest gekannt
er/sie hätte gekannt
wir hätten gekannt
ihr hättet gekannt
Sie hätten gekannt
sie hätten gekannt

PARTICIPE
PRESENT

kennend

PASSE

gekannt

IMPERATIF

kenn(e)!
kennt!
kennen Sie!
kennen wir!

FUTUR ANTERIEUR

ich werde gekannt haben
du wirst gekannt haben *etc*.

PRESENT

ich lerne kennen
du lernst kennen
er/sie lernt kennen
wir lernen kennen
ihr lernt kennen
Sie lernen kennen
sie lernen kennen

PRETERIT

ich lernte kennen
du lerntest kennen
er/sie lernte kennen
wir lernten kennen
ihr lerntet kennen
Sie lernten kennen
sie lernten kennen

FUTUR

ich werde kennenlernen
du wirst kennenlernen
er/sie wird kennenlernen
wir werden kennenlernen
ihr werdet kennenlernen
Sie werden kennenlernen
sie werden kennenlernen

PARFAIT

ich habe kennengelernt
du hast kennengelernt
er/sie hat kennengelernt
wir haben kennengelernt
ihr habt kennengelernt
Sie haben kennengelernt
sie haben kennengelernt

PLUS-QUE-PARFAIT

ich hatte kennengelernt
du hattest kennengelernt
er/sie hatte kennengelernt
wir hatten kennengelernt
ihr hattet kennengelernt
Sie hatten kennengelernt
sie hatten kennengelernt

CONDITIONNEL

ich würde kennenlernen
du würdest kennenlernen
er/sie würde kennenlernen
wir würden kennenlernen
ihr würdet kennenlernen
Sie würden kennenlernen
sie würden kennenlernen

SUBJONCTIF
PRESENT

ich lerne kennen
du lernest kennen
er/sie lerne kennen
wir lernen kennen
ihr lernet kennen
Sie lernen kennen
sie lernen kennen

PASSE COMPOSE

ich habe kennengelernt
du habest kennengelernt
er/sie habe kennengelernt
wir haben kennengelernt
ihr habet kennengelernt
Sie haben kennengelernt
sie haben kennengelernt

INFINITIF
PRESENT

kennenlernen

PASSE

kennengelernt haben

PARTICIPE
PRESENT

kennenlernend

PRETERIT

ich lernte kennen
du lerntest kennen
er/sie lernte kennen
wir lernten kennen
ihr lerntet kennen
Sie lernten kennen
sie lernten kennen

PLUS-QUE-PARFAIT

ich hätte kennengelernt
du hättest kennengelernt
er/sie hätte kennengelernt
wir hätten kennengelernt
ihr hättet kennengelernt
Sie hätten kennengelernt
sie hätten kennengelernt

PASSE

kennengelernt

IMPERATIF

lern(e) kennen!
lernt kennen!
lernen Sie kennen!
lernen wir kennen!

FUTUR ANTERIEUR

ich werde kennengelernt haben
du wirst kennengelernt haben *etc.*

PRESENT

ich klinge
du klingst
er/sie klingt
wir klingen
ihr klingt
Sie klingen
sie klingen

PRETERIT

ich klang
du klangst
er/sie klang
wir klangen
ihr klangt
Sie klangen
sie klangen

FUTUR

ich werde klingen
du wirst klingen
er/sie wird klingen
wir werden klingen
ihr werdet klingen
Sie werden klingen
sie werden klingen

PARFAIT

ich habe geklungen
du hast geklungen
er/sic hat geklungen
wir haben geklungen
ihr habt geklungen
Sie haben geklungen
sie haben geklungen

PLUS-QUE-PARFAIT

ich hatte geklungen
du hattest geklungen
er/sie hatte geklungen
wir hatten geklungen
ihr hattet geklungen
Sie hatten geklungen
sie hatten geklungen

CONDITIONNEL

ich würde klingen
du würdest klingen
er/sie würde klingen
wir würden klingen
ihr würdet klingen
Sie würden klingen
sie würden klingen

SUBJONCTIF
PRESENT

ich klinge
du klingest
er/sie klinge
wir klingen
ihr klinget
Sie klingen
sie klingen

PASSE COMPOSE

ich habe geklungen
du habest geklungen
er/sie habe geklungen
wir haben geklungen
ihr habet geklungen
Sie haben geklungen
sie haben geklungen

INFINITIF
PRESENT

klingen

PASSE

geklungen haben

PARTICIPE
PRESENT

klingend

PRETERIT

ich klänge
du klängest
er/sie klänge
wir klängen
ihr klänget
Sie klängen
sie klängen

PLUS-QUE-PARFAIT

ich hätte geklungen
du hättest geklungen
er/sie hätte geklungen
wir hätten geklungen
ihr hättet geklungen
Sie hätten geklungen
sie hätten geklungen

PASSE

geklungen

IMPERATIF

kling(e)!
klingt!
klingen Sie!
klingen wir!

FUTUR ANTERIEUR

ich werde geklungen haben
du wirst geklungen haben *etc.*

PRESENT	**PRETERIT**	**FUTUR**
ich kneife	ich kniff	ich werde kneifen
du kneifst	du kniffst	du wirst kneifen
er/sie kneift	er/sie kniff	er/sie wird kneifen
wir kneifen	wir kniffen	wir werden kneifen
ihr kneift	ihr knifft	ihr werdet kneifen
Sie kneifen	Sie kniffen	Sie werden kneifen
sie kneifen	sie kniffen	sie werden kneifen

PARFAIT	**PLUS-QUE-PARFAIT**	**CONDITIONNEL**
ich habe gekniffen	ich hatte gekniffen	ich würde kneifen
du hast gekniffen	du hattest gekniffen	du würdest kneifen
er/sie hat gekniffen	er/sie hatte gekniffen	er/sie würde kneifen
wir haben gekniffen	wir hatten gekniffen	wir würden kneifen
ihr habt gekniffen	ihr hattet gekniffen	ihr würdet kneifen
Sie haben gekniffen	Sie hatten gekniffen	Sie würden kneifen
sie haben gekniffen	sie hatten gekniffen	sie würden kneifen

SUBJONCTIF

PRESENT	**PASSE COMPOSE**
ich kneife	ich habe gekniffen
du kneifest	du habest gekniffen
er/sie kneife	er/sie habe gekniffen
wir kneifen	wir haben gekniffen
ihr kneifet	ihr habet gekniffen
Sie kneifen	Sie haben gekniffen
sie kneifen	sie haben gekniffen

PRETERIT	**PLUS-QUE-PARFAIT**
ich kniffe	ich hätte gekniffen
du kniffest	du hättest gekniffen
er/sie kniffe	er/sie hätte gekniffen
wir kniffen	wir hätten gekniffen
ihr kniffet	ihr hättet gekniffen
Sie kniffen	Sie hätten gekniffen
sie kniffen	sie hätten gekniffen

INFINITIF

PRESENT
kneifen

PASSE
gekniffen haben

PARTICIPE

PRESENT
kneifend

PASSE
gekniffen

IMPERATIF
kneif(e)!
kneift!
kneifen Sie!
kneifen wir!

FUTUR ANTERIEUR

ich werde gekniffen haben
du wirst gekniffen haben *etc*.

PRESENT

ich knie
du kniest
er/sie kniet
wir knien
ihr kniet
Sie knien
sie knien

PRETERIT

ich kniete
du knietest
er/sie kniete
wir knieten
ihr knietet
Sie knieten
sie knieten

FUTUR

ich werde knien
du wirst knien
er/sie wird knien
wir werden knien
ihr werdet knien
Sie werden knien
sie werden knien

PARFAIT

ich habe gekniet
du hast gekniet
er/sie hat gekniet
wir haben gekniet
ihr habt gekniet
Sie haben gekniet
sie haben gekniet

PLUS-QUE-PARFAIT

ich hatte gekniet
du hattest gekniet
er/sie hatte gekniet
wir hatten gekniet
ihr hattet gekniet
Sie hatten gekniet
sie hatten gekniet

CONDITIONNEL

ich würde knien
du würdest knien
er/sie würde knien
wir würden knien
ihr würdet knien
Sie würden knien
sie würden knien

SUBJONCTIF
PRESENT

ich knie
du kniest
er/sie knie
wir knien
ihr kniet
Sie knien
sie knien

PASSE COMPOSE

ich habe gekniet
du habest gekniet
er/sie habe gekniet
wir haben gekniet
ihr habet gekniet
Sie haben gekniet
sie haben gekniet

INFINITIF
PRESENT

knien

PASSE

gekniet haben

PARTICIPE
PRESENT

kniend

PRETERIT

ich kniete
du knietest
er/sie kniete
wir knieten
ihr knietet
Sie knieten
sie knieten

PLUS-QUE-PARFAIT

ich hätte gekniet
du hättest gekniet
er/sie hätte gekniet
wir hätten gekniet
ihr hättet gekniet
Sie hätten gekniet
sie hätten gekniet

PASSE

gekniet

IMPERATIF

knie!
kniet!
knien Sie!
knien wir!

FUTUR ANTERIEUR

ich werde gekniet haben
du wirst gekniet haben *etc.*

84 KOMMEN
venir

PRESENT

ich komme
du kommst
er/sie kommt
wir kommen
ihr kommt
Sie kommen
sie kommen

PRETERIT

ich kam
du kamst
er/sie kam
wir kamen
ihr kamt
Sie kamen
sie kamen

FUTUR

ich werde kommen
du wirst kommen
er/sie wird kommen
wir werden kommen
ihr werdet kommen
Sie werden kommen
sie werden kommen

PARFAIT

ich bin gekommen
du bist gekommen
er/sie ist gekommen
wir sind gekommen
ihr seid gekommen
Sie sind gekommen
sie sind gekommen

PLUS-QUE-PARFAIT

ich war gekommen
du warst gekommen
er/sie war gekommen
wir waren gekommen
ihr wart gekommen
Sie waren gekommen
sie waren gekommen

CONDITIONNEL

ich würde kommen
du würdest kommen
er/sie würde kommen
wir würden kommen
ihr würdet kommen
Sie würden kommen
sie würden kommen

SUBJONCTIF
PRESENT

ich komme
du kommest
er/sie komme
wir kommen
ihr kommet
Sie kommen
sie kommen

PASSE COMPOSE

ich sei gekommen
du sei(e)st gekommen
er/sie sei gekommen
wir seien gekommen
ihr seiet gekommen
Sie seien gekommen
sie seien gekommen

INFINITIF
PRESENT

kommen

PASSE

gekommen sein

PARTICIPE
PRESENT

kommend

PRETERIT

ich käme
du kämest
er/sie käme
wir kämen
ihr kämet
Sie kämen
sie kämen

PLUS-QUE-PARFAIT

ich wäre gekommen
du wär(e)st gekommen
er/sie wäre gekommen
wir wären gekommen
ihr wär(e)t gekommen
Sie wären gekommen
sie wären gekommen

PASSE

gekommen

IMPERATIF

komm(e)!
kommt!
kommen Sie!
kommen wir!

FUTUR ANTERIEUR

ich werde gekommen sein
du wirst gekommen sein *etc*.

PRESENT	**PRETERIT**	**FUTUR**
ich kann	ich konnte	ich werde können
du kannst	du konntest	du wirst können
er/sie kann	er/sie konnte	er/sie wird können
wir können	wir konnten	wir werden können
ihr könnt	ihr konntet	ihr werdet können
Sie können	Sie konnten	Sie werden können
sie können	sie konnten	sie werden können

PARFAIT *(1)*	**PLUS-QUE-PARFAIT** *(2)*	**CONDITIONNEL**
ich habe gekonnt	ich hatte gekonnt	ich würde können
du hast gekonnt	du hattest gekonnt	du würdest können
er/sie hat gekonnt	er/sie hatte gekonnt	er/sie würde können
wir haben gekonnt	wir hatten gekonnt	wir würden können
ihr habt gekonnt	ihr hattet gekonnt	ihr würdet können
Sie haben gekonnt	Sie hatten gekonnt	Sie würden können
sie haben gekonnt	sie hatten gekonnt	sie würden können

SUBJONCTIF

PRESENT	**PASSE COMPOSE** *(1)*
ich könne	ich habe gekonnt
du könnest	du habest gekonnt
er/sie könne	er/sie habe gekonnt
wir können	wir haben gekonnt
ihr könnet	ihr habet gekonnt
Sie können	Sie haben gekonnt
sie können	sie haben gekonnt

PRETERIT	**PLUS-QUE-PARFAIT** *(3)*
ich könnte	ich hätte gekonnt
du könntest	du hättest gekonnt
er/sie könnte	er/sie hätte gekonnt
wir könnten	wir hätten gekonnt
ihr könntet	ihr hättet gekonnt
Sie könnten	Sie hätten gekonnt
sie könnten	sie hätten gekonnt

INFINITIF

PRESENT

können

PASSE

gekonnt haben

PARTICIPE

PRESENT

könnend

PASSE

gekonnt

N.B. :

lorsqu'il est précédé d'un infinitif :
(1) ich habe . . . können *etc.*
(2) ich hatte . . . können *etc.*
(3) ich hätte . . . können *etc.*

KRIECHEN
ramper

PRESENT	**PRETERIT**	**FUTUR**
ich krieche	ich kroch	ich werde kriechen
du kriechst	du krochst	du wirst kriechen
er/sie kriecht	er/sie kroch	er/sie wird kriechen
wir kriechen	wir krochen	wir werden kriechen
ihr kriecht	ihr krocht	ihr werdet kriechen
Sie kriechen	Sie krochen	Sie werden kriechen
sie kriechen	sie krochen	sie werden kriechen

PARFAIT	**PLUS-QUE-PARFAIT**	**CONDITIONNEL**
ich bin gekrochen	ich war gekrochen	ich würde kriechen
du bist gekrochen	du warst gekrochen	du würdest kriechen
er/sie ist gekrochen	er/sie war gekrochen	er/sie würde kriechen
wir sind gekrochen	wir waren gekrochen	wir würden kriechen
ihr seid gekrochen	ihr wart gekrochen	ihr würdet kriechen
Sie sind gekrochen	Sie waren gekrochen	Sie würden kriechen
sie sind gekrochen	sie waren gekrochen	sie würden kriechen

SUBJONCTIF

PRESENT	**PASSE COMPOSE**	*INFINITIF*
ich krieche	ich sei gekrochen	**PRESENT**
du kriechest	du sei(e)st gekrochen	kriechen
er/sie krieche	er/sie sei gekrochen	**PASSE**
wir kriechen	wir seien gekrochen	gekrochen sein
ihr kriechet	ihr seiet gekrochen	
Sie kriechen	Sie seien gekrochen	*PARTICIPE*
sie kriechen	sie seien gekrochen	**PRESENT**
		kriechend

PRETERIT	**PLUS-QUE-PARFAIT**	**PASSE**
ich kröche	ich wäre gekrochen	gekrochen
du kröchest	du wär(e)st gekrochen	
er/sie kröche	er/sie wäre gekrochen	*IMPERATIF*
wir kröchen	wir wären gekrochen	kriech(e)!
ihr kröchet	ihr wär(e)t gekrochen	kriecht!
Sie kröchen	Sie wären gekrochen	kriechen Sie!
sie kröchen	sie wären gekrochen	kriechen wir!

FUTUR ANTERIEUR

ich werde gekrochen sein
du wirst gekrochen sein *etc*.

PRESENT

ich lache
du lachst
er/sie lacht
wir lachen
ihr lacht
Sie lachen
sie lachen

PRETERIT

ich lachte
du lachtest
er/sie lachte
wir lachten
ihr lachtet
Sie lachten
sie lachten

FUTUR

ich werde lachen
du wirst lachen
er/sie wird lachen
wir werden lachen
ihr werdet lachen
Sie werden lachen
sie werden lachen

PARFAIT

ich habe gelacht
du hast gelacht
er/sic hat gelacht
wir haben gelacht
ihr habt gelacht
Sie haben gelacht
sie haben gelacht

PLUS-QUE-PARFAIT

ich hatte gelacht
du hattest gelacht
er/sie hatte gelacht
wir hatten gelacht
ihr hattet gelacht
Sie hatten gelacht
sie hatten gelacht

CONDITIONNEL

ich würde lachen
du würdest lachen
er/sie würde lachen
wir würden lachen
ihr würdet lachen
Sie würden lachen
sie würden lachen

SUBJONCTIF
PRESENT

ich lache
du lachest
er/sie lache
wir lachen
ihr lachet
Sie lachen
sie lachen

PASSE COMPOSE

ich habe gelacht
du habest gelacht
er/sie habe gelacht
wir haben gelacht
ihr habet gelacht
Sie haben gelacht
sie haben gelacht

INFINITIF
PRESENT

lachen

PASSE

gelacht haben

PARTICIPE
PRESENT

lachend

PRETERIT

ich lachte
du lachtest
er/sie lachte
wir lachten
ihr lachtet
Sie lachten
sie lachten

PLUS-QUE-PARFAIT

ich hätte gelacht
du hättest gelacht
er/sie hätte gelacht
wir hätten gelacht
ihr hättet gelacht
Sie hätten gelacht
sie hätten gelacht

PASSE

gelacht

IMPERATIF

lach(e)!
lacht!
lachen Sie!
lachen wir!

FUTUR ANTERIEUR

ich werde gelacht haben
du wirst gelacht haben *etc*.

88 LADEN
charger

PRESENT

ich lade
du lädst
er/sie lädt
wir laden
ihr ladet
Sie laden
sie laden

PRETERIT

ich lud
du ludst
er/sie lud
wir luden
ihr ludet
Sie luden
sie luden

FUTUR

ich werde laden
du wirst laden
er/sie wird laden
wir werden laden
ihr werdet laden
Sie werden laden
sie werden laden

PARFAIT

ich habe geladen
du hast geladen
er/sie hat geladen
wir haben geladen
ihr habt geladen
Sie haben geladen
sie haben geladen

PLUS-QUE-PARFAIT

ich hatte geladen
du hattest geladen
er/sie hatte geladen
wir hatten geladen
ihr hattet geladen
Sie hatten geladen
sie hatten geladen

CONDITIONNEL

ich würde laden
du würdest laden
er/sie würde laden
wir würden laden
ihr würdet laden
Sie würden laden
sie würden laden

SUBJONCTIF
PRESENT

ich lade
du ladest
er/sie lade
wir laden
ihr ladet
Sie laden
sie laden

PASSE COMPOSE

ich habe geladen
du habest geladen
er/sie habe geladen
wir haben geladen
ihr habet geladen
Sie haben geladen
sie haben geladen

INFINITIF
PRESENT
laden
PASSE
geladen haben

PARTICIPE
PRESENT
ladend

PRETERIT

ich lüde
du lüdest
er/sie lüde
wir lüden
ihr lüdet
Sie lüden
sie lüden

PLUS-QUE-PARFAIT

ich hätte geladen
du hättest geladen
er/sie hätte geladen
wir hätten geladen
ihr hättet geladen
Sie hätten geladen
sie hätten geladen

PASSE
geladen

IMPERATIF
lad(e)!
ladet!
laden Sie!
laden wir!

FUTUR ANTERIEUR

ich werde geladen haben
du wirst geladen haben *etc*.

PRESENT

ich lande
du landest
er/sie landet
wir landen
ihr landet
Sie landen
sie landen

PRETERIT

ich landete
du landetest
er/sie landete
wir landeten
ihr landetet
Sie landeten
sie landeten

FUTUR

ich werde landen
du wirst landen
er/sie wird landen
wir werden landen
ihr werdet landen
Sie werden landen
sie werden landen

PARFAIT

ich bin gelandet
du bist gelandet
er/sie ist gelandet
wir sind gelandet
ihr seid gelandet
Sie sind gelandet
sie sind gelandet

PLUS-QUE-PARFAIT

ich war gelandet
du warst gelandet
er/sie war gelandet
wir waren gelandet
ihr wart gelandet
Sie waren gelandet
sie waren gelandet

CONDITIONNEL

ich würde landen
du würdest landen
er/sie würde landen
wir würden landen
ihr würdet landen
Sie würden landen
sie würden landen

SUBJONCTIF
PRESENT

ich lande
du landest
er/sie lande
wir landen
ihr landet
Sie landen
sie landen

PASSE COMPOSE

ich sei gelandet
du sei(e)st gelandet
er/sie sei gelandet
wir seien gelandet
ihr seiet gelandet
Sie seien gelandet
sie seien gelandet

INFINITIF
PRESENT

landen

PASSE

gelandet sein

PARTICIPE
PRESENT

landend

PRETERIT

ich landete
du landetest
er/sie landete
wir landeten
ihr landetet
Sie landeten
sie landeten

PLUS-QUE-PARFAIT

ich wäre gelandet
du wär(e)st gelandet
er/sie wäre gelandet
wir wären gelandet
ihr wär(e)t gelandet
Sie wären gelandet
sie wären gelandet

PASSE

gelandet

IMPERATIF

land(e)!
landet!
landen Sie!
landen wir!

FUTUR ANTERIEUR

ich werde gelandet sein
du wirst gelandet sein *etc.*

90 LASSEN
laisser

PRESENT

ich lasse
du läßt
er/sie läßt
wir lassen
ihr laßt
Sie lassen
sie lassen

PRETERIT

ich ließ
du ließest
er/sie ließ
wir ließen
ihr ließt
Sie ließen
sie ließen

FUTUR

ich werde lassen
du wirst lassen
er/sie wird lassen
wir werden lassen
ihr werdet lassen
Sie werden lassen
sie werden lassen

PARFAIT *(1)*

ich habe gelassen
du hast gelassen
er/sie hat gelassen
wir haben gelassen
ihr habt gelassen
Sie haben gelassen
sie haben gelassen

PLUS-QUE-PARFAIT *(2)*

ich hatte gelassen
du hattest gelassen
er/sie hatte gelassen
wir hatten gelassen
ihr hattet gelassen
Sie hatten gelassen
sie hatten gelassen

CONDITIONNEL

ich würde lassen
du würdest lassen
er/sie würde lassen
wir würden lassen
ihr würdet lassen
Sie würden lassen
sie würden lassen

SUBJONCTIF

PRESENT

ich lasse
du lassest
er/sie lasse
wir lassen
ihr lasset
Sie lassen
sie lassen

PASSE COMPOSE *(1)*

ich habe gelassen
du habest gelassen
er/sie habe gelassen
wir haben gelassen
ihr habet gelassen
Sie haben gelassen
sie haben gelassen

INFINITIF

PRESENT

lassen

PASSE

gelassen haben

PARTICIPE

PRESENT

lassend

PRETERIT

ich ließe
du ließest
er/sie ließe
wir ließen
ihr ließet
Sie ließen
sie ließen

PLUS-QUE-PARFAIT *(3)*

ich hätte gelassen
du hättest gelassen
er/sie hätte gelassen
wir hätten gelassen
ihr hättet gelassen
Sie hätten gelassen
sie hätten gelassen

PASSE

gelassen

IMPERATIF

laß!
laßt!
lassen Sie!
lassen wir!

FUTUR ANTERIEUR

ich werde gelassen haben
du wirst gelassen haben *etc.*

N.B. :

lorsqu'il est précédé d'un infinitif :
(1) ich habe . . . lassen *etc.*
(2) ich hatte . . . lassen *etc.*
(3) ich hätte . . . lassen *etc.*

PRESENT

ich laufe
du läufst
er/sie läuft
wir laufen
ihr lauft
Sie laufen
sie laufen

PRETERIT

ich lief
du liefst
er/sie lief
wir liefen
ihr lieft
Sie liefen
sie liefen

FUTUR

ich werde laufen
du wirst laufen
er/sie wird laufen
wir werden laufen
ihr werdet laufen
Sie werden laufen
sie werden laufen

PARFAIT

ich bin gelaufen
du bist gelaufen
er/sie ist gelaufen
wir sind gelaufen
ihr seid gelaufen
Sie sind gelaufen
sie sind gelaufen

PLUS-QUE-PARFAIT

ich war gelaufen
du warst gelaufen
er/sie war gelaufen
wir waren gelaufen
ihr wart gelaufen
Sie waren gelaufen
sie waren gelaufen

CONDITIONNEL

ich würde laufen
du würdest laufen
er/sie würde laufen
wir würden laufen
ihr würdet laufen
Sie würden laufen
sie würden laufen

SUBJONCTIF
PRESENT

ich laufe
du laufest
er/sie laufe
wir laufen
ihr laufet
Sie laufen
sie laufen

PASSE COMPOSE

ich sei gelaufen
du sei(e)st gelaufen
er/sie sei gelaufen
wir seien gelaufen
ihr seiet gelaufen
Sie seien gelaufen
sie seien gelaufen

INFINITIF
PRESENT

laufen

PASSE

gelaufen sein

PARTICIPE
PRESENT

laufend

PRETERIT

ich liefe
du liefest
er/sie liefe
wir liefen
ihr liefet
Sie liefen
sie liefen

PLUS-QUE-PARFAIT

ich wäre gelaufen
du wär(e)st gelaufen
er/sie wäre gelaufen
wir wären gelaufen
ihr wär(e)t gelaufen
Sie wären gelaufen
sie wären gelaufen

PASSE

gelaufen

IMPERATIF

lauf(e)!
lauft!
laufen Sie!
laufen wir!

FUTUR ANTERIEUR

ich werde gelaufen sein
du wirst gelaufen sein *etc.*

92 LEBEN
vivre

PRESENT	**PRETERIT**	**FUTUR**
ich lebe	ich lebte	ich werde leben
du lebst	du lebtest	du wirst leben
er/sie lebt	er/sie lebte	er/sie wird leben
wir leben	wir lebten	wir werden leben
ihr lebt	ihr lebtet	ihr werdet leben
Sie leben	Sie lebten	Sie werden leben
sie leben	sie lebten	sie werden leben

PARFAIT	**PLUS-QUE-PARFAIT**	**CONDITIONNEL**
ich habe gelebt	ich hatte gelebt	ich würde leben
du hast gelebt	du hattest gelebt	du würdest leben
er/sie hat gelebt	er/sie hatte gelebt	er/sie würde leben
wir haben gelebt	wir hatten gelebt	wir würden leben
ihr habt gelebt	ihr hattet gelebt	ihr würdet leben
Sie haben gelebt	Sie hatten gelebt	Sie würden leben
sie haben gelebt	sie hatten gelebt	sie würden leben

SUBJONCTIF

PRESENT	**PASSE COMPOSE**
ich lebe	ich habe gelebt
du lebest	du habest gelebt
er/sie lebe	er/sie habe gelebt
wir leben	wir haben gelebt
ihr lebet	ihr habet gelebt
Sie leben	Sie haben gelebt
sie leben	sie haben gelebt

PRETERIT	**PLUS-QUE-PARFAIT**
ich lebte	ich hätte gelebt
du lebtest	du hättest gelebt
er/sie lebte	er/sie hätte gelebt
wir lebten	wir hätten gelebt
ihr lebtet	ihr hättet gelebt
Sie lebten	Sie hätten gelebt
sie lebten	sie hätten gelebt

INFINITIF

PRESENT
leben

PASSE
gelebt haben

PARTICIPE

PRESENT
lebend

PASSE
gelebt

IMPERATIF

leb(e)!
lebt!
leben Sie!
leben wir!

FUTUR ANTERIEUR

ich werde gelebt haben
du wirst gelebt haben *etc*.

PRESENT

ich leide
du leidest
er/sie leidet
wir leiden
ihr leidet
Sie leiden
sie leiden

PRETERIT

ich litt
du littst
er/sie litt
wir litten
ihr littet
Sie litten
sie litten

FUTUR

ich werde leiden
du wirst leiden
er/sie wird leiden
wir werden leiden
ihr werdet leiden
Sie werden leiden
sie werden leiden

PARFAIT

ich habe gelitten
du hast gelitten
er/sie hat gelitten
wir haben gelitten
ihr habt gelitten
Sie haben gelitten
sie haben gelitten

PLUS-QUE-PARFAIT

ich hatte gelitten
du hattest gelitten
er/sie hatte gelitten
wir hatten gelitten
ihr hattet gelitten
Sie hatten gelitten
sie hatten gelitten

CONDITIONNEL

ich würde leiden
du würdest leiden
er/sie würde leiden
wir würden leiden
ihr würdet leiden
Sie würden leiden
sie würden leiden

SUBJONCTIF
PRESENT

ich leide
du leidest
er/sie leide
wir leiden
ihr leidet
Sie leiden
sie leiden

PASSE COMPOSE

ich habe gelitten
du habest gelitten
er/sie habe gelitten
wir haben gelitten
ihr habet gelitten
Sie haben gelitten
sie haben gelitten

INFINITIF
PRESENT

leiden

PASSE

gelitten haben

PRETERIT

ich litte
du littest
er/sie litte
wir litten
ihr littet
Sie litten
sie litten

PLUS-QUE-PARFAIT

ich hätte gelitten
du hättest gelitten
er/sie hätte gelitten
wir hätten gelitten
ihr hättet gelitten
Sie hätten gelitten
sie hätten gelitten

PARTICIPE
PRESENT

leidend

PASSE

gelitten

IMPERATIF

leid(e)!
leidet!
leiden Sie!
leiden wir!

FUTUR ANTERIEUR

ich werde gelitten haben
du wirst gelitten haben *etc.*

94 LEIHEN
prêter, emprunter

PRESENT	**PRETERIT**	**FUTUR**
ich leihe	ich lieh	ich werde leihen
du leihst	du liehst	du wirst leihen
er/sie leiht	er/sie lieh	er/sie wird leihen
wir leihen	wir liehen	wir werden leihen
ihr leiht	ihr lieht	ihr werdet leihen
Sie leihen	Sie liehen	Sie werden leihen
sie leihen	sie liehen	sie werden leihen

PARFAIT	**PLUS-QUE-PARFAIT**	**CONDITIONNEL**
ich habe geliehen	ich hatte geliehen	ich würde leihen
du hast geliehen	du hattest geliehen	du würdest leihen
er/sie hat geliehen	er/sie hatte geliehen	er/sie würde leihen
wir haben geliehen	wir hatten geliehen	wir würden leihen
ihr habt geliehen	ihr hattet geliehen	ihr würdet leihen
Sie haben geliehen	Sie hatten geliehen	Sie würden leihen
sie haben geliehen	sie hatten geliehen	sie würden leihen

SUBJONCTIF

PRESENT	**PASSE COMPOSE**
ich leihe	ich habe geliehen
du leihest	du habest geliehen
er/sie leihe	er/sie habe geliehen
wir leihen	wir haben geliehen
ihr leihet	ihr habet geliehen
Sie leihen	Sie haben geliehen
sie leihen	sie haben geliehen

PRETERIT	**PLUS-QUE-PARFAIT**
ich liehe	ich hätte geliehen
du liehest	du hättest geliehen
er/sie liehe	er/sie hätte geliehen
wir liehen	wir hätten geliehen
ihr liehet	ihr hättet geliehen
Sie liehen	Sie hätten geliehen
sie liehen	sie hätten geliehen

INFINITIF

PRESENT
leihen

PASSE
geliehen haben

PARTICIPE

PRESENT
leihend

PASSE
geliehen

IMPERATIF

leih(e)!
leiht!
leihen Sie!
leihen wir!

FUTUR ANTERIEUR

ich werde geliehen haben
du wirst geliehen haben *etc.*

PRESENT	**PRETERIT**	**FUTUR**
ich lese	ich las	ich werde lesen
du liest	du lasest	du wirst lesen
er/sie liest	er/sie las	er/sie wird lesen
wir lesen	wir lasen	wir werden lesen
ihr lest	ihr last	ihr werdet lesen
Sie lesen	Sie lasen	Sie werden lesen
sie lesen	sie lasen	sie werden lesen

PARFAIT	**PLUS-QUE-PARFAIT**	**CONDITIONNEL**
ich habe gelesen	ich hatte gelesen	ich würde lesen
du hast gelesen	du hattest gelesen	du würdest lesen
er/sie hat gelesen	er/sie hatte gelesen	er/sie würde lesen
wir haben gelesen	wir hatten gelesen	wir würden lesen
ihr habt gelesen	ihr hattet gelesen	ihr würdet lesen
Sie haben gelesen	Sie hatten gelesen	Sie würden lesen
sie haben gelesen	sie hatten gelesen	sie würden lesen

SUBJONCTIF

PRESENT	**PASSE COMPOSE**
ich lese	ich habe gelesen
du lesest	du habest gelesen
er/sie lese	er/sie habe gelesen
wir lesen	wir haben gelesen
ihr leset	ihr habet gelesen
Sie lesen	Sie haben gelesen
sie lesen	sie haben gelesen

PRETERIT	**PLUS-QUE-PARFAIT**
ich läse	ich hätte gelesen
du läsest	du hättest gelesen
er/sie läse	er/sie hätte gelesen
wir läsen	wir hätten gelesen
ihr läset	ihr hättet gelesen
Sie läsen	Sie hätten gelesen
sie läsen	sie hätten gelesen

INFINITIF

PRESENT

lesen

PASSE

gelesen haben

PARTICIPE

PRESENT

lesend

PASSE

gelesen

IMPERATIF

lies!
lest!
lesen Sie!
lesen wir!

FUTUR ANTERIEUR

ich werde gelesen haben
du wirst gelesen haben *etc.*

96 LIEGEN
être (allongé)

PRESENT

ich liege
du liegst
er/sie liegt
wir liegen
ihr liegt
Sie liegen
sie liegen

PRETERIT

ich lag
du lagst
er/sie lag
wir lagen
ihr lagt
Sie lagen
sie lagen

FUTUR

ich werde liegen
du wirst liegen
er/sie wird liegen
wir werden liegen
ihr werdet liegen
Sie werden liegen
sie werden liegen

PARFAIT *(1)*

ich habe gelegen
du hast gelegen
er/sie hat gelegen
wir haben gelegen
ihr habt gelegen
Sie haben gelegen
sie haben gelegen

PLUS-QUE-PARFAIT *(2)*

ich hatte gelegen
du hattest gelegen
er/sie hatte gelegen
wir hatten gelegen
ihr hattet gelegen
Sie hatten gelegen
sie hatten gelegen

CONDITIONNEL

ich würde liegen
du würdest liegen
er/sie würde liegen
wir würden liegen
ihr würdet liegen
Sie würden liegen
sie würden liegen

SUBJONCTIF
PRESENT

ich liege
du liegest
er/sie liege
wir liegen
ihr lieget
Sie liegen
sie liegen

PASSE COMPOSE *(3)*

ich habe gelegen
du habest gelegen
er/sie habe gelegen
wir haben gelegen
ihr habet gelegen
Sie haben gelegen
sie haben gelegen

INFINITIF
PRESENT

liegen

PASSE *(6)*

gelegen haben

PARTICIPE
PRESENT

liegend

PRETERIT

ich läge
du lägest
er/sie läge
wir lägen
ihr läget
Sie lägen
sie lägen

PLUS-QUE-PARFAIT *(4)*

ich hätte gelegen
du hättest gelegen
er/sie hätte gelegen
wir hätten gelegen
ihr hättet gelegen
Sie hätten gelegen
sie hätten gelegen

PASSE

gelegen

IMPERATIF

lieg(e)!
liegt!
liegen Sie!
liegen wir!

FUTUR ANTERIEUR *(5)*

ich werde gelegen haben
du wirst gelegen haben *etc.*

N.B. :

se conjugue avec sein *lorsqu'il signifie
'se situer' : (1)* ich bin gelegen *etc. (2)* ich
war gelegen *etc. (3)* ich sei gelegen *etc.
(4)* ich wäre gelegen *etc. (5)* ich werde
gelegen sein *etc. (6)* gelegen sein

PRESENT

ich lüge
du lügst
er/sie lügt
wir lügen
ihr lügt
Sie lügen
sie lügen

PRETERIT

ich log
du logst
er/sie log
wir logen
ihr logt
Sie logen
sie logen

FUTUR

ich werde lügen
du wirst lügen
er/sie wird lügen
wir werden lügen
ihr werdet lügen
Sie werden lügen
sie werden lügen

PARFAIT

ich habe gelogen
du hast gelogen
er/sie hat gelogen
wir haben gelogen
ihr habt gelogen
Sie haben gelogen
sie haben gelogen

PLUS-QUE-PARFAIT

ich hatte gelogen
du hattest gelogen
cr/sic hatte gelogen
wir hatten gelogen
ihr hattet gelogen
Sie hatten gelogen
sie hatten gelogen

CONDITIONNEL

ich würde lügen
du würdest lügen
er/sie würde lügen
wir würden lügen
ihr würdet lügen
Sie würden lügen
sie würden lügen

SUBJONCTIF
PRESENT

ich lüge
du lügest
er/sie lüge
wir lügen
ihr lüget
Sie lügen
sie lügen

PASSE COMPOSE

ich habe gelogen
du habest gelogen
er/sie habe gelogen
wir haben gelogen
ihr habet gelogen
Sie haben gelogen
sie haben gelogen

INFINITIF
PRESENT

lügen

PASSE

gelogen haben

PARTICIPE
PRESENT

lügend

PRETERIT

ich löge
du lögest
er/sie löge
wir lögen
ihr löget
Sie lögen
sie lögen

PLUS-QUE-PARFAIT

ich hätte gelogen
du hättest gelogen
er/sie hätte gelogen
wir hätten gelogen
ihr hättet gelogen
Sie hätten gelogen
sie hätten gelogen

PASSE

gelogen

IMPERATIF

lüg(e)!
lügt!
lügen Sie!
lügen wir!

FUTUR ANTERIEUR

ich werde gelogen haben
du wirst gelogen haben *etc.*

PRESENT

ich mahle
du mahlst
er/sie mahlt
wir mahlen
ihr mahlt
Sie mahlen
sie mahlen

PRETERIT

ich mahlte
du mahltest
er/sie mahlte
wir mahlten
ihr mahltet
Sie mahlten
sie mahlten

FUTUR

ich werde mahlen
du wirst mahlen
er/sie wird mahlen
wir werden mahlen
ihr werdet mahlen
Sie werden mahlen
sie werden mahlen

PARFAIT

ich habe gemahlen
du hast gemahlen
er/sie hat gemahlen
wir haben gemahlen
ihr habt gemahlen
Sie haben gemahlen
sie haben gemahlen

PLUS-QUE-PARFAIT

ich hatte gemahlen
du hattest gemahlen
er/sie hatte gemahlen
wir hatten gemahlen
ihr hattet gemahlen
Sie hatten gemahlen
sie hatten gemahlen

CONDITIONNEL

ich würde mahlen
du würdest mahlen
er/sie würde mahlen
wir würden mahlen
ihr würdet mahlen
Sie würden mahlen
sie würden mahlen

SUBJONCTIF
PRESENT

ich mahle
du mahlest
er/sie mahle
wir mahlen
ihr mahlet
Sie mahlen
sie mahlen

PASSE COMPOSE

ich habe gemahlen
du habest gemahlen
er/sie habe gemahlen
wir haben gemahlen
ihr habet gemahlen
Sie haben gemahlen
sie haben gemahlen

INFINITIF
PRESENT

mahlen

PASSE

gemahlen haben

PARTICIPE
PRESENT

mahlend

PRETERIT

ich mahlte
du mahltest
er/sie mahlte
wir mahlten
ihr mahltet
Sie mahlten
sie mahlten

PLUS-QUE-PARFAIT

ich hätte gemahlen
du hättest gemahlen
er/sie hätte gemahlen
wir hätten gemahlen
ihr hättet gemahlen
Sie hätten gemahlen
sie hätten gemahlen

PASSE

gemahlen

IMPERATIF

mahl(e)!
mahlt!
mahlen Sie!
mahlen wir!

FUTUR ANTERIEUR

ich werde gemahlen haben
du wirst gemahlen haben *etc.*

PRESENT

ich meide
du meidest
er/sie meidet
wir meiden
ihr meidet
Sie meiden
sie meiden

PRETERIT

ich mied
du miedest
er/sie mied
wir mieden
ihr miedet
Sie mieden
sie mieden

FUTUR

ich werde meiden
du wirst meiden
er/sie wird meiden
wir werden meiden
ihr werdet meiden
Sie werden meiden
sie werden meiden

PARFAIT

ich habe gemieden
du hast gemieden
er/sie hat gemieden
wir haben gemieden
ihr habt gemieden
Sie haben gemieden
sie haben gemieden

PLUS-QUE-PARFAIT

ich hatte gemieden
du hattest gemieden
er/sie hatte gemieden
wir hatten gemieden
ihr hattet gemieden
Sie hatten gemieden
sie hatten gemieden

CONDITIONNEL

ich würde meiden
du würdest meiden
er/sie würde meiden
wir würden meiden
ihr würdet meiden
Sie würden meiden
sie würden meiden

SUBJONCTIF
PRESENT

ich meide
du meidest
er/sie meide
wir meiden
ihr meidet
Sie meiden
sie meiden

PASSE COMPOSE

ich habe gemieden
du habest gemieden
er/sie habe gemieden
wir haben gemieden
ihr habet gemieden
Sie haben gemieden
sie haben gemieden

INFINITIF
PRESENT
meiden
PASSE
gemieden haben

PARTICIPE
PRESENT
meidend

PRETERIT

ich miede
du miedest
er/sie miede
wir mieden
ihr miedet
Sie mieden
sie mieden

PLUS-QUE-PARFAIT

ich hätte gemieden
du hättest gemieden
er/sie hätte gemieden
wir hätten gemieden
ihr hättet gemieden
Sie hätten gemieden
sie hätten gemieden

PASSE
gemieden

IMPERATIF
meid(e)!
meidet!
meiden Sie!
meiden wir!

FUTUR ANTERIEUR

ich werde gemieden haben
du wirst gemieden haben *etc.*

PRESENT	**PRETERIT**	**FUTUR**
ich messe	ich maß	ich werde messen
du mißt	du maßest	du wirst messen
er/sie mißt	er/sie maß	er/sie wird messen
wir messen	wir maßen	wir werden messen
ihr meßt	ihr maßt	ihr werdet messen
Sie messen	Sie maßen	Sie werden messen
sie messen	sie maßen	sie werden messen

PARFAIT	**PLUS-QUE-PARFAIT**	**CONDITIONNEL**
ich habe gemessen	ich hatte gemessen	ich würde messen
du hast gemessen	du hattest gemessen	du würdest messen
er/sie hat gemessen	er/sie hatte gemessen	er/sie würde messen
wir haben gemessen	wir hatten gemessen	wir würden messen
ihr habt gemessen	ihr hattet gemessen	ihr würdet messen
Sie haben gemessen	Sie hatten gemessen	Sie würden messen
sie haben gemessen	sie hatten gemessen	sie würden messen

SUBJONCTIF

PRESENT	**PASSE COMPOSE**
ich messe	ich habe gemessen
du messest	du habest gemessen
er/sie messe	er/sie habe gemessen
wir messen	wir haben gemessen
ihr messet	ihr habet gemessen
Sie messen	Sie haben gemessen
sie messen	sie haben gemessen

PRETERIT	**PLUS-QUE-PARFAIT**
ich mäße	ich hätte gemessen
du mäßest	du hättest gemessen
er/sie mäße	er/sie hätte gemessen
wir mäßen	wir hätten gemessen
ihr mäßet	ihr hättet gemessen
Sie mäßen	Sie hätten gemessen
sie mäßen	sie hätten gemessen

INFINITIF

PRESENT

messen

PASSE

gemessen haben

PARTICIPE

PRESENT

messend

PASSE

gemessen

IMPERATIF

miß!
meßt!
messen Sie!
messen wir!

FUTUR ANTERIEUR

ich werde gemessen haben
du wirst gemessen haben *etc*.

PRESENT

ich mag
du magst
er/sie mag
wir mögen
ihr mögt
Sie mögen
sie mögen

PRETERIT

ich mochte
du mochtest
er/sie mochte
wir mochten
ihr mochtet
Sie mochten
sie mochten

FUTUR

ich werde mögen
du wirst mögen
er/sie wird mögen
wir werden mögen
ihr werdet mögen
Sie werden mögen
sie werden mögen

PARFAIT *(1)*

ich habe gemocht
du hast gemocht
er/sie hat gemocht
wir haben gemocht
ihr habt gemocht
Sie haben gemocht
sie haben gemocht

PLUS-QUE-PARFAIT *(2)*

ich hatte gemocht
du hattest gemocht
er/sie hatte gemocht
wir hatten gemocht
ihr hattet gemocht
Sie hatten gemocht
sie hatten gemocht

CONDITIONNEL

ich würde mögen
du würdest mögen
er/sie würde mögen
wir würden mögen
ihr würdet mögen
Sie würden mögen
sie würden mögen

SUBJONCTIF
PRESENT

ich möge
du mögest
er/sie möge
wir mögen
ihr möget
Sie mögen
sie mögen

PASSE COMPOSE *(1)*

ich habe gemocht
du habest gemocht
er/sie habe gemocht
wir haben gemocht
ihr habet gemocht
Sie haben gemocht
sie haben gemocht

INFINITIF
PRESENT

mögen

PASSE

gemocht haben

PARTICIPE
PRESENT

mögend

PRETERIT

ich möchte
du möchtest
er/sie möchte
wir möchten
ihr möchtet
Sie möchten
sie möchten

PLUS-QUE-PARFAIT *(3)*

ich hätte gemocht
du hättest gemocht
er/sie hätte gemocht
wir hätten gemocht
ihr hättet gemocht
Sie hätten gemocht
sie hätten gemocht

PASSE

gemocht

N.B. :

lorsqu'il est précédé d'un infinitif :
(1) ich habe . . . mögen *etc.*
(2) ich hatte . . . mögen *etc.*
(3) ich hätte . . . mögen *etc.*

102 MÜSSEN
devoir

PRESENT

ich muß
du mußt
er/sie muß
wir müssen
ihr müßt
Sie müssen
sie müssen

PRETERIT

ich mußte
du mußtest
er/sie mußte
wir mußten
ihr mußtet
Sie mußten
sie mußten

FUTUR

ich werde müssen
du wirst müssen
er/sie wird müssen
wir werden müssen
ihr werdet müssen
Sie werden müssen
sie werden müssen

PARFAIT (1)

ich habe gemußt
du hast gemußt
er/sie hat gemußt
wir haben gemußt
ihr habt gemußt
Sie haben gemußt
sie haben gemußt

PLUS-QUE-PARFAIT (2)

ich hatte gemußt
du hattest gemußt
er/sie hatte gemußt
wir hatten gemußt
ihr hattet gemußt
Sie hatten gemußt
sie hatten gemußt

CONDITIONNEL

ich würde müssen
du würdest müssen
er/sie würde müssen
wir würden müssen
ihr würdet müssen
Sie würden müssen
sie würden müssen

SUBJONCTIF
PRESENT

ich müße
du müßest
er/sie müße
wir müssen
ihr müßet
Sie müssen
sie müssen

PASSE COMPOSE (1)

ich habe gemußt
du habest gemußt
er/sie habe gemußt
wir haben gemußt
ihr habet gemußt
Sie haben gemußt
sie haben gemußt

INFINITIF
PRESENT

müssen

PASSE

gemußt haben

PRETERIT

ich müßte
du müßtest
er/sie müßte
wir müßten
ihr müßtet
Sie müßten
sie müßten

PLUS-QUE-PARFAIT (3)

ich hätte gemußt
du hättest gemußt
er/sie hätte gemußt
wir hätten gemußt
ihr hättet gemußt
Sie hätten gemußt
sie hätten gemußt

PARTICIPE
PRESENT

müssend

PASSE

gemußt

N.B. :

lorsqu'il est précédé d'un infinitif :
(1) ich habe . . . müssen *etc.*
(2) ich hatte . . . müssen *etc.*
(3) ich hätte . . . müssen *etc.*

PRESENT

ich nehme
du nimmst
er/sie nimmt
wir nehmen
ihr nehmt
Sie nehmen
sie nehmen

PRETERIT

ich nahm
du nahmst
er/sie nahm
wir nahmen
ihr nahmt
Sie nahmen
sie nahmen

FUTUR

ich werde nehmen
du wirst nehmen
er/sie wird nehmen
wir werden nehmen
ihr werdet nehmen
Sie werden nehmen
sie werden nehmen

PARFAIT

ich habe genommen
du hast genommen
er/sie hat genommen
wir haben genommen
ihr habt genommen
Sie haben genommen
sie haben genommen

PLUS-QUE-PARFAIT

ich hatte genommen
du hattest genommen
er/sie hatte genommen
wir hatten genommen
ihr hattet genommen
Sie hatten genommen
sie hatten genommen

CONDITIONNEL

ich würde nehmen
du würdest nehmen
er/sie würde nehmen
wir würden nehmen
ihr würdet nehmen
Sie würden nehmen
sie würden nehmen

SUBJONCTIF
PRESENT

ich nehme
du nehmest
er/sie nehme
wir nehmen
ihr nehmet
Sie nehmen
sie nehmen

PASSE COMPOSE

ich habe genommen
du habest genommen
er/sie habe genommen
wir haben genommen
ihr habet genommen
Sie haben genommen
sie haben genommen

INFINITIF
PRESENT

nehmen

PASSE

genommen haben

PARTICIPE
PRESENT

nehmend

PRETERIT

ich nähme
du nähmest
er/sie nähme
wir nähmen
ihr nähmet
Sie nähmen
sie nähmen

PLUS-QUE-PARFAIT

ich hätte genommen
du hättest genommen
er/sie hätte genommen
wir hätten genommen
ihr hättet genommen
Sie hätten genommen
sie hätten genommen

PASSE

genommen

IMPERATIF

nimm!
nehmt!
nehmen Sie!
nehmen wir!

FUTUR ANTERIEUR

ich werde genommen haben
du wirst genommen haben *etc*.

PRESENT

ich nenne
du nennst
er/sie nennt
wir nennen
ihr nennt
Sie nennen
sie nennen

PRETERIT

ich nannte
du nanntest
er/sie nannte
wir nannten
ihr nanntet
Sie nannten
sie nannten

FUTUR

ich werde nennen
du wirst nennen
er/sie wird nennen
wir werden nennen
ihr werdet nennen
Sie werden nennen
sie werden nennen

PARFAIT

ich habe genannt
du hast genannt
er/sie hat genannt
wir haben genannt
ihr habt genannt
Sie haben genannt
sie haben genannt

PLUS-QUE-PARFAIT

ich hatte genannt
du hattest genannt
er/sie hatte genannt
wir hatten genannt
ihr hattet genannt
Sie hatten genannt
sie hatten genannt

CONDITIONNEL

ich würde nennen
du würdest nennen
er/sie würde nennen
wir würden nennen
ihr würdet nennen
Sie würden nennen
sie würden nennen

SUBJONCTIF
PRESENT

ich nenne
du nennest
er/sie nenne
wir nennen
ihr nennet
Sie nennen
sie nennen

PASSE COMPOSE

ich habe genannt
du habest genannt
er/sie habe genannt
wir haben genannt
ihr habet genannt
Sie haben genannt
sie haben genannt

INFINITIF
PRESENT

nennen

PASSE

genannt haben

PRETERIT

ich nennte
du nenntest
er/sie nennte
wir nennten
ihr nenntet
Sie nennten
sie nennten

PLUS-QUE-PARFAIT

ich hätte genannt
du hättest genannt
er/sie hätte genannt
wir hätten genannt
ihr hättet genannt
Sie hätten genannt
sie hätten genannt

PARTICIPE
PRESENT

nennend

PASSE

genannt

IMPERATIF

nenn(e)!
nennt!
nennen Sie!
nennen wir!

FUTUR ANTERIEUR

ich werde genannt haben
du wirst genannt haben *etc*.

bien aller, convenir

PRESENT	**PRETERIT**	**FUTUR**
ich passe	ich paßte	ich werde passen
du paßt	du paßtest	du wirst passen
er/sie paßt	er/sie paßte	er/sie wird passen
wir passen	wir paßten	wir werden passen
ihr paßt	ihr paßtet	ihr werdet passen
Sie passen	Sie paßten	Sie werden passen
sie passen	sie paßten	sie werden passen

PARFAIT	**PLUS-QUE-PARFAIT**	**CONDITIONNEL**
ich habe gepaßt	ich hatte gepaßt	ich würde passen
du hast gepaßt	du hattest gepaßt	du würdest passen
er/sie hat gepaßt	er/sie hatte gepaßt	er/sie würde passen
wir haben gepaßt	wir hatten gepaßt	wir würden passen
ihr habt gepaßt	ihr hattet gepaßt	ihr würdet passen
Sie haben gepaßt	Sie hatten gepaßt	Sie würden passen
sie haben gepaßt	sie hatten gepaßt	sie würden passen

SUBJONCTIF

PRESENT	**PASSE COMPOSE**
ich passe	ich habe gepaßt
du passest	du habest gepaßt
er/sie passe	er/sie habe gepaßt
wir passen	wir haben gepaßt
ihr passet	ihr habet gepaßt
Sie passen	Sie haben gepaßt
sie passen	sie haben gepaßt

PRETERIT	**PLUS-QUE-PARFAIT**
ich paßte	ich hätte gepaßt
du paßtest	du hättest gepaßt
er/sie paßte	er/sie hätte gepaßt
wir paßten	wir hätten gepaßt
ihr paßtet	ihr hättet gepaßt
Sie paßten	Sie hätten gepaßt
sie paßten	sie hätten gepaßt

INFINITIF

PRESENT

passen

PASSE

gepaßt haben

PARTICIPE

PRESENT

passend

PASSE

gepaßt

IMPERATIF

paß!, passe!
paßt!
passen Sie!
passen wir!

FUTUR ANTERIEUR

ich werde gepaßt heben
du wirst gepaßt haben *etc.*

N.B. :

se construit avec le datif : ich passe
ihm, ich habe ihm gepaßt *etc.*

106 PFEIFEN
siffler

PRESENT	PRETERIT	FUTUR
ich pfeife	ich pfiff	ich werde pfeifen
du pfeifst	du pfiffst	du wirst pfeifen
er/sie pfeift	er/sie pfiff	er/sie wird pfeifen
wir pfeifen	wir pfiffen	wir werden pfeifen
ihr pfeift	ihr pfifft	ihr werdet pfeifen
Sie pfeifen	Sie pfiffen	Sie werden pfeifen
sie pfeifen	sie pfiffen	sie werden pfeifen

PARFAIT	PLUS-QUE-PARFAIT	CONDITIONNEL
ich habe gepfiffen	ich hatte gepfiffen	ich würde pfeifen
du hast gepfiffen	du hattest gepfiffen	du würdest pfeifen
er/sie hat gepfiffen	er/sie hatte gepfiffen	er/sie würde pfeifen
wir haben gepfiffen	wir hatten gepfiffen	wir würden pfeifen
ihr habt gepfiffen	ihr hattet gepfiffen	ihr würdet pfeifen
Sie haben gepfiffen	Sie hatten gepfiffen	Sie würden pfeifen
sie haben gepfiffen	sie hatten gepfiffen	sie würden pfeifen

SUBJONCTIF

PRESENT	PASSE COMPOSE
ich pfeife	ich habe gepfiffen
du pfeifest	du habest gepfiffen
er/sie pfeife	er/sie habe gepfiffen
wir pfeifen	wir haben gepfiffen
ihr pfeifet	ihr habet gepfiffen
Sie pfeifen	Sie haben gepfiffen
sie pfeifen	sie haben gepfiffen

PRETERIT	PLUS-QUE-PARFAIT
ich pfiffe	ich hätte gepfiffen
du pfiffest	du hättest gepfiffen
er/sie pfiffe	er/sie hätte gepfiffen
wir pfiffen	wir hätten gepfiffen
ihr pfiffet	ihr hättet gepfiffen
Sie pfiffen	Sie hätten gepfiffen
sie pfiffen	sie hätten gepfiffen

INFINITIF
PRESENT
pfeifen

PASSE
gepfiffen haben

PARTICIPE
PRESENT
pfeifend

PASSE
gepfiffen

IMPERATIF
pfeif(e)!
pfeift!
pfeifen Sie!
pfeifen wir!

FUTUR ANTERIEUR

ich werde gepfiffen haben
du wirst gepfiffen haben *etc*.

PRESENT	**PRETERIT**	**FUTUR**
ich preise	ich pries	ich werde preisen
du preist	du priest	du wirst preisen
er/sie preist	er/sie pries	er/sie wird preisen
wir preisen	wir priesen	wir werden preisen
ihr preist	ihr priest	ihr werdet preisen
Sie preisen	Sie priesen	Sie werden preisen
sie preisen	sie priesen	sie werden preisen

PARFAIT	**PLUS-QUE-PARFAIT**	**CONDITIONNEL**
ich habe gepriesen	ich hatte gepriesen	ich würde preisen
du hast gepriesen	du hattest gepriesen	du würdest preisen
er/sie hat gepriesen	er/sie hatte gepriesen	er/sie würde preisen
wir haben gepriesen	wir hatten gepriesen	wir würden preisen
ihr habt gepriesen	ihr hattet gepriesen	ihr würdet preisen
Sie haben gepriesen	Sie hatten gepriesen	Sie würden preisen
sie haben gepriesen	sie hatten gepriesen	sie würden preisen

SUBJONCTIF

PRESENT	**PASSE COMPOSE**
ich preise	ich habe gepriesen
du preisest	du habest gepriesen
er/sie preise	er/sie habe gepriesen
wir preisen	wir haben gepriesen
ihr preiset	ihr habet gepriesen
Sie preisen	Sie haben gepriesen
sie preisen	sie haben gepriesen

PRETERIT	**PLUS-QUE-PARFAIT**
ich priese	ich hätte gepriesen
du priesest	du hättest gepriesen
er/sie priese	er/sie hätte gepriesen
wir priesen	wir hätten gepriesen
ihr prieset	ihr hättet gepriesen
Sie priesen	Sie hätten gepriesen
sie priesen	sie hätten gepriesen

INFINITIF

PRESENT

preisen

PASSE

gepriesen haben

PARTICIPE

PRESENT

preisend

PASSE

gepriesen

IMPERATIF

preis(e)!
preist!
preisen Sie!
preisen wir!

FUTUR ANTERIEUR

ich werde gepriesen haben
du wirst gepriesen haben *etc*.

s'écouler, gonfler

PRESENT

ich quelle
du quillst
er/sie quillt
wir quellen
ihr quellt
Sie quellen
sie quellen

PRETERIT

ich quoll
du quollst
er/sie quoll
wir quollen
ihr quollt
Sie quollen
sie quollen

FUTUR

ich werde quellen
du wirst quellen
er/sie wird quellen
wir werden quellen
ihr werdet quellen
Sie werden quellen
sie werden quellen

PARFAIT

ich bin gequollen
du bist gequollen
er/sie ist gequollen
wir sind gequollen
ihr seid gequollen
Sie sind gequollen
sie sind gequollen

PLUS-QUE-PARFAIT

ich war gequollen
du warst gequollen
er/sie war gequollen
wir waren gequollen
ihr wart gequollen
Sie waren gequollen
sie waren gequollen

CONDITIONNEL

ich würde quellen
du würdest quellen
er/sie würde quellen
wir würden quellen
ihr würdet quellen
Sie würden quellen
sie würden quellen

SUBJONCTIF
PRESENT

ich quelle
du quellest
er/sie quelle
wir quellen
ihr quellet
Sie quellen
sie quellen

PASSE COMPOSE

ich sei gequollen
du sei(e)st gequollen
er/sie sei gequollen
wir seien gequollen
ihr seiet gequollen
Sie seien gequollen
sie seien gequollen

INFINITIF
PRESENT

quellen

PASSE

gequollen sein

PARTICIPE
PRESENT

quellend

PRETERIT

ich quölle
du quöllest
er/sie quölle
wir quöllen
ihr quöllet
Sie quöllen
sie quöllen

PLUS-QUE-PARFAIT

ich wäre gequollen
du wär(e)st gequollen
er/sie wäre gequollen
wir wären gequollen
ihr wär(e)t gequollen
Sie wären gequollen
sie wären gequollen

PASSE

gequollen

IMPERATIF

quill!
quillt!
quellen Sie!
quellen wir!

FUTUR ANTERIEUR

ich werde gequollen sein
du wirst gequollen sein *etc.*

PRESENT	**PRETERIT**	**FUTUR**
ich rate	ich riet	ich werde raten
du rätst	du rietest	du wirst raten
er/sie rät	er/sie riet	er/sie wird raten
wir raten	wir rieten	wir werden raten
ihr ratet	ihr rietet	ihr werdet raten
Sie raten	Sie rieten	Sie werden raten
sie raten	sie rieten	sie werden raten

PARFAIT	**PLUS-QUE-PARFAIT**	**CONDITIONNEL**
ich habe geraten	ich hatte geraten	ich würde raten
du hast geraten	du hattest geraten	du würdest raten
er/sie hat geraten	er/sie hatte geratcn	er/sie würde raten
wir haben geraten	wir hatten geraten	wir würden raten
ihr habt geraten	ihr hattet geraten	ihr würdet raten
Sie haben geraten	Sie hatten geraten	Sie würden raten
sie haben geraten	sie hatten geraten	sie würden raten

SUBJONCTIF

PRESENT	**PASSE COMPOSE**
ich rate	ich habe geraten
du ratest	du habest geraten
er/sie rate	er/sie habe geraten
wir raten	wir haben geraten
ihr ratet	ihr habet geraten
Sie raten	Sie haben geraten
sie raten	sie haben geraten

PRETERIT	**PLUS-QUE-PARFAIT**
ich riete	ich hätte geraten
du rietest	du hättest geraten
er/sie riete	er/sie hätte geraten
wir rieten	wir hätten geraten
ihr rietet	ihr hättet geraten
Sie rieten	Sie hätten geraten
sie rieten	sie hätten geraten

INFINITIF

PRESENT

raten

PASSE

geraten haben

PARTICIPE

PRESENT

ratend

PASSE

geraten

IMPERATIF

rat(e)!
ratet!
raten Sie!
raten wir!

FUTUR ANTERIEUR

ich werde geraten haben
du wirst geraten haben *etc.*

110 REGIEREN
gouverner

PRESENT

ich regiere
du regierst
er/sie regiert
wir regieren
ihr regiert
Sie regieren
sie regieren

PRETERIT

ich regierte
du regiertest
er/sie regierte
wir regierten
ihr regiertet
Sie regierten
sie regierten

FUTUR

ich werde regieren
du wirst regieren
er/sie wird regieren
wir werden regieren
ihr werdet regieren
Sie werden regieren
sie werden regieren

PARFAIT

ich habe regiert
du hast regiert
er/sie hat regiert
wir haben regiert
ihr habt regiert
Sie haben regiert
sie haben regiert

PLUS-QUE-PARFAIT

ich hatte regiert
du hattest regiert
er/sie hatte regiert
wir hatten regiert
ihr hattet regiert
Sie hatten regiert
sie hatten regiert

CONDITIONNEL

ich würde regieren
du würdest regieren
er/sie würde regieren
wir würden regieren
ihr würdet regieren
Sie würden regieren
sie würden regieren

SUBJONCTIF
PRESENT

ich regiere
du regierest
er/sie regiere
wir regieren
ihr regieret
Sie regieren
sie regieren

PASSE COMPOSE

ich habe regiert
du habest regiert
er/sie habe regiert
wir haben regiert
ihr habet regiert
Sie haben regiert
sie haben regiert

INFINITIF
PRESENT

regieren

PASSE

regiert haben

PARTICIPE
PRESENT

regierend

PRETERIT

ich regierte
du regiertest
er/sie regierte
wir regierten
ihr regiertet
Sie regierten
sie regierten

PLUS-QUE-PARFAIT

ich hätte regiert
du hättest regiert
er/sie hätte regiert
wir hätten regiert
ihr hättet regiert
Sie hätten regiert
sie hätten regiert

PASSE

regiert

IMPERATIF

regier(e)!
regiert!
regieren Sie!
regieren wir!

FUTUR ANTERIEUR

ich werde regiert haben
du wirst regiert haben *etc.*

PRESENT

ich reibe
du reibst
er/sie reibt
wir reiben
ihr reibt
Sie reiben
sie reiben

PRETERIT

ich rieb
du riebst
er/sie rieb
wir rieben
ihr riebt
Sie rieben
sie rieben

FUTUR

ich werde reiben
du wirst reiben
er/sie wird reiben
wir werden reiben
ihr werdet reiben
Sie werden reiben
sie werden reiben

PARFAIT

ich habe gerieben
du hast gerieben
er/sie hat gerieben
wir haben gerieben
ihr habt gerieben
Sie haben gerieben
sie haben gerieben

PLUS-QUE-PARFAIT

ich hatte gerieben
du hattest gerieben
er/sie hatte gerieben
wir hatten gerieben
ihr hattet gerieben
Sie hatten gerieben
sie hatten gerieben

CONDITIONNEL

ich würde reiben
du würdest reiben
er/sie würde reiben
wir würden reiben
ihr würdet reiben
Sie würden reiben
sie würden reiben

SUBJONCTIF
PRESENT

ich reibe
du reibest
er/sie reibe
wir reiben
ihr reibet
Sie reiben
sie reiben

PASSE COMPOSE

ich habe gerieben
du habest gerieben
er/sie habe gerieben
wir haben gerieben
ihr habet gerieben
Sie haben gerieben
sie haben gerieben

INFINITIF
PRESENT

reiben

PASSE

gerieben haben

PRETERIT

ich riebe
du riebest
er/sie riebe
wir rieben
ihr riebet
Sie rieben
sie rieben

PLUS-QUE-PARFAIT

ich hätte gerieben
du hättest gerieben
er/sie hätte gerieben
wir hätten gerieben
ihr hättet gerieben
Sie hätten gerieben
sie hätten gerieben

PARTICIPE
PRESENT

reibend

PASSE

gerieben

IMPERATIF

reib(e)!
reibt!
reiben Sie!
reiben wir!

FUTUR ANTERIEUR

ich werde gerieben haben
du wirst gerieben haben *etc*.

112 REISSEN
déchirer, tirer

PRESENT	**PRETERIT**	**FUTUR**
ich reiße	ich riß	ich werde reißen
du reißt	du rissest	du wirst reißen
er/sie reißt	er/sie riß	er/sie wird reißen
wir reißen	wir rissen	wir werden reißen
ihr reißt	ihr rißt	ihr werdet reißen
Sie reißen	Sie rissen	Sie werden reißen
sie reißen	sie rissen	sie werden reißen

PARFAIT (1)	**PLUS-QUE-PARFAIT** (2)	**CONDITIONNEL**
ich habe gerissen	ich hatte gerissen	ich würde reißen
du hast gerissen	du hattest gerissen	du würdest reißen
er/sie hat gerissen	er/sie hatte gerissen	er/sie würde reißen
wir haben gerissen	wir hatten gerissen	wir würden reißen
ihr habt gerissen	ihr hattet gerissen	ihr würdet reißen
Sie haben gerissen	Sie hatten gerissen	Sie würden reißen
sie haben gerissen	sie hatten gerissen	sie würden reißen

SUBJONCTIF

PRESENT	**PASSE COMPOSE** (3)
ich reiße	ich habe gerissen
du reißest	du habest gerissen
er/sie reiße	er/sie habe gerissen
wir reißen	wir haben gerissen
ihr reißet	ihr habet gerissen
Sie reißen	Sie haben gerissen
sie reißen	sie haben gerissen

PRETERIT	**PLUS-QUE-PARFAIT** (4)
ich risse	ich hätte gerissen
du rissest	du hättest gerissen
er/sie risse	er/sie hätte gerissen
wir rissen	wir hätten gerissen
ihr risset	ihr hättet gerissen
Sie rissen	Sie hätten gerissen
sie rissen	sie hätten gerissen

INFINITIF
PRESENT
reißen

PASSE (6)
gerissen haben

PARTICIPE
PRESENT
reißend

PASSE
gerissen

IMPERATIF
reiß(e)!
reißt!
reißen Sie!
reißen wir!

FUTUR ANTERIEUR (5)

ich werde gerissen haben
du wirst gerissen haben *etc.*

N.B. :

lorsqu'il est intransitif ('se rompre') :
(1) ich bin gerissen *etc.* *(2)* ich war gerissen *etc.* *(3)* ich sei gerissen *etc.*
(4) ich wäre gerissen *etc.* *(5)* ich werde gerissen sein *etc.* *(6)* gerissen sein

PRESENT	**PRETERIT**	**FUTUR**
ich reite	ich ritt	ich werde reiten
du reitest	du rittst	du wirst reiten
er/sie reitet	er/sie ritt	er/sie wird reiten
wir reiten	wir ritten	wir werden reiten
ihr reitet	ihr rittet	ihr werdet reiten
Sie reiten	Sie ritten	Sie werden reiten
sie reiten	sie ritten	sie werden reiten

PARFAIT *(1)*	**PLUS-QUE-PARFAIT** *(2)*	**CONDITIONNEL**
ich bin geritten	ich war geritten	ich würde reiten
du bist geritten	du warst geritten	du würdest reiten
er/sie ist geritten	er/sie war geritten	er/sie würde reiten
wir sind geritten	wir waren geritten	wir würden reiten
ihr seid geritten	ihr wart geritten	ihr würdet reiten
Sie sind geritten	Sie waren geritten	Sie würden reiten
sie sind geritten	sie waren geritten	sie würden reiten

SUBJONCTIF

PRESENT	**PASSE COMPOSE** *(1)*
ich reite	ich sei geritten
du reitest	du sei(e)st geritten
er/sie reite	er/sie sei geritten
wir reiten	wir seien geritten
ihr reitet	ihr seiet geritten
Sie reiten	Sie seien geritten
sie reiten	sie seien geritten

PRETERIT	**PLUS-QUE-PARFAIT** *(3)*
ich ritte	ich wäre geritten
du rittest	du wär(e)st geritten
er/sie ritte	er/sie wäre geritten
wir ritten	wir wären geritten
ihr rittet	ihr wär(e)t geritten
Sie ritten	Sie wären geritten
sie ritten	sie wären geritten

INFINITIF

PRESENT

reiten

PASSE *(5)*

geritten sein

PARTICIPE

PRESENT

reitend

PASSE

geritten

IMPERATIF

reit(e)!
reitet!
reiten Sie!
reiten wir!

FUTUR ANTERIEUR *(4)*

ich werde geritten sein
du wirst geritten sein *etc.*

N.B. :

lorsqu'il est transitif ('monter') :
(1) ich habe geritten *etc.* *(2)* ich hatte
geritten *etc.* *(3)* ich hätte geritten *etc.*
(4) ich werde geritten haben *etc.*
(5) geritten haben

114 RENNEN
courir

PRESENT	PRETERIT	FUTUR
ich renne	ich rannte	ich werde rennen
du rennst	du ranntest	du wirst rennen
er/sie rennt	er/sie rannte	er/sie wird rennen
wir rennen	wir rannten	wir werden rennen
ihr rennt	ihr ranntet	ihr werdet rennen
Sie rennen	Sie rannten	Sie werden rennen
sie rennen	sie rannten	sie werden rennen

PARFAIT	PLUS-QUE-PARFAIT	CONDITIONNEL
ich bin gerannt	ich war gerannt	ich würde rennen
du bist gerannt	du warst gerannt	du würdest rennen
er/sie ist gerannt	er/sie war gerannt	er/sie würde rennen
wir sind gerannt	wir waren gerannt	wir würden rennen
ihr seid gerannt	ihr wart gerannt	ihr würdet rennen
Sie sind gerannt	Sie waren gerannt	Sie würden rennen
sie sind gerannt	sie waren gerannt	sie würden rennen

SUBJONCTIF

PRESENT	PASSE COMPOSE
ich renne	ich sei gerannt
du rennest	du sei(e)st gerannt
er/sie renne	er/sie sei gerannt
wir rennen	wir seien gerannt
ihr rennet	ihr seiet gerannt
Sie rennen	Sie seien gerannt
sie rennen	sie seien gerannt

PRETERIT	PLUS-QUE-PARFAIT
ich rennte	ich wäre gerannt
du renntest	du wär(e)st gerannt
er/sie rennte	er/sie wäre gerannt
wir rennten	wir wären gerannt
ihr renntet	ihr wär(e)t gerannt
Sie rennten	Sie wären gerannt
sie rennten	sie wären gerannt

INFINITIF
PRESENT

rennen

PASSE

gerannt sein

PARTICIPE
PRESENT

rennend

PASSE

gerannt

IMPERATIF

renn(e)!
rennt!
rennen Sie!
rennen wir!

FUTUR ANTERIEUR

ich werde gerannt sein
du wirst gerannt sein *etc.*

PRESENT

ich rieche
du riechst
er/sie riecht
wir riechen
ihr riecht
Sie riechen
sie riechen

PRETERIT

ich roch
du rochst
er/sie roch
wir rochen
ihr rocht
Sie rochen
sie rochen

FUTUR

ich werde riechen
du wirst riechen
er/sie wird riechen
wir werden riechen
ihr werdet riechen
Sie werden riechen
sie werden riechen

PARFAIT

ich habe gerochen
du hast gerochen
er/sie hat gerochen
wir haben gerochen
ihr habt gerochen
Sie haben gerochen
sie haben gerochen

PLUS-QUE-PARFAIT

ich hatte gerochen
du hattest gerochen
er/sie hatte gerochen
wir hatten gerochen
ihr hattet gerochen
Sie hatten gerochen
sie hatten gerochen

CONDITIONNEL

ich würde riechen
du würdest riechen
er/sie würde riechen
wir würden riechen
ihr würdet riechen
Sie würden riechen
sie würden riechen

SUBJONCTIF
PRESENT

ich rieche
du riechest
er/sie rieche
wir riechen
ihr riechet
Sie riechen
sie riechen

PASSE COMPOSE

ich habe gerochen
du habest gerochen
er/sie habe gerochen
wir haben gerochen
ihr habet gerochen
Sie haben gerochen
sie haben gerochen

INFINITIF
PRESENT

riechen

PASSE

gerochen haben

PARTICIPE
PRESENT

riechend

PRETERIT

ich röche
du röchest
er/sie röche
wir röchen
ihr röchet
Sie röchen
sie röchen

PLUS-QUE-PARFAIT

ich hätte gerochen
du hättest gerochen
er/sie hätte gerochen
wir hätten gerochen
ihr hättet gerochen
Sie hätten gerochen
sie hätten gerochen

PASSE

gerochen

IMPERATIF

riech(e)!
riecht!
riechen Sie!
riechen wir!

FUTUR ANTERIEUR

ich werde gerochen haben
du wirst gerochen haben *etc.*

PRESENT	**PRETERIT**	**FUTUR**
ich ringe	ich rang	ich werde ringen
du ringst	du rangst	du wirst ringen
er/sie ringt	er/sie rang	er/sie wird ringen
wir ringen	wir rangen	wir werden ringen
ihr ringt	ihr rangt	ihr werdet ringen
Sie ringen	Sie rangen	Sie werden ringen
sie ringen	sie rangen	sie werden ringen

PARFAIT	**PLUS-QUE-PARFAIT**	**CONDITIONNEL**
ich habe gerungen	ich hatte gerungen	ich würde ringen
du hast gerungen	du hattest gerungen	du würdest ringen
er/sie hat gerungen	er/sie hatte gerungen	er/sie würde ringen
wir haben gerungen	wir hatten gerungen	wir würden ringen
ihr habt gerungen	ihr hattet gerungen	ihr würdet ringen
Sie haben gerungen	Sie hatten gerungen	Sie würden ringen
sie haben gerungen	sie hatten gerungen	sie würden ringen

SUBJONCTIF

PRESENT	**PASSE COMPOSE**
ich ringe	ich habe gerungen
du ringest	du habest gerungen
er/sie ringe	er/sie habe gerungen
wir ringen	wir haben gerungen
ihr ringet	ihr habet gerungen
Sie ringen	Sie haben gerungen
sie ringen	sie haben gerungen

PRETERIT	**PLUS-QUE-PARFAIT**
ich ränge	ich hätte gerungen
du rängest	du hättest gerungen
er/sie ränge	er/sie hätte gerungen
wir rängen	wir hätten gerungen
ihr ränget	ihr hättet gerungen
Sie rängen	Sie hätten gerungen
sie rängen	sie hätten gerungen

INFINITIF
PRESENT
ringen
PASSE
gerungen haben

PARTICIPE
PRESENT
ringend
PASSE
gerungen

IMPERATIF
ring(e)!
ringt!
ringen Sie!
ringen wir!

FUTUR ANTERIEUR

ich werde gerungen haben
du wirst gerungen haben *etc*.

PRESENT

ich rinne
du rinnst
er/sie rinnt
wir rinnen
ihr rinnt
Sie rinnen
sie rinnen

PRETERIT

ich rann
du rannst
er/sie rann
wir rannen
ihr rannt
Sie rannen
sie rannen

FUTUR

ich werde rinnen
du wirst rinnen
er/sie wird rinnen
wir werden rinnen
ihr werdet rinnen
Sie werden rinnen
sie werden rinnen

PARFAIT

ich bin geronnen
du bist geronnen
er/sie ist geronnen
wir sind geronnen
ihr seid geronnen
Sie sind geronnen
sie sind geronnen

PLUS-QUE-PARFAIT

ich war geronnen
du warst geronnen
er/sie war geronnen
wir waren geronnen
ihr wart geronnen
Sie waren geronnen
sie waren geronnen

CONDITIONNEL

ich würde rinnen
du würdest rinnen
er/sie würde rinnen
wir würden rinnen
ihr würdet rinnen
Sie würden rinnen
sie würden rinnen

SUBJONCTIF
PRESENT

ich rinne
du rinnest
er/sie rinne
wir rinnen
ihr rinnet
Sie rinnen
sie rinnen

PASSE COMPOSE

ich sei geronnen
du sei(e)st geronnen
er/sie sei geronnen
wir seien geronnen
ihr seiet geronnen
Sie seien geronnen
sie seien geronnen

INFINITIF
PRESENT

rinnen

PASSE

geronnen sein

PARTICIPE
PRESENT

rinnend

PRETERIT *(1)*

ich ränne
du rännest
er/sie ränne
wir rännen
ihr rännet
Sie rännen
sie rännen

PLUS-QUE-PARFAIT

ich wäre geronnen
du wär(e)st geronnen
er/sie wäre geronnen
wir wären geronnen
ihr wär(e)t geronnen
Sie wären geronnen
sie wären geronnen

PASSE

geronnen

IMPERATIF

rinn(e)!
rinnt!
rinnen Sie!
rinnen wir!

FUTUR ANTERIEUR

ich werde geronnen sein
du wirst geronnen sein *etc.*

N.B. :

(1) on trouve aussi ich rönne, du
rönnest *etc.*

PRESENT

ich rufe
du rufst
er/sie ruft
wir rufen
ihr ruft
Sie rufen
sie rufen

PRETERIT

ich rief
du riefst
er/sie rief
wir riefen
ihr rieft
Sie riefen
sie riefen

FUTUR

ich werde rufen
du wirst rufen
er/sie wird rufen
wir werden rufen
ihr werdet rufen
Sie werden rufen
sie werden rufen

PARFAIT

ich habe gerufen
du hast gerufen
er/sie hat gerufen
wir haben gerufen
ihr habt gerufen
Sie haben gerufen
sie haben gerufen

PLUS-QUE-PARFAIT

ich hatte gerufen
du hattest gerufen
er/sie hatte gerufen
wir hatten gerufen
ihr hattet gerufen
Sie hatten gerufen
sie hatten gerufen

CONDITIONNEL

ich würde rufen
du würdest rufen
er/sie würde rufen
wir würden rufen
ihr würdet rufen
Sie würden rufen
sie würden rufen

SUBJONCTIF
PRESENT

ich rufe
du rufest
er/sie rufe
wir rufen
ihr rufet
Sie rufen
sie rufen

PASSE COMPOSE

ich habe gerufen
du habest gerufen
er/sie habe gerufen
wir haben gerufen
ihr habet gerufen
Sie haben gerufen
sie haben gerufen

INFINITIF
PRESENT

rufen

PASSE

gerufen haben

PRETERIT

ich riefe
du riefest
er/sie riefe
wir riefen
ihr riefet
Sie riefen
sie riefen

PLUS-QUE-PARFAIT

ich hätte gerufen
du hättest gerufen
er/sie hätte gerufen
wir hätten gerufen
ihr hättet gerufen
Sie hätten gerufen
sie hätten gerufen

PARTICIPE
PRESENT

rufend

PASSE

gerufen

IMPERATIF

ruf(e)!
ruft!
rufen Sie!
rufen wir!

FUTUR ANTERIEUR

ich werde gerufen haben
du wirst gerufen haben *etc.*

PRESENT

ich saufe
du säufst
er/sie säuft
wir saufen
ihr sauft
Sie saufen
sie saufen

PRETERIT

ich soff
du soffst
er/sie soff
wir soffen
ihr sofft
Sie soffen
sie soffen

FUTUR

ich werde saufen
du wirst saufen
er/sie wird saufen
wir werden saufen
ihr werdet saufen
Sie werden saufen
sie werden saufen

PARFAIT

ich habe gesoffen
du hast gesoffen
er/sie hat gesoffen
wir haben gesoffen
ihr habt gesoffen
Sie haben gesoffen
sie haben gesoffen

PLUS-QUE-PARFAIT

ich hatte gesoffen
du hattest gesoffen
er/sie hatte gesoffen
wir hatten gesoffen
ihr hattet gesoffen
Sie hatten gesoffen
sie hatten gesoffen

CONDITIONNEL

ich würde saufen
du würdest saufen
er/sie würde saufen
wir würden saufen
ihr würdet saufen
Sie würden saufen
sie würden saufen

SUBJONCTIF
PRESENT

ich saufe
du saufest
er/sie saufe
wir saufen
ihr saufet
Sie saufen
sie saufen

PASSE COMPOSE

ich habe gesoffen
du habest gesoffen
er/sie habe gesoffen
wir haben gesoffen
ihr habet gesoffen
Sie haben gesoffen
sie haben gesoffen

INFINITIF
PRESENT

saufen

PASSE

gesoffen haben

PRETERIT

ich söffe
du söffest
er/sie söffe
wir söffen
ihr söffet
Sie söffen
sie söffen

PLUS-QUE-PARFAIT

ich hätte gesoffen
du hättest gesoffen
er/sie hätte gesoffen
wir hätten gesoffen
ihr hättet gesoffen
Sie hätten gesoffen
sie hätten gesoffen

PARTICIPE
PRESENT

saufend

PASSE

gesoffen

IMPERATIF

sauf(e)!
sauft!
saufen Sie!
saufen wir!

FUTUR ANTERIEUR

ich werde gesoffen haben
du wirst gesoffen haben *etc.*

120 SAUGEN
sucer

PRESENT	PRETERIT	FUTUR
ich sauge	ich sog	ich werde saugen
du saugst	du sogst	du wirst saugen
er/sie saugt	er/sie sog	er/sie wird saugen
wir saugen	wir sogen	wir werden saugen
ihr saugt	ihr sogt	ihr werdet saugen
Sie saugen	Sie sogen	Sie werden saugen
sie saugen	sie sogen	sie werden saugen

PARFAIT	PLUS-QUE-PARFAIT	CONDITIONNEL
ich habe gesogen	ich hatte gesogen	ich würde saugen
du hast gesogen	du hattest gesogen	du würdest saugen
er/sie hat gesogen	er/sie hatte gesogen	er/sie würde saugen
wir haben gesogen	wir hatten gesogen	wir würden saugen
ihr habt gesogen	ihr hattet gesogen	ihr würdet saugen
Sie haben gesogen	Sie hatten gesogen	Sie würden saugen
sie haben gesogen	sie hatten gesogen	sie würden saugen

SUBJONCTIF

PRESENT	PASSE COMPOSE
ich sauge	ich habe gesogen
du saugest	du habest gesogen
er/sie sauge	er/sie habe gesogen
wir saugen	wir haben gesogen
ihr sauget	ihr habet gesogen
Sie saugen	Sie haben gesogen
sie saugen	sie haben gesogen

PRETERIT	PLUS-QUE-PARFAIT
ich söge	ich hätte gesogen
du sögest	du hättest gesogen
er/sie söge	er/sie hätte gesogen
wir sögen	wir hätten gesogen
ihr söget	ihr hättet gesogen
Sie sögen	Sie hätten gesogen
sie sögen	sie hätten gesogen

INFINITIF

PRESENT

saugen

PASSE

gesogen haben

PARTICIPE

PRESENT

saugend

PASSE

gesogen

IMPERATIF

saug(e)!
saugt!
saugen Sie!
saugen wir!

FUTUR ANTERIEUR

ich werde gesogen haben
du wirst gesogen haben *etc.*

N.B. :

on trouve aussi la conjugaison faible, particulièrement dans un contexte technique : ich saugte, ich habe gesaugt *etc.*

PRESENT

ich schaffe
du schaffst
er/sie schafft
wir schaffen
ihr schafft
Sie schaffen
sie schaffen

PRETERIT

ich schuf
du schufst
er/sie schuf
wir schufen
ihr schuft
Sie schufen
sie schufen

FUTUR

ich werde schaffen
du wirst schaffen
er/sie wird schaffen
wir werden schaffen
ihr werdet schaffen
Sie werden schaffen
sie werden schaffen

PARFAIT

ich habe geschaffen
du hast geschaffen
er/sie hat geschaffen
wir haben geschaffen
ihr habt geschaffen
Sie haben geschaffen
sie haben geschaffen

PLUS-QUE-PARFAIT

ich hatte geschaffen
du hattest geschaffen
er/sie hatte geschaffen
wir hatten geschaffen
ihr hattet geschaffen
Sie hatten geschaffen
sie hatten geschaffen

CONDITIONNEL

ich würde schaffen
du würdest schaffen
er/sie würde schaffen
wir würden schaffen
ihr würdet schaffen
Sie würden schaffen
sie würden schaffen

SUBJONCTIF

PRESENT

ich schaffe
du schaffest
er/sie schaffe
wir schaffen
ihr schaffet
Sie schaffen
sie schaffen

PASSE COMPOSE

ich habe geschaffen
du habest geschaffen
er/sie habe geschaffen
wir haben geschaffen
ihr habet geschaffen
Sie haben geschaffen
sie haben geschaffen

INFINITIF

PRESENT

schaffen

PASSE

geschaffen haben

PARTICIPE

PRESENT

schaffend

PRETERIT

ich schüfe
du schüfest
er/sie schüfe
wir schüfen
ihr schüfet
Sie schüfen
sie schüfen

PLUS-QUE-PARFAIT

ich hätte geschaffen
du hättest geschaffen
er/sie hätte geschaffen
wir hätten geschaffen
ihr hättet geschaffen
Sie hätten geschaffen
sie hätten geschaffen

PASSE

geschaffen

IMPERATIF

schaff(e)!
schafft!
schaffen Sie!
schaffen wir!

FUTUR ANTERIEUR

ich werde geschaffen haben
du wirst geschaffen haben *etc.*

N.B. :

(1) lorsqu'il est faible ('faire, parvenir à') : ich schaffte, ich habe geschafft *etc.*

122 SCHALLEN
résonner

PRESENT	**PRETERIT**	**FUTUR**
ich schalle	ich scholl	ich werde schallen
du schallst	du schollst	du wirst schallen
er/sie schallt	er/sie scholl	er/sie wird schallen
wir schallen	wir schollen	wir werden schallen
ihr schallt	ihr schollt	ihr werdet schallen
Sie schallen	Sie schollen	Sie werden schallen
sie schallen	sie schollen	sie werden schallen

PARFAIT	**PLUS-QUE-PARFAIT**	**CONDITIONNEL**
ich habe geschallt	ich hatte geschallt	ich würde schallen
du hast geschallt	du hattest geschallt	du würdest schallen
er/sie hat geschallt	er/sie hatte geschallt	er/sie würde schallen
wir haben geschallt	wir hatten geschallt	wir würden schallen
ihr habt geschallt	ihr hattet geschallt	ihr würdet schallen
Sie haben geschallt	Sie hatten geschallt	Sie würden schallen
sie haben geschallt	sie hatten geschallt	sie würden schallen

SUBJONCTIF

PRESENT	**PASSE COMPOSE**
ich schalle	ich habe geschallt
du schallest	du habest geschallt
er/sie schalle	er/sie habe geschallt
wir schallen	wir haben geschallt
ihr schallet	ihr habet geschallt
Sie schallen	Sie haben geschallt
sie schallen	sie haben geschallt

PRETERIT	**PLUS-QUE-PARFAIT**
ich schölle	ich hätte geschallt
du schöllest	du hättest geschallt
er/sie schölle	er/sie hätte geschallt
wir schöllen	wir hätten geschallt
ihr schöllet	ihr hättet geschallt
Sie schöllen	Sie hätten geschallt
sie schöllen	sie hätten geschallt

INFINITIF

PRESENT
schallen

PASSE
geschallt haben

PARTICIPE

PRESENT
schallend

PASSE
geschallt

IMPERATIF
schall(e)!
schallt!
schallen Sie!
schallen wir!

FUTUR ANTERIEUR

ich werde geschallt haben
du wirst geschallt haben *etc.*

N.B. :

*on trouve plus souvent la
conjugaison faible : ich schallte etc.*

PRESENT

ich scheide
du scheidest
er/sie scheidet
wir scheiden
ihr scheidet
Sie scheiden
sie scheiden

PRETERIT

ich schied
du schiedest
er/sie schied
wir schieden
ihr schiedet
Sie schieden
sie schieden

FUTUR

ich werde scheiden
du wirst scheiden
er/sie wird scheiden
wir werden scheiden
ihr werdet scheiden
Sie werden scheiden
sie werden scheiden

PARFAIT *(1)*

ich habe geschieden
du hast geschieden
er/sie hat geschicdcn
wir haben geschieden
ihr habt geschieden
Sie haben geschieden
sie haben geschieden

PLUS-QUE-PARFAIT *(2)*

ich hatte geschieden
du hattest geschieden
er/sie hatte geschieden
wir hatten geschieden
ihr hattet geschieden
Sie hatten geschieden
sie hatten geschieden

CONDITIONNEL

ich würde scheiden
du würdest scheiden
er/sie würde scheiden
wir würden scheiden
ihr würdet scheiden
Sie würden scheiden
sie würden scheiden

SUBJONCTIF
PRESENT

ich scheide
du scheidest
er/sie scheide
wir scheiden
ihr scheidet
Sie scheiden
sie scheiden

PASSE COMPOSE *(3)*

ich habe geschieden
du habest geschieden
er/sie habe geschieden
wir haben geschieden
ihr habet geschieden
Sie haben geschieden
sie haben geschieden

INFINITIF
PRESENT

scheiden

PASSE *(6)*

geschieden haben

PARTICIPE
PRESENT

scheidend

PRETERIT

ich schiede
du schiedest
er/sie schiede
wir schieden
ihr schiedet
Sie schieden
sie schieden

PLUS-QUE-PARFAIT *(4)*

ich hätte geschieden
du hättest geschieden
er/sie hätte geschieden
wir hätten geschieden
ihr hättet geschieden
Sie hätten geschieden
sie hätten geschieden

PASSE

geschieden

IMPERATIF

scheid(e)!
scheidet!
scheiden Sie!
scheiden wir!

FUTUR ANTERIEUR *(5)*

ich werde geschieden haben
du wirst geschieden haben
etc.

N.B. :

lorsqu'il est intransitif ('se séparer') :
(1) ich bin geschieden *etc.* *(2)* ich war
geschieden *etc.* *(3)* ich sei geschieden *etc.*
(4) ich wäre geschieden *etc.* *(5)* ich werde
geschieden sein *etc.* *(6)* geschieden sein

PRESENT	**PRETERIT**	**FUTUR**
ich scheine	ich schien	ich werde scheinen
du scheinst	du schienst	du wirst scheinen
er/sie scheint	er/sie schien	er/sie wird scheinen
wir scheinen	wir schienen	wir werden scheinen
ihr scheint	ihr schient	ihr werdet scheinen
Sie scheinen	Sie schienen	Sie werden scheinen
sie scheinen	sie schienen	sie werden scheinen

PARFAIT	**PLUS-QUE-PARFAIT**	**CONDITIONNEL**
ich habe geschienen	ich hatte geschienen	ich würde scheinen
du hast geschienen	du hattest geschienen	du würdest scheinen
er/sie hat geschienen	er/sie hatte geschienen	er/sie würde scheinen
wir haben geschienen	wir hatten geschienen	wir würden scheinen
ihr habt geschienen	ihr hattet geschienen	ihr würdet scheinen
Sie haben geschienen	Sie hatten geschienen	Sie würden scheinen
sie haben geschienen	sie hatten geschienen	sie würden scheinen

SUBJONCTIF

PRESENT	**PASSE COMPOSE**
ich scheine	ich habe geschienen
du scheinest	du habest geschienen
er/sie scheine	er/sie habe geschienen
wir scheinen	wir haben geschienen
ihr scheinet	ihr habet geschienen
Sie scheinen	Sie haben geschienen
sie scheinen	sie haben geschienen

PRETERIT	**PLUS-QUE-PARFAIT**
ich schiene	ich hätte geschienen
du schienest	du hättest geschienen
er/sie schiene	er/sie hätte geschienen
wir schienen	wir hätten geschienen
ihr schienet	ihr hättet geschienen
Sie schienen	Sie hätten geschienen
sie schienen	sie hätten geschienen

INFINITIF

PRESENT
scheinen

PASSE
geschienen haben

PARTICIPE

PRESENT
scheinend

PASSE
geschienen

IMPERATIF

schein(e)!
scheint!
scheinen Sie!
scheinen wir!

FUTUR ANTERIEUR

ich werde geschienen haben
du wirst geschienen haben *etc.*

PRESENT

ich schelte
du schiltst
er/sie schilt
wir schelten
ihr scheltet
Sie schelten
sie schelten

PRETERIT

ich schalt
du schaltst
er/sie schalt
wir schalten
ihr schaltet
Sie schalten
sie schalten

FUTUR

ich werde schelten
du wirst schelten
er/sie wird schelten
wir werden schelten
ihr werdet schelten
Sie werden schelten
sie werden schelten

PARFAIT

ich habe gescholten
du hast gescholten
er/sie hat gescholten
wir haben gescholten
ihr habt gescholten
Sie haben gescholten
sie haben gescholten

PLUS-QUE-PARFAIT

ich hatte gescholten
du hattest gescholten
er/sie hatte gescholten
wir hatten gescholten
ihr hattet gescholten
Sie hatten gescholten
sie hatten gescholten

CONDITIONNEL

ich würde schelten
du würdest schelten
er/sie würde schelten
wir würden schelten
ihr würdet schelten
Sie würden schelten
sie würden schelten

SUBJONCTIF
PRESENT

ich schelte
du scheltest
er/sie schelte
wir schelten
ihr scheltet
Sie schelten
sie schelten

PASSE COMPOSE

ich habe gescholten
du habest gescholten
er/sie habe gescholten
wir haben gescholten
ihr habet gescholten
Sie haben gescholten
sie haben gescholten

INFINITIF
PRESENT

schelten

PASSE

gescholten haben

PARTICIPE
PRESENT

scheltend

PRETERIT

ich schölte
du schöltest
er/sie schölte
wir schölten
ihr schöltet
Sie schölten
sie schölten

PLUS-QUE-PARFAIT

ich hätte gescholten
du hättest gescholten
er/sie hätte gescholten
wir hätten gescholten
ihr hättet gescholten
Sie hätten gescholten
sie hätten gescholten

PASSE

gescholten

IMPERATIF

schilt!
scheltet!
schelten Sie!
schelten wir!

FUTUR ANTERIEUR

ich werde gescholten haben
du wirst gescholten haben *etc.*

126 SCHEREN
tondre

PRESENT	PRETERIT	FUTUR
ich schere	ich schor	ich werde scheren
du scherst	du schorst	du wirst scheren
er/sie schert	er/sie schor	er/sie wird scheren
wir scheren	wir schoren	wir werden scheren
ihr schert	ihr schort	ihr werdet scheren
Sie scheren	Sie schoren	Sie werden scheren
sie scheren	sie schoren	sie werden scheren

PARFAIT	PLUS-QUE-PARFAIT	CONDITIONNEL
ich habe geschoren	ich hatte geschoren	ich würde scheren
du hast geschoren	du hattest geschoren	du würdest scheren
er/sie hat geschoren	er/sie hatte geschoren	er/sie würde scheren
wir haben geschoren	wir hatten geschoren	wir würden scheren
ihr habt geschoren	ihr hattet geschoren	ihr würdet scheren
Sie haben geschoren	Sie hatten geschoren	Sie würden scheren
sie haben geschoren	sie hatten geschoren	sie würden scheren

SUBJONCTIF

PRESENT	PASSE COMPOSE
ich schere	ich habe geschoren
du scherest	du habest geschoren
er/sie schere	er/sie habe geschoren
wir scheren	wir haben geschoren
ihr scheret	ihr habet geschoren
Sie scheren	Sie haben geschoren
sie scheren	sie haben geschoren

PRETERIT	PLUS-QUE-PARFAIT
ich schöre	ich hätte geschoren
du schörest	du hättest geschoren
er/sie schöre	er/sie hätte geschoren
wir schören	wir hätten geschoren
ihr schöret	ihr hättet geschoren
Sie schören	Sie hätten geschoren
sie schören	sie hätten geschoren

INFINITIF

PRESENT
scheren

PASSE
geschoren haben

PARTICIPE

PRESENT
scherend

PASSE
geschoren

IMPERATIF
scher(e)!
schert!
scheren Sie!
scheren wir!

FUTUR ANTERIEUR
ich werde geschoren haben
du wirst geschoren haben *etc.*

PRESENT

ich schiebe
du schiebst
er/sie schiebt
wir schieben
ihr schiebt
Sie schieben
sie schieben

PRETERIT

ich schob
du schobst
er/sie schob
wir schoben
ihr schobt
Sie schoben
sie schoben

FUTUR

ich werde schieben
du wirst schieben
er/sie wird schieben
wir werden schieben
ihr werdet schieben
Sie werden schieben
sie werden schieben

PARFAIT

ich habe geschoben
du hast geschoben
er/sie hat geschoben
wir haben geschoben
ihr habt geschoben
Sie haben geschoben
sie haben geschoben

PLUS-QUE-PARFAIT

ich hatte geschoben
du hattest geschoben
er/sie hatte geschoben
wir hatten geschoben
ihr hattet geschoben
Sie hatten geschoben
sie hatten geschoben

CONDITIONNEL

ich würde schieben
du würdest schieben
er/sie würde schieben
wir würden schieben
ihr würdet schieben
Sie würden schieben
sie würden schieben

SUBJONCTIF

PRESENT

ich schiebe
du schiebest
er/sie schiebe
wir schieben
ihr schiebet
Sie schieben
sie schieben

PASSE COMPOSE

ich habe geschoben
du habest geschoben
er/sie habe geschoben
wir haben geschoben
ihr habet geschoben
Sie haben geschoben
sie haben geschoben

INFINITIF

PRESENT

schieben

PASSE

geschoben haben

PARTICIPE

PRESENT

schiebend

PRETERIT

ich schöbe
du schöbest
er/sie schöbe
wir schöben
ihr schöbet
Sie schöben
sie schöben

PLUS-QUE-PARFAIT

ich hätte geschoben
du hättest geschoben
er/sie hätte geschoben
wir hätten geschoben
ihr hättet geschoben
Sie hätten geschoben
sie hätten geschoben

PASSE

geschoben

IMPERATIF

schieb(e)!
schiebt!
schieben Sie!
schieben wir!

FUTUR ANTERIEUR

ich werde geschoben haben
du wirst geschoben haben *etc*.

128 SCHIESSEN
tirer

PRESENT	PRETERIT	FUTUR
ich schieße	ich schoß	ich werde schießen
du schießt	du schossest	du wirst schießen
er/sie schießt	er/sie schoß	er/sie wird schießen
wir schießen	wir schossen	wir werden schießen
ihr schießt	ihr schoßt	ihr werdet schießen
Sie schießen	Sie schossen	Sie werden schießen
sie schießen	sie schossen	sie werden schießen

PARFAIT (1)	PLUS-QUE-PARFAIT (2)	CONDITIONNEL
ich habe geschossen	ich hatte geschossen	ich würde schießen
du hast geschossen	du hattest geschossen	du würdest schießen
er/sie hat geschossen	er/sie hatte geschossen	er/sie würde schießen
wir haben geschossen	wir hatten geschossen	wir würden schießen
ihr habt geschossen	ihr hattet geschossen	ihr würdet schießen
Sie haben geschossen	Sie hatten geschossen	Sie würden schießen
sie haben geschossen	sie hatten geschossen	sie würden schießen

SUBJONCTIF

PRESENT	PASSE COMPOSE (3)
ich schieße	ich habe geschossen
du schießest	du habest geschossen
er/sie schieße	er/sie habe geschossen
wir schießen	wir haben geschossen
ihr schießet	ihr habet geschossen
Sie schießen	Sie haben geschossen
sie schießen	sie haben geschossen

PRETERIT	PLUS-QUE-PARFAIT (4)
ich schösse	ich hätte geschossen
du schössest	du hättest geschossen
er/sie schösse	er/sie hätte geschossen
wir schössen	wir hätten geschossen
ihr schösset	ihr hättet geschossen
Sie schössen	Sie hätten geschossen
sie schössen	sie hätten geschossen

INFINITIF

PRESENT
schießen

PASSE (6)
geschossen haben

PARTICIPE

PRESENT
schießend

PASSE
geschossen

IMPERATIF

schieß(e)!
schießt!
schießen Sie!
schießen wir!

FUTUR ANTERIEUR (5)

ich werde geschossen
haben
du wirst geschossen
haben *etc.*

N.B. :

lorsqu'il est intransitif ('jaillir') :
(1) ich bin geschossen *etc. (2)* ich war
geschossen *etc. (3)* ich sei geschossen *etc.*
(4) ich wäre geschossen *etc. (5)* ich werde
geschossen sein *etc. (6)* geschossen sein

PRESENT

ich schlafe
du schläfst
er/sie schläft
wir schlafen
ihr schlaft
Sie schlafen
sie schlafen

PRETERIT

ich schlief
du schliefst
er/sie schlief
wir schliefen
ihr schlieft
Sie schliefen
sie schliefen

FUTUR

ich werde schlafen
du wirst schlafen
er/sie wird schlafen
wir werden schlafen
ihr werdet schlafen
Sie werden schlafen
sie werden schlafen

PARFAIT

ich habe geschlafen
du hast geschlafen
er/sie hat geschlafen
wir haben geschlafen
ihr habt geschlafen
Sie haben geschlafen
sie haben geschlafen

PLUS-QUE-PARFAIT

ich hatte geschlafen
du hattest geschlafen
er/sie hatte geschlafen
wir hatten geschlafen
ihr hattet geschlafen
Sie hatten geschlafen
sie hatten geschlafen

CONDITIONNEL

ich würde schlafen
du würdest schlafen
er/sie würde schlafen
wir würden schlafen
ihr würdet schlafen
Sie würden schlafen
sie würden schlafen

SUBJONCTIF

PRESENT

ich schlafe
du schlafest
er/sie schlafe
wir schlafen
ihr schlafet
Sie schlafen
sie schlafen

PASSE COMPOSE

ich habe geschlafen
du habest geschlafen
er/sie habe geschlafen
wir haben geschlafen
ihr habet geschlafen
Sie haben geschlafen
sie haben geschlafen

INFINITIF
PRESENT

schlafen

PASSE

geschlafen haben

PRETERIT

ich schliefe
du schliefest
er/sie schliefe
wir schliefen
ihr schliefet
Sie schliefen
sie schliefen

PLUS-QUE-PARFAIT

ich hätte geschlafen
du hättest geschlafen
er/sie hätte geschlafen
wir hätten geschlafen
ihr hättet geschlafen
Sie hätten geschlafen
sie hätten geschlafen

PARTICIPE
PRESENT

schlafend

PASSE

geschlafen

IMPERATIF

schlaf(e)!
schlaft!
schlafen Sie!
schlafen wir!

FUTUR ANTERIEUR

ich werde geschlafen haben
du wirst geschlafen haben *etc.*

PRESENT

ich schlage
du schlägst
er/sie schlägt
wir schlagen
ihr schlagt
Sie schlagen
sie schlagen

PRETERIT

ich schlug
du schlugst
er/sie schlug
wir schlugen
ihr schlugt
Sie schlugen
sie schlugen

FUTUR

ich werde schlagen
du wirst schlagen
er/sie wird schlagen
wir werden schlagen
ihr werdet schlagen
Sie werden schlagen
sie werden schlagen

PARFAIT

ich habe geschlagen
du hast geschlagen
er/sie hat geschlagen
wir haben geschlagen
ihr habt geschlagen
Sie haben geschlagen
sie haben geschlagen

PLUS-QUE-PARFAIT

ich hatte geschlagen
du hattest geschlagen
er/sie hatte geschlagen
wir hatten geschlagen
ihr hattet geschlagen
Sie hatten geschlagen
sie hatten geschlagen

CONDITIONNEL

ich würde schlagen
du würdest schlagen
er/sie würde schlagen
wir würden schlagen
ihr würdet schlagen
Sie würden schlagen
sie würden schlagen

SUBJONCTIF
PRESENT

ich schlage
du schlagest
er/sie schlage
wir schlagen
ihr schlaget
Sie schlagen
sie schlagen

PASSE COMPOSE

ich habe geschlagen
du habest geschlagen
er/sie habe geschlagen
wir haben geschlagen
ihr habet geschlagen
Sie haben geschlagen
sie haben geschlagen

INFINITIF
PRESENT

schlagen

PASSE

geschlagen haben

PRETERIT

ich schlüge
du schlügest
er/sie schlüge
wir schlügen
ihr schlüget
Sie schlügen
sie schlügen

PLUS-QUE-PARFAIT

ich hätte geschlagen
du hättest geschlagen
er/sie hätte geschlagen
wir hätten geschlagen
ihr hättet geschlagen
Sie hätten geschlagen
sie hätten geschlagen

PARTICIPE
PRESENT

schlagend

PASSE

geschlagen

IMPERATIF

schlag(e)!
schlagt!
schlagen Sie!
schlagen wir!

FUTUR ANTERIEUR

ich werde geschlagen haben
du wirst geschlagen haben *etc.*

PRESENT

ich schleiche
du schleichst
er/sie schleicht
wir schleichen
ihr schleicht
Sie schleichen
sie schleichen

PRETERIT

ich schlich
du schlichst
er/sie schlich
wir schlichen
ihr schlicht
Sie schlichen
sie schlichen

FUTUR

ich werde schleichen
du wirst schleichen
er/sie wird schleichen
wir werden schleichen
ihr werdet schleichen
Sie werden schleichen
sie werden schleichen

PARFAIT

ich bin geschlichen
du bist geschlichen
er/sie ist geschlichen
wir sind geschlichen
ihr seid geschlichen
Sie sind geschlichen
sie sind geschlichen

PLUS-QUE-PARFAIT

ich war geschlichen
du warst geschlichen
er/sie war geschlichen
wir waren geschlichen
ihr wart geschlichen
Sie waren geschlichen
sie waren geschlichen

CONDITIONNEL

ich würde schleichen
du würdest schleichen
er/sie würde schleichen
wir würden schleichen
ihr würdet schleichen
Sie würden schleichen
sie würden schleichen

SUBJONCTIF
PRESENT

ich schleiche
du schleichest
er/sie schleiche
wir schleichen
ihr schleichet
Sie schleichen
sie schleichen

PASSE COMPOSE

ich sei geschlichen
du sei(e)st geschlichen
er/sie sei geschlichen
wir seien geschlichen
ihr seiet geschlichen
Sie seien geschlichen
sie seien geschlichen

INFINITIF
PRESENT

schleichen

PASSE

geschlichen sein

PARTICIPE
PRESENT

schleichend

PRETERIT

ich schliche
du schlichest
er/sie schliche
wir schlichen
ihr schlichet
Sie schlichen
sie schlichen

PLUS-QUE-PARFAIT

ich wäre geschlichen
du wär(e)st geschlichen
er/sie wäre geschlichen
wir wären geschlichen
ihr wär(e)t geschlichen
Sie wären geschlichen
sie wären geschlichen

PASSE

geschlichen

IMPERATIF

schleich(e)!
schleicht!
schleichen Sie!
schleichen wir!

FUTUR ANTERIEUR

ich werde geschlichen sein
du wirst geschlichen sein *etc.*

PRESENT	**PRETERIT**	**FUTUR**
ich schleife	ich schliff	ich werde schleifen
du schleifst	du schliffst	du wirst schleifen
er/sie schleift	er/sie schliff	er/sie wird schleifen
wir schleifen	wir schliffen	wir werden schleifen
ihr schleift	ihr schlifft	ihr werdet schleifen
Sie schleifen	Sie schliffen	Sie werden schleifen
sie schleifen	sie schliffen	sie werden schleifen

PARFAIT	**PLUS-QUE-PARFAIT**	**CONDITIONNEL**
ich habe geschliffen	ich hatte geschliffen	ich würde schleifen
du hast geschliffen	du hattest geschliffen	du würdest schleifen
er/sie hat geschliffen	er/sie hatte geschliffen	er/sie würde schleifen
wir haben geschliffen	wir hatten geschliffen	wir würden schleifen
ihr habt geschliffen	ihr hattet geschliffen	ihr würdet schleifen
Sie haben geschliffen	Sie hatten geschliffen	Sie würden schleifen
sie haben geschliffen	sie hatten geschliffen	sie würden schleifen

SUBJONCTIF

PRESENT	**PASSE COMPOSE**
ich schleife	ich habe geschliffen
du schleifest	du habest geschliffen
er/sie schleife	er/sie habe geschliffen
wir schleifen	wir haben geschliffen
ihr schleifet	ihr habet geschliffen
Sie schleifen	Sie haben geschliffen
sie schleifen	sie haben geschliffen

PRETERIT	**PLUS-QUE-PARFAIT**
ich schliffe	ich hätte geschliffen
du schliffest	du hättest geschliffen
er/sie schliffe	er/sie hätte geschliffen
wir schliffen	wir hätten geschliffen
ihr schliffet	ihr hättet geschliffen
Sie schliffen	Sie hätten geschliffen
sie schliffen	sie hätten geschliffen

INFINITIF
PRESENT
schleifen

PASSE
geschliffen haben

PARTICIPE
PRESENT
schleifend

PASSE
geschliffen

IMPERATIF
schleif(e)!
schleift!
schleifen Sie!
schleifen wir!

FUTUR ANTERIEUR

ich werde geschliffen haben
du wirst geschliffen haben *etc.*

N.B. :

(1) lorsqu'il est faible ('traîner') :
ich schleifte, ich habe geschleift
etc.

PRESENT

ich schließe
du schließt
er/sie schließt
wir schließen
ihr schließt
Sie schließen
sie schließen

PRETERIT

ich schloß
du schlossest
er/sie schloß
wir schlossen
ihr schloßt
Sie schlossen
sie schlossen

FUTUR

ich werde schließen
du wirst schließen
er/sie wird schließen
wir werden schließen
ihr werdet schließen
Sie werden schließen
sie werden schließen

PARFAIT

ich habe geschlossen
du hast geschlossen
er/sie hat geschlossen
wir haben geschlossen
ihr habt geschlossen
Sie haben geschlossen
sie haben geschlossen

PLUS-QUE-PARFAIT

ich hatte geschlossen
du hattest geschlossen
er/sie hatte geschlossen
wir hatten geschlossen
ihr hattet geschlossen
Sie hatten geschlossen
sie hatten geschlossen

CONDITIONNEL

ich würde schließen
du würdest schließen
er/sie würde schließen
wir würden schließen
ihr würdet schließen
Sie würden schließen
sie würden schließen

SUBJONCTIF
PRESENT

ich schließe
du schließest
er/sie schließe
wir schließen
ihr schließet
Sie schließen
sie schließen

PASSE COMPOSE

ich habe geschlossen
du habest geschlossen
er/sie habe geschlossen
wir haben geschlossen
ihr habet geschlossen
Sie haben geschlossen
sie haben geschlossen

INFINITIF
PRESENT

schließen

PASSE

geschlossen haben

PARTICIPE
PRESENT

schließend

PRETERIT

ich schlösse
du schlössest
er/sie schlösse
wir schlössen
ihr schlösset
Sie schlössen
sie schlössen

PLUS-QUE-PARFAIT

ich hätte geschlossen
du hättest geschlossen
er/sie hätte geschlossen
wir hätten geschlossen
ihr hättet geschlossen
Sie hätten geschlossen
sie hätten geschlossen

PASSE

geschlossen

IMPERATIF

schließ(e)!
schließt!
schließen Sie!
schließen wir!

FUTUR ANTERIEUR

ich werde geschlossen haben
du wirst geschlossen haben *etc.*

134 SCHLINGEN
enrouler

PRESENT	PRETERIT	FUTUR
ich schlinge	ich schlang	ich werde schlingen
du schlingst	du schlangst	du wirst schlingen
er/sie schlingt	er/sie schlang	er/sie wird schlingen
wir schlingen	wir schlangen	wir werden schlingen
ihr schlingt	ihr schlangt	ihr werdet schlingen
Sie schlingen	Sie schlangen	Sie werden schlingen
sie schlingen	sie schlangen	sie werden schlingen

PARFAIT	PLUS-QUE-PARFAIT	CONDITIONNEL
ich habe geschlungen	ich hatte geschlungen	ich würde schlingen
du hast geschlungen	du hattest geschlungen	du würdest schlingen
er/sie hat geschlungen	er/sie hatte geschlungen	er/sie würde schlingen
wir haben geschlungen	wir hatten geschlungen	wir würden schlingen
ihr habt geschlungen	ihr hattet geschlungen	ihr würdet schlingen
Sie haben geschlungen	Sie hatten geschlungen	Sie würden schlingen
sie haben geschlungen	sie hatten geschlungen	sie würden schlingen

SUBJONCTIF

PRESENT	PASSE COMPOSE
ich schlinge	ich habe geschlungen
du schlingest	du habest geschlungen
er/sie schlinge	er/sie habe geschlungen
wir schlingen	wir haben geschlungen
ihr schlinget	ihr habet geschlungen
Sie schlingen	Sie haben geschlungen
sie schlingen	sie haben geschlungen

PRETERIT	PLUS-QUE-PARFAIT
ich schlänge	ich hätte geschlungen
du schlängest	du hättest geschlungen
er/sie schlänge	er/sie hätte geschlungen
wir schlängen	wir hätten geschlungen
ihr schlänget	ihr hättet geschlungen
Sie schlängen	Sie hätten geschlungen
sie schlängen	sie hätten geschlungen

INFINITIF

PRESENT
schlingen

PASSE
geschlungen haben

PARTICIPE

PRESENT
schlingend

PASSE
geschlungen

IMPERATIF

schling(e)!
schlingt!
schlingen Sie!
schlingen wir!

FUTUR ANTERIEUR

ich werde geschlungen haben
du wirst geschlungen haben *etc.*

PRESENT

ich schmeiße
du schmeißt
er/sie schmeißt
wir schmeißen
ihr schmeißt
Sie schmeißen
sie schmeißen

PRETERIT

ich schmiß
du schmissest
er/sie schmiß
wir schmissen
ihr schmißt
Sie schmissen
sie schmissen

FUTUR

ich werde schmeißen
du wirst schmeißen
er/sie wird schmeißen
wir werden schmeißen
ihr werdet schmeißen
Sie werden schmeißen
sie werden schmeißen

PARFAIT

ich habe geschmissen
du hast geschmissen
er/sie hat geschmissen
wir haben geschmissen
ihr habt geschmissen
Sie haben geschmissen
sie haben geschmissen

PLUS-QUE-PARFAIT

ich hatte geschmissen
du hattest geschmissen
er/sie hatte geschmissen
wir hatten geschmissen
ihr hattet geschmissen
Sie hatten geschmissen
sie hatten geschmissen

CONDITIONNEL

ich würde schmeißen
du würdest schmeißen
er/sie würde schmeißen
wir würden schmeißen
ihr würdet schmeißen
Sie würden schmeißen
sie würden schmeißen

SUBJONCTIF
PRESENT

ich schmeiße
du schmeißest
er/sie schmeiße
wir schmeißen
ihr schmeißet
Sie schmeißen
sie schmeißen

PASSE COMPOSE

ich habe geschmissen
du habest geschmissen
er/sie habe geschmissen
wir haben geschmissen
ihr habet geschmissen
Sie haben geschmissen
sie haben geschmissen

INFINITIF
PRESENT

schmeißen

PASSE

geschmissen haben

PARTICIPE
PRESENT

schmeißend

PRETERIT

ich schmisse
du schmissest
er/sie schmisse
wir schmissen
ihr schmisset
Sie schmissen
sie schmissen

PLUS-QUE-PARFAIT

ich hätte geschmissen
du hättest geschmissen
er/sie hätte geschmissen
wir hätten geschmissen
ihr hättet geschmissen
Sie hätten geschmissen
sie hätten geschmissen

PASSE

geschmissen

IMPERATIF

schmeiß(e)!
schmeißt!
schmeißen Sie!
schmeißen wir!

FUTUR ANTERIEUR

ich werde geschmissen haben
du wirst geschmissen haben *etc.*

PRESENT

ich schmelze
du schmilzt
er/sie schmilzt
wir schmelzen
ihr schmelzt
Sie schmelzen
sie schmelzen

PRETERIT

ich schmolz
du schmolzest
er/sie schmolz
wir schmolzen
ihr schmolzt
Sie schmolzen
sie schmolzen

FUTUR

ich werde schmelzen
du wirst schmelzen
er/sie wird schmelzen
wir werden schmelzen
ihr werdet schmelzen
Sie werden schmelzen
sie werden schmelzen

PARFAIT *(1)*

ich habe geschmolzen
du hast geschmolzen
er/sie hat geschmolzen
wir haben geschmolzen
ihr habt geschmolzen
Sie haben geschmolzen
sie haben geschmolzen

PLUS-QUE-PARFAIT *(2)*

ich hatte geschmolzen
du hattest geschmolzen
er/sie hatte geschmolzen
wir hatten geschmolzen
ihr hattet geschmolzen
Sie hatten geschmolzen
sie hatten geschmolzen

CONDITIONNEL

ich würde schmelzen
du würdest schmelzen
er/sie würde schmelzen
wir würden schmelzen
ihr würdet schmelzen
Sie würden schmelzen
sie würden schmelzen

SUBJONCTIF
PRESENT

ich schmelze
du schmelzest
er/sie schmelze
wir schmelzen
ihr schmelzet
Sie schmelzen
sie schmelzen

PASSE COMPOSE *(3)*

ich habe geschmolzen
du habest geschmolzen
er/sie habe geschmolzen
wir haben geschmolzen
ihr habet geschmolzen
Sie haben geschmolzen
sie haben geschmolzen

INFINITIF
PRESENT

schmelzen

PASSE *(6)*

geschmolzen haben

PARTICIPE
PRESENT

schmelzend

PRETERIT

ich schmölze
du schmölzest
er/sie schmölze
wir schmölzen
ihr schmölzet
Sie schmölzen
sie schmölzen

PLUS-QUE-PARFAIT *(4)*

ich hätte geschmolzen
du hättest geschmolzen
er/sie hätte geschmolzen
wir hätten geschmolzen
ihr hättet geschmolzen
Sie hätten geschmolzen
sie hätten geschmolzen

PASSE

geschmolzen

IMPERATIF

schmilz!
schmelzt!
schmelzen Sie!
schmelzen wir!

FUTUR ANTERIEUR *(5)*

ich werde geschmolzen
haben
du wirst geschmolzen
haben *etc.*

N.B. :

lorsqu'il est intransitif ('fondre') :
(1) ich bin geschmolzen *etc.* *(2)* ich war
geschmolzen *etc.* *(3)* ich sei geschmolzen *etc.*
(4) ich wäre geschmolzen *etc.* *(5)* ich werde
geschmolzen sein *etc.* *(6)* geschmolzen sein

PRESENT

ich schneide
du schneidest
er/sie schneidet
wir schneiden
ihr schneidet
Sie schneiden
sie schneiden

PRETERIT

ich schnitt
du schnittst
er/sie schnitt
wir schnitten
ihr schnittet
Sie schnitten
sie schnitten

FUTUR

ich werde schneiden
du wirst schneiden
er/sie wird schneiden
wir werden schneiden
ihr werdet schneiden
Sie werden schneiden
sie werden schneiden

PARFAIT

ich habe geschnitten
du hast geschnitten
er/sie hat geschnitten
wir haben geschnitten
ihr habt geschnitten
Sie haben geschnitten
sie haben geschnitten

PLUS-QUE-PARFAIT

ich hatte geschnitten
du hattest geschnitten
er/sie hatte geschnitten
wir hatten geschnitten
ihr hattet geschnitten
Sie hatten geschnitten
sie hatten geschnitten

CONDITIONNEL

ich würde schneiden
du würdest schneiden
er/sie würde schneiden
wir würden schneiden
ihr würdet schneiden
Sie würden schneiden
sie würden schneiden

SUBJONCTIF
PRESENT

ich schneide
du schneidest
er/sie schneide
wir schneiden
ihr schneidet
Sie schneiden
sie schneiden

PASSE COMPOSE

ich habe geschnitten
du habest geschnitten
er/sie habe geschnitten
wir haben geschnitten
ihr habet geschnitten
Sie haben geschnitten
sie haben geschnitten

INFINITIF
PRESENT

schneiden

PASSE

geschnitten haben

PRETERIT

ich schnitte
du schnittest
er/sie schnitte
wir schnitten
ihr schnittet
Sie schnitten
sie schnitten

PLUS-QUE-PARFAIT

ich hätte geschnitten
du hättest geschnitten
er/sie hätte geschnitten
wir hätten geschnitten
ihr hättet geschnitten
Sie hätten geschnitten
sie hätten geschnitten

PARTICIPE
PRESENT

schneidend

PASSE

geschnitten

IMPERATIF

schneid(e)!
schneidet!
schneiden Sie!
schneiden wir!

FUTUR ANTERIEUR

ich werde geschnitten haben
du wirst geschnitten haben *etc*.

PRESENT

ich schreibe
du schreibst
er/sie schreibt
wir schreiben
ihr schreibt
Sie schreiben
sie schreiben

PRETERIT

ich schrieb
du schriebst
er/sie schrieb
wir schrieben
ihr schriebt
Sie schrieben
sie schrieben

FUTUR

ich werde schreiben
du wirst schreiben
er/sie wird schreiben
wir werden schreiben
ihr werdet schreiben
Sie werden schreiben
sie werden schreiben

PARFAIT

ich habe geschrieben
du hast geschrieben
er/sie hat geschrieben
wir haben geschrieben
ihr habt geschrieben
Sie haben geschrieben
sie haben geschrieben

PLUS-QUE-PARFAIT

ich hatte geschrieben
du hattest geschrieben
er/sie hatte geschrieben
wir hatten geschrieben
ihr hattet geschrieben
Sie hatten geschrieben
sie hatten geschrieben

CONDITIONNEL

ich würde schreiben
du würdest schreiben
er/sie würde schreiben
wir würden schreiben
ihr würdet schreiben
Sie würden schreiben
sie würden schreiben

SUBJONCTIF
PRESENT

ich schreibe
du schreibest
er/sie schreibe
wir schreiben
ihr schreibet
Sie schreiben
sie schreiben

PASSE COMPOSE

ich habe geschrieben
du habest geschrieben
er/sie habe geschrieben
wir haben geschrieben
ihr habet geschrieben
Sie haben geschrieben
sie haben geschrieben

INFINITIF
PRESENT

schreiben

PASSE

geschrieben haben

PARTICIPE
PRESENT

schreibend

PRETERIT

ich schriebe
du schriebest
er/sie schriebe
wir schrieben
ihr schriebet
Sie schrieben
sie schrieben

PLUS-QUE-PARFAIT

ich hätte geschrieben
du hättest geschrieben
er/sie hätte geschrieben
wir hätten geschrieben
ihr hättet geschrieben
Sie hätten geschrieben
sie hätten geschrieben

PASSE

geschrieben

IMPERATIF

schreib(e)!
schreibt!
schreiben Sie!
schreiben wir!

FUTUR ANTERIEUR

ich werde geschrieben haben
du wirst geschrieben haben *etc*.

PRESENT

ich schreie
du schreist
er/sie schreit
wir schreien
ihr schreit
Sie schreien
sie schreien

PRETERIT

ich schrie
du schriest
er/sie schrie
wir schrien
ihr schriet
Sie schrien
sie schrien

FUTUR

ich werde schreien
du wirst schreien
er/sie wird schreien
wir werden schreien
ihr werdet schreien
Sie werden schreien
sie werden schreien

PARFAIT

ich habe geschrie(e)n
du hast geschrie(e)n
er/sie hat geschrie(e)n
wir haben geschrie(e)n
ihr habt geschrie(e)n
Sie haben geschrie(e)n
sie haben geschrie(e)n

PLUS-QUE-PARFAIT

ich hatte geschrie(e)n
du hattest geschrie(e)n
er/sie hatte geschrie(e)n
wir hatten geschrie(e)n
ihr hattet geschrie(e)n
Sie hatten geschrie(e)n
sie hatten geschrie(e)n

CONDITIONNEL

ich würde schreien
du würdest schreien
er/sie würde schreien
wir würden schreien
ihr würdet schreien
Sie würden schreien
sie würden schreien

SUBJONCTIF
PRESENT

ich schreie
du schreiest
er/sie schreie
wir schreien
ihr schreiet
Sie schreien
sie schreien

PASSE COMPOSE

ich habe geschrie(e)n
du habest geschrie(e)n
er/sie habe geschrie(e)n
wir haben geschrie(e)n
ihr habet geschrie(e)n
Sie haben geschrie(e)n
sie haben geschrie(e)n

INFINITIF
PRESENT

schreien

PASSE

geschrie(e)n haben

PARTICIPE
PRESENT

schreiend

PRETERIT

ich schriee
du schrieest
er/sie schriee
wir schrieen
ihr schrieet
Sie schrieen
sie schrieen

PLUS-QUE-PARFAIT

ich hätte geschrie(e)n
du hättest geschrie(e)n
er/sie hätte geschrie(e)n
wir hätten geschrie(e)n
ihr hättet geschrie(e)n
Sie hätten geschrie(e)n
sie hätten geschrie(e)n

PASSE

geschrie(e)n

IMPERATIF

schrei(e)!
schreit!
schreien Sie!
schreien wir!

FUTUR ANTERIEUR

ich werde geschrie(e)n haben
du wirst geschrie(e)n haben *etc.*

PRESENT

ich schreite
du schreitest
er/sie schreitet
wir schreiten
ihr schreitet
Sie schreiten
sie schreiten

PRETERIT

ich schritt
du schrittst
er/sie schritt
wir schritten
ihr schrittet
Sie schritten
sie schritten

FUTUR

ich werde schreiten
du wirst schreiten
er/sie wird schreiten
wir werden schreiten
ihr werdet schreiten
Sie werden schreiten
sie werden schreiten

PARFAIT

ich bin geschritten
du bist geschritten
er/sie ist geschritten
wir sind geschritten
ihr seid geschritten
Sie sind geschritten
sie sind geschritten

PLUS-QUE-PARFAIT

ich war geschritten
du warst geschritten
er/sie war geschritten
wir waren geschritten
ihr wart geschritten
Sie waren geschritten
sie waren geschritten

CONDITIONNEL

ich würde schreiten
du würdest schreiten
er/sie würde schreiten
wir würden schreiten
ihr würdet schreiten
Sie würden schreiten
sie würden schreiten

SUBJONCTIF
PRESENT

ich schreite
du schreitest
er/sie schreite
wir schreiten
ihr schreitet
Sie schreiten
sie schreiten

PASSE COMPOSE

ich sei geschritten
du sei(e)st geschritten
er/sie sei geschritten
wir seien geschritten
ihr seiet geschritten
Sie seien geschritten
sie seien geschritten

INFINITIF
PRESENT

schreiten

PASSE

geschritten sein

PARTICIPE
PRESENT

schreitend

PRETERIT

ich schritte
du schrittest
er/sie schritte
wir schritten
ihr schrittet
Sie schritten
sie schritten

PLUS-QUE-PARFAIT

ich wäre geschritten
du wär(e)st geschritten
er/sie wäre geschritten
wir wären geschritten
ihr wär(e)t geschritten
Sie wären geschritten
sie wären geschritten

PASSE

geschritten

IMPERATIF

schreit(e)!
schreitet!
schreiten Sie!
schreiten wir!

FUTUR ANTERIEUR

ich werde geschritten sein
du wirst geschritten sein *etc.*

PRESENT

ich schweige
du schweigst
er/sie schweigt
wir schweigen
ihr schweigt
Sie schweigen
sie schweigen

PRETERIT

ich schwieg
du schwiegst
er/sie schwieg
wir schwiegen
ihr schwiegt
Sie schwiegen
sie schwiegen

FUTUR

ich werde schweigen
du wirst schweigen
er/sie wird schweigen
wir werden schweigen
ihr werdet schweigen
Sie werden schweigen
sie werden schweigen

PARFAIT

ich habe geschwiegen
du hast geschwiegen
er/sie hat geschwiegen
wir haben geschwiegen
ihr habt geschwiegen
Sie haben geschwiegen
sie haben geschwiegen

PLUS-QUE-PARFAIT

ich hatte geschwiegen
du hattest geschwiegen
er/sie hatte geschwiegen
wir hatten geschwiegen
ihr hattet geschwiegen
Sie hatten geschwiegen
sie hatten geschwiegen

CONDITIONNEL

ich würde schweigen
du würdest schweigen
er/sie würde schweigen
wir würden schweigen
ihr würdet schweigen
Sie würden schweigen
sie würden schweigen

SUBJONCTIF
PRESENT

ich schweige
du schweigest
er/sie schweige
wir schweigen
ihr schweiget
Sie schweigen
sie schweigen

PASSE COMPOSE

ich habe geschwiegen
du habest geschwiegen
er/sie habe geschwiegen
wir haben geschwiegen
ihr habet geschwiegen
Sie haben geschwiegen
sie haben geschwiegen

INFINITIF
PRESENT

schweigen

PASSE

geschwiegen haben

PRETERIT

ich schwiege
du schwiegest
er/sie schwiege
wir schwiegen
ihr schwieget
Sie schwiegen
sie schwiegen

PLUS-QUE-PARFAIT

ich hätte geschwiegen
du hättest geschwiegen
er/sie hätte geschwiegen
wir hätten geschwiegen
ihr hättet geschwiegen
Sie hätten geschwiegen
sie hätten geschwiegen

PARTICIPE
PRESENT

schweigend

PASSE

geschwiegen

IMPERATIF

schweig(e)!
schweigt!
schweigen Sie!
schweigen wir!

FUTUR ANTERIEUR

ich werde geschwiegen haben
du wirst geschwiegen haben *etc*.

142 SCHWELLEN
gonfler

PRESENT	PRETERIT	FUTUR
ich schwelle	ich schwoll	ich werde schwellen
du schwillst	du schwollst	du wirst schwellen
er/sie schwillt	er/sie schwoll	er/sie wird schwellen
wir schwellen	wir schwollen	wir werden schwellen
ihr schwellt	ihr schwollt	ihr werdet schwellen
Sie schwellen	Sie schwollen	Sie werden schwellen
sie schwellen	sie schwollen	sie werden schwellen

PARFAIT *(1)*	PLUS-QUE-PARFAIT *(2)*	CONDITIONNEL
ich bin geschwollen	ich war geschwollen	ich würde schwellen
du bist geschwollen	du warst geschwollen	du würdest schwellen
er/sie ist geschwollen	er/sie war geschwollen	er/sie würde schwellen
wir sind geschwollen	wir waren geschwollen	wir würden schwellen
ihr seid geschwollen	ihr wart geschwollen	ihr würdet schwellen
Sie sind geschwollen	Sie waren geschwollen	Sie würden schwellen
sie sind geschwollen	sie waren geschwollen	sie würden schwellen

SUBJONCTIF

PRESENT	PASSE COMPOSE *(1)*
ich schwelle	ich sei geschwollen
du schwellest	du sei(e)st geschwollen
er/sie schwelle	er/sie sei geschwollen
wir schwellen	wir seien geschwollen
ihr schwellet	ihr seiet geschwollen
Sie schwellen	Sie seien geschwollen
sie schwellen	sie seien geschwollen

PRETERIT	PLUS-QUE-PARFAIT *(3)*
ich schwölle	ich wäre geschwollen
du schwöllest	du wär(e)st geschwollen
er/sie schwölle	er/sie wäre geschwollen
wir schwöllen	wir wären geschwollen
ihr schwöllet	ihr wär(e)t geschwollen
Sie schwöllen	Sie wären geschwollen
sie schwöllen	sie wären geschwollen

INFINITIF

PRESENT
schwellen

PASSE *(5)*
geschwollen sein

PARTICIPE

PRESENT
schwellend

PASSE
geschwollen

IMPERATIF

schwill!
schwellt!
schwellen Sie!
schwellen wir!

FUTUR ANTERIEUR *(4)*

ich werde geschwollen
sein
du wirst geschwollen
sein *etc.*

N.B. :

lorsqu'il est transitif ('faire gonfler') :
(1) ich habe geschwollen *etc*. *(2)* ich hatte
geschwollen *etc*. *(3)* ich hätte geschwollen
etc. *(4)* ich werde geschwollen haben *etc*.
(5) geschwollen haben

PRESENT

ich schwimme
du schwimmst
er/sie schwimmt
wir schwimmen
ihr schwimmt
Sie schwimmen
sie schwimmen

PRETERIT

ich schwamm
du schwammst
er/sie schwamm
wir schwammen
ihr schwammt
Sie schwammen
sie schwammen

FUTUR

ich werde schwimmen
du wirst schwimmen
er/sie wird schwimmen
wir werden schwimmen
ihr werdet schwimmen
Sie werden schwimmen
sie werden schwimmen

PARFAIT

ich bin geschwommen
du bist geschwommen
er/sie ist geschwommen
wir sind geschwommen
ihr seid geschwommen
Sie sind geschwommen
sie sind geschwommen

PLUS-QUE-PARFAIT

ich war geschwommen
du warst geschwommen
er/sie war geschwommen
wir waren geschwommen
ihr wart geschwommen
Sie waren geschwommen
sie waren geschwommen

CONDITIONNEL

ich würde schwimmen
du würdest schwimmen
er/sie würde schwimmen
wir würden schwimmen
ihr würdet schwimmen
Sie würden schwimmen
sie würden schwimmen

SUBJONCTIF
PRESENT

ich schwimme
du schwimmest
er/sie schwimme
wir schwimmen
ihr schwimmet
Sie schwimmen
sie schwimmen

PASSE COMPOSE

ich sei geschwommen
du sei(e)st geschwommen
er/sie sei geschwommen
wir seien geschwommen
ihr seiet geschwommen
Sie seien geschwommen
sie seien geschwommen

INFINITIF
PRESENT

schwimmen

PASSE

geschwommen sein

PARTICIPE
PRESENT

schwimmend

PRETERIT *(1)*

ich schwömme
du schwömmest
er/sie schwömme
wir schwömmen
ihr schwömmet
Sie schwömmen
sie schwömmen

PLUS-QUE-PARFAIT

ich wäre geschwommen
du wär(e)st geschwommen
er/sie wäre geschwommen
wir wären geschwommen
ihr wär(e)t geschwommen
Sie wären geschwommen
sie wären geschwommen

PASSE

geschwommen

IMPERATIF

schwimm(e)!
schwimmt!
schwimmen Sie!
schwimmen wir!

FUTUR ANTERIEUR

ich werde geschwommen
sein
du wirst geschwommen
sein *etc.*

N.B. :

(1) on trouve aussi ich schwämme *etc.*

144 SCHWINDEN
diminuer, s'atténuer

PRESENT	**PRETERIT**	**FUTUR**
ich schwinde	ich schwand	ich werde schwinden
du schwindest	du schwandest	du wirst schwinden
er/sie schwindet	er/sie schwand	er/sie wird schwinden
wir schwinden	wir schwanden	wir werden schwinden
ihr schwindet	ihr schwandet	ihr werdet schwinden
Sie schwinden	Sie schwanden	Sie werden schwinden
sie schwinden	sie schwanden	sie werden schwinden

PARFAIT	**PLUS-QUE-PARFAIT**	**CONDITIONNEL**
ich bin geschwunden	ich war geschwunden	ich würde schwinden
du bist geschwunden	du warst geschwunden	du würdest schwinden
er/sie ist geschwunden	er/sie war geschwunden	er/sie würde schwinden
wir sind geschwunden	wir waren geschwunden	wir würden schwinden
ihr seid geschwunden	ihr wart geschwunden	ihr würdet schwinden
Sie sind geschwunden	Sie waren geschwunden	Sie würden schwinden
sie sind geschwunden	sie waren geschwunden	sie würden schwinden

SUBJONCTIF

PRESENT	**PASSE COMPOSE**
ich schwinde	ich sei geschwunden
du schwindest	du sei(e)st geschwunden
er/sie schwinde	er/sie sei geschwunden
wir schwinden	wir seien geschwunden
ihr schwindet	ihr seiet geschwunden
Sie schwinden	Sie seien geschwunden
sie schwinden	sie seien geschwunden

PRETERIT	**PLUS-QUE-PARFAIT**
ich schwände	ich wäre geschwunden
du schwändest	du wär(e)st geschwunden
er/sie schwände	er/sie wäre geschwunden
wir schwänden	wir wären geschwunden
ihr schwändet	ihr wär(e)t geschwunden
Sie schwänden	Sie wären geschwunden
sie schwänden	sie wären geschwunden

INFINITIF
PRESENT
schwinden

PASSE
geschwunden sein

PARTICIPE
PRESENT
schwindend

PASSE
geschwunden

IMPERATIF
schwinde!
schwindet!
schwinden Sie!
schwinden wir!

FUTUR ANTERIEUR

ich werde geschwunden sein
du wirst gechwunden sein *etc*.

PRESENT

ich schwinge
du schwingst
er/sie schwingt
wir schwingen
ihr schwingt
Sie schwingen
sie schwingen

PRETERIT

ich schwang
du schwangst
er/sie schwang
wir schwangen
ihr schwangt
Sie schwangen
sie schwangen

FUTUR

ich werde schwingen
du wirst schwingen
er/sie wird schwingen
wir werden schwingen
ihr werdet schwingen
Sie werden schwingen
sie werden schwingen

PARFAIT

ich habe geschwungen
du hast geschwungen
er/sie hat geschwungen
wir haben geschwungen
ihr habt geschwungen
Sie haben geschwungen
sie haben geschwungen

PLUS-QUE-PARFAIT

ich hatte geschwungen
du hattest geschwungen
er/sie hatte geschwungen
wir hatten geschwungen
ihr hattet geschwungen
Sie hatten geschwungen
sie hatten geschwungen

CONDITIONNEL

ich würde schwingen
du würdest schwingen
er/sie würde schwingen
wir würden schwingen
ihr würdet schwingen
Sie würden schwingen
sie würden schwingen

SUBJONCTIF
PRESENT

ich schwinge
du schwingest
er/sie schwinge
wir schwingen
ihr schwinget
Sie schwingen
sie schwingen

PASSE COMPOSE

ich habe geschwungen
du habest geschwungen
er/sie habe geschwungen
wir haben geschwungen
ihr habet geschwungen
Sie haben geschwungen
sie haben geschwungen

INFINITIF
PRESENT
schwingen

PASSE
geschwungen haben

PARTICIPE
PRESENT
schwingend

PRETERIT

ich schwänge
du schwängest
er/sie schwänge
wir schwängen
ihr schwänget
Sie schwängen
sie schwängen

PLUS-QUE-PARFAIT

ich hätte geschwungen
du hättest geschwungen
er/sie hätte geschwungen
wir hätten geschwungen
ihr hättet geschwungen
Sie hätten geschwungen
sie hätten geschwungen

PASSE
geschwungen

IMPERATIF

schwing(e)!
schwingt!
schwingen Sie!
schwingen wir!

FUTUR ANTERIEUR

ich werde geschwungen haben
du wirst geschwungen haben *etc.*

PRESENT

ich schwöre
du schwörst
er/sie schwört
wir schwören
ihr schwört
Sie schwören
sie schwören

PRETERIT

ich schwor
du schworst
er/sie schwor
wir schworen
ihr schwort
Sie schworen
sie schworen

FUTUR

ich werde schwören
du wirst schwören
er/sie wird schwören
wir werden schwören
ihr werdet schwören
Sie werden schwören
sie werden schwören

PARFAIT

ich habe geschworen
du hast geschworen
er/sie hat geschworen
wir haben geschworen
ihr habt geschworen
Sie haben geschworen
sie haben geschworen

PLUS-QUE-PARFAIT

ich hatte geschworen
du hattest geschworen
er/sie hatte geschworen
wir hatten geschworen
ihr hattet geschworen
Sie hatten geschworen
sie hatten geschworen

CONDITIONNEL

ich würde schwören
du würdest schwören
er/sie würde schwören
wir würden schwören
ihr würdet schwören
Sie würden schwören
sie würden schwören

SUBJONCTIF
PRESENT

ich schwöre
du schwörest
er/sie schwöre
wir schwören
ihr schwöret
Sie schwören
sie schwören

PASSE COMPOSE

ich habe geschworen
du habest geschworen
er/sie habe geschworen
wir haben geschworen
ihr habet geschworen
Sie haben geschworen
sie haben geschworen

INFINITIF
PRESENT

schwören

PASSE

geschworen haben

PARTICIPE
PRESENT

schwörend

PRETERIT *(1)*

ich schwüre
du schwürest
er/sie schwüre
wir schwüren
ihr schwüret
Sie schwüren
sie schwüren

PLUS-QUE-PARFAIT

ich hätte geschworen
du hättest geschworen
er/sie hätte geschworen
wir hätten geschworen
ihr hättet geschworen
Sie hätten geschworen
sie hätten geschworen

PASSE

geschworen

IMPERATIF

schwör(e)!
schwört!
schwören Sie!
schwören wir!

FUTUR ANTERIEUR

ich werde geschworen haben
du wirst geschworen haben *etc.*

N.B. :

(1) on trouve aussi : ich schwöre *etc.*

PRESENT

ich sehe
du siehst
er/sie sieht
wir sehen
ihr seht
Sie sehen
sie sehen

PRETERIT

ich sah
du sahst
er/sie sah
wir sahen
ihr saht
Sie sahen
sie sahen

FUTUR

ich werde sehen
du wirst sehen
er/sie wird sehen
wir werden sehen
ihr werdet sehen
Sie werden sehen
sie werden sehen

PARFAIT

ich habe gesehen
du hast gesehen
er/sie hat gesehen
wir haben gesehen
ihr habt gesehen
Sie haben gesehen
sie haben gesehen

PLUS-QUE-PARFAIT

ich hatte gesehen
du hattest gesehen
er/sie hatte gesehen
wir hatten gesehen
ihr hattet gesehen
Sie hatten gesehen
sie hatten gesehen

CONDITIONNEL

ich würde sehen
du würdest sehen
er/sie würde sehen
wir würden sehen
ihr würdet sehen
Sie würden sehen
sie würden sehen

SUBJONCTIF
PRESENT

ich sehe
du sehest
er/sie sehe
wir sehen
ihr sehet
Sie sehen
sie sehen

PASSE COMPOSE

ich habe gesehen
du habest gesehen
er/sie habe gesehen
wir haben gesehen
ihr habet gesehen
Sie haben gesehen
sie haben gesehen

INFINITIF
PRESENT

sehen

PASSE

gesehen haben

PARTICIPE
PRESENT

sehend

PRETERIT

ich sähe
du sähest
er/sie sähe
wir sähen
ihr sähet
Sie sähen
sie sähen

PLUS-QUE-PARFAIT

ich hätte gesehen
du hättest gesehen
er/sie hätte gesehen
wir hätten gesehen
ihr hättet gesehen
Sie hätten gesehen
sie hätten gesehen

PASSE

gesehen

IMPERATIF

sieh(e)!
seht!
sehen Sie!
sehen wir!

FUTUR ANTERIEUR

ich werde gesehen haben
du wirst gesehen haben *etc.*

148 SEIN
être

PRESENT

ich bin
du bist
er/sie ist
wir sind
ihr seid
Sie sind
sie sind

PRETERIT

ich war
du warst
er/sie war
wir waren
ihr wart
Sie waren
sie waren

FUTUR

ich werde sein
du wirst sein
er/sie wird sein
wir werden sein
ihr werdet sein
Sie werden sein
sie werden sein

PARFAIT

ich bin gewesen
du bist gewesen
er/sie ist gewesen
wir sind gewesen
ihr seid gewesen
Sie sind gewesen
sie sind gewesen

PLUS-QUE-PARFAIT

ich war gewesen
du warst gewesen
er/sie war gewesen
wir waren gewesen
ihr wart gewesen
Sie waren gewesen
sie waren gewesen

CONDITIONNEL

ich würde sein
du würdest sein
er/sie würde sein
wir würden sein
ihr würdet sein
Sie würden sein
sie würden sein

SUBJONCTIF
PRESENT

ich sei
du sei(e)st
er/sie sei
wir seien
ihr seiet
Sie seien
sie seien

PASSE COMPOSE

ich sei gewesen
du sei(e)st gewesen
er/sie sei gewesen
wir seien gewesen
ihr seiet gewesen
Sie seien gewesen
sie seien gewesen

INFINITIF
PRESENT

sein

PASSE

gewesen sein

PARTICIPE
PRESENT

seiend

PRETERIT

ich wäre
du wär(e)st
er/sie wäre
wir wären
ihr wär(e)t
Sie wären
sie wären

PLUS-QUE-PARFAIT

ich wäre gewesen
du wär(e)st gewesen
er/sie wäre gewesen
wir wären gewesen
ihr wär(e)t gewesen
Sie wären gewesen
sie wären gewesen

PASSE

gewesen

IMPERATIF

sei!
seid!
seien Sie!
seien wir!

FUTUR ANTERIEUR

ich werde gewesen sein
du wirst gewesen sein *etc*.

PRESENT

ich sende
du sendest
er/sie sendet
wir senden
ihr sendet
Sie senden
sie senden

PRETERIT

ich sandte
du sandtest
er/sie sandte
wir sandten
ihr sandtet
Sie sandten
sie sandten

FUTUR

ich werde senden
du wirst senden
er/sie wird senden
wir werden senden
ihr werdet senden
Sie werden senden
sie werden senden

PARFAIT

ich habe gesandt
du hast gesandt
er/sie hat gesandt
wir haben gesandt
ihr habt gesandt
Sie haben gesandt
sie haben gesandt

PLUS-QUE-PARFAIT

ich hatte gesandt
du hattest gesandt
er/sie hatte gesandt
wir hatten gesandt
ihr hattet gesandt
Sie hatten gesandt
sie hatten gesandt

CONDITIONNEL

ich würde senden
du würdest senden
er/sie würde senden
wir würden senden
ihr würdet senden
Sie würden senden
sie würden senden

SUBJONCTIF
PRESENT

ich sende
du sendest
er/sie sende
wir senden
ihr sendet
Sie senden
sie senden

PASSE COMPOSE

ich habe gesandt
du habest gesandt
er/sie habe gesandt
wir haben gesandt
ihr habet gesandt
Sie haben gesandt
sie haben gesandt

PRETERIT

ich sendete
du sendetest
er/sie sendete
wir sendeten
ihr sendetet
Sie sendeten
sie sendeten

PLUS-QUE-PARFAIT

ich hätte gesandt
du hättest gesandt
er/sie hätte gesandt
wir hätten gesandt
ihr hättet gesandt
Sie hätten gesandt
sie hätten gesandt

INFINITIF
PRESENT

senden

PASSE

gesandt haben

PARTICIPE
PRESENT

sendend

PASSE

gesandt

IMPERATIF

send(e)!
sendet!
senden Sie!
senden wir!

FUTUR ANTERIEUR

ich werde gesandt haben
du wirst gesandt haben *etc.*

N.B. :

(1) lorsqu'il est faible ('diffuser') :
ich sendete, ich habe gesendet *etc.*

PRESENT	**PRETERIT**	**FUTUR**
ich singe	ich sang	ich werde singen
du singst	du sangst	du wirst singen
er/sie singt	er/sie sang	er/sie wird singen
wir singen	wir sangen	wir werden singen
ihr singt	ihr sangt	ihr werdet singen
Sie singen	Sie sangen	Sie werden singen
sie singen	sie sangen	sie werden singen

PARFAIT	**PLUS-QUE-PARFAIT**	**CONDITIONNEL**
ich habe gesungen	ich hatte gesungen	ich würde singen
du hast gesungen	du hattest gesungen	du würdest singen
er/sie hat gesungen	er/sie hatte gesungen	er/sie würde singen
wir haben gesungen	wir hatten gesungen	wir würden singen
ihr habt gesungen	ihr hattet gesungen	ihr würdet singen
Sie haben gesungen	Sie hatten gesungen	Sie würden singen
sie haben gesungen	sie hatten gesungen	sie würden singen

SUBJONCTIF

PRESENT	**PASSE COMPOSE**
ich singe	ich habe gesungen
du singest	du habest gesungen
er/sie singe	er/sie habe gesungen
wir singen	wir haben gesungen
ihr singet	ihr habet gesungen
Sie singen	Sie haben gesungen
sie singen	sie haben gesungen

PRETERIT	**PLUS-QUE-PARFAIT**
ich sänge	ich hätte gesungen
du sängest	du hättest gesungen
er/sie sänge	er/sie hätte gesungen
wir sängen	wir hätten gesungen
ihr sänget	ihr hättet gesungen
Sie sängen	Sie hätten gesungen
sie sängen	sie hätten gesungen

INFINITIF

PRESENT

singen

PASSE

gesungen haben

PARTICIPE

PRESENT

singend

PASSE

gesungen

IMPERATIF

sing(e)!
singt!
singen Sie!
singen wir!

FUTUR ANTERIEUR

ich werde gesungen haben
du wirst gesungen haben *etc*.

PRESENT

ich sinke
du sinkst
er/sie sinkt
wir sinken
ihr sinkt
Sie sinken
sie sinken

PRETERIT

ich sank
du sankst
er/sie sank
wir sanken
ihr sankt
Sie sanken
sie sanken

FUTUR

ich werde sinken
du wirst sinken
er/sie wird sinken
wir werden sinken
ihr werdet sinken
Sie werden sinken
sie werden sinken

PARFAIT

ich bin gesunken
du bist gesunken
er/sie ist gesunken
wir sind gesunken
ihr seid gesunken
Sie sind gesunken
sie sind gesunken

PLUS-QUE-PARFAIT

ich war gesunken
du warst gesunken
er/sie war gesunken
wir waren gesunken
ihr wart gesunken
Sie waren gesunken
sie waren gesunken

CONDITIONNEL

ich würde sinken
du würdest sinken
er/sie würde sinken
wir würden sinken
ihr würdet sinken
Sie würden sinken
sie würden sinken

SUBJONCTIF
PRESENT

ich sinke
du sinkest
er/sie sinke
wir sinken
ihr sinket
Sie sinken
sie sinken

PASSE COMPOSE

ich sei gesunken
du sei(e)st gesunken
er/sie sei gesunken
wir seien gesunken
ihr seiet gesunken
Sie seien gesunken
sie seien gesunken

INFINITIF
PRESENT

sinken

PASSE

gesunken sein

PARTICIPE
PRESENT

sinkend

PRETERIT

ich sänke
du sänkest
er/sie sänke
wir sänken
ihr sänket
Sie sänken
sie sänken

PLUS-QUE-PARFAIT

ich wäre gesunken
du wär(e)st gesunken
er/sie wäre gesunken
wir wären gesunken
ihr wär(e)t gesunken
Sie wären gesunken
sie wären gesunken

PASSE

gesunken

IMPERATIF

sink(e)!
sinkt!
sinken Sie!
sinken wir!

FUTUR ANTERIEUR

ich werde gesunken sein
du wirst gesunken sein *etc.*

152 SINNEN
méditer

PRESENT

ich sinne
du sinnst
er/sie sinnt
wir sinnen
ihr sinnt
Sie sinnen
sie sinnen

PRETERIT

ich sann
du sannst
er/sie sann
wir sannen
ihr sannt
Sie sannen
sie sannen

FUTUR

ich werde sinnen
du wirst sinnen
er/sie wird sinnen
wir werden sinnen
ihr werdet sinnen
Sie werden sinnen
sie werden sinnen

PARFAIT

ich habe gesonnen
du hast gesonnen
er/sie hat gesonnen
wir haben gesonnen
ihr habt gesonnen
Sie haben gesonnen
sie haben gesonnen

PLUS-QUE-PARFAIT

ich hatte gesonnen
du hattest gesonnen
er/sie hatte gesonnen
wir hatten gesonnen
ihr hattet gesonnen
Sie hatten gesonnen
sie hatten gesonnen

CONDITIONNEL

ich würde sinnen
du würdest sinnen
er/sie würde sinnen
wir würden sinnen
ihr würdet sinnen
Sie würden sinnen
sie würden sinnen

SUBJONCTIF
PRESENT

ich sinne
du sinnest
er/sie sinne
wir sinnen
ihr sinnet
Sie sinnen
sie sinnen

PASSE COMPOSE

ich habe gesonnen
du habest gesonnen
er/sie habe gesonnen
wir haben gesonnen
ihr habet gesonnen
Sie haben gesonnen
sie haben gesonnen

INFINITIF
PRESENT

sinnen

PASSE

gesonnen haben

PARTICIPE
PRESENT

sinnend

PRETERIT

ich sänne
du sännest
er/sie sänne
wir sännen
ihr sännet
Sie sännen
sie sännen

PLUS-QUE-PARFAIT

ich hätte gesonnen
du hättest gesonnen
er/sie hätte gesonnen
wir hätten gesonnen
ihr hättet gesonnen
Sie hätten gesonnen
sie hätten gesonnen

PASSE

gesonnen

IMPERATIF

sinn(e)!
sinnt!
sinnen Sie!
sinnen wir!

FUTUR ANTERIEUR

ich werde gesonnen haben
du wirst gesonnen haben *etc.*

PRESENT

ich sitze
du sitzst
er/sie sitzt
wir sitzen
ihr sitzt
Sie sitzen
sie sitzen

PRETERIT

ich saß
du saßest
er/sie saß
wir saßen
ihr saßt
Sie saßen
sie saßen

FUTUR

ich werde sitzen
du wirst sitzen
er/sie wird sitzen
wir werden sitzen
ihr werdet sitzen
Sie werden sitzen
sie werden sitzen

PARFAIT

ich habe gesessen
du hast gesessen
er/sie hat gesessen
wir haben gesessen
ihr habt gesessen
Sie haben gesessen
sie haben gesessen

PLUS-QUE-PARFAIT

ich hatte gesessen
du hattest gesessen
er/sie hatte gesessen
wir hatten gesessen
ihr hattet gesessen
Sie hatten gesessen
sie hatten gesessen

CONDITIONNEL

ich würde sitzen
du würdest sitzen
er/sie würde sitzen
wir würden sitzen
ihr würdet sitzen
Sie würden sitzen
sie würden sitzen

SUBJONCTIF
PRESENT

ich sitze
du sitzest
er/sie sitze
wir sitzen
ihr sitzet
Sie sitzen
sie sitzen

PASSE COMPOSE

ich habe gesessen
du habest gesessen
er/sie habe gesessen
wir haben gesessen
ihr habet gesessen
Sie haben gesessen
sie haben gesessen

INFINITIF
PRESENT

sitzen

PASSE

gesessen haben

PARTICIPE
PRESENT

sitzend

PRETERIT

ich säße
du säßest
er/sie säße
wir säßen
ihr säßet
Sie säßen
sie säßen

PLUS-QUE-PARFAIT

ich hätte gesessen
du hättest gesessen
er/sie hätte gesessen
wir hätten gesessen
ihr hättet gesessen
Sie hätten gesessen
sie hätten gesessen

PASSE

gesessen

IMPERATIF

sitz(e)!
sitzt!
sitzen Sie!
sitzen wir!

FUTUR ANTERIEUR

ich werde gesessen haben
du wirst gesessen haben *etc.*

154 SOLLEN
devoir

PRESENT

ich soll
du sollst
er/sie soll
wir sollen
ihr sollt
Sie sollen
sie sollen

PRETERIT

ich sollte
du solltest
er/sie sollte
wir sollten
ihr solltet
Sie sollten
sie sollten

FUTUR

ich werde sollen
du wirst sollen
er/sie wird sollen
wir werden sollen
ihr werdet sollen
Sie werden sollen
sie werden sollen

PARFAIT *(1)*

ich habe gesollt
du hast gesollt
er/sie hat gesollt
wir haben gesollt
ihr habt gesollt
Sie haben gesollt
sie haben gesollt

PLUS-QUE-PARFAIT *(2)*

ich hatte gesollt
du hattest gesollt
er/sie hatte gesollt
wir hatten gesollt
ihr hattet gesollt
Sie hatten gesollt
sie hatten gesollt

CONDITIONNEL

ich würde sollen
du würdest sollen
er/sie würde sollen
wir würden sollen
ihr würdet sollen
Sie würden sollen
sie würden sollen

SUBJONCTIF

PRESENT

ich solle
du sollest
er/sie solle
wir sollen
ihr sollet
Sie sollen
sie sollen

PASSE COMPOSE *(1)*

ich habe gesollt
du habest gesollt
er/sie habe gesollt
wir haben gesollt
ihr habet gesollt
Sie haben gesollt
sie haben gesollt

INFINITIF

PRESENT

sollen

PASSE

gesollt haben

PARTICIPE

PRESENT

sollend

PRETERIT

ich sollte
du solltest
er/sie sollte
wir sollten
ihr solltet
Sie sollten
sie sollten

PLUS-QUE-PARFAIT *(3)*

ich hätte gesollt
du hättest gesollt
er/sie hätte gesollt
wir hätten gesollt
ihr hättet gesollt
Sie hätten gesollt
sie hätten gesollt

PASSE

gesollt

N.B. :
lorsqu'il est précédé d'un infinitif :
(1) ich habe . . . sollen *etc*.
(2) ich hatte . . . sollen *etc*.
(3) ich hätte . . . sollen *etc*.

PRESENT

ich speie
du speist
er/sie speit
wir speien
ihr speit
Sie speien
sie speien

PRETERIT

ich spie
du spiest
er/sie spie
wir spien
ihr spiet
Sie spien
sie spien

FUTUR

ich werde speien
du wirst speien
er/sie wird speien
wir werden speien
ihr werdet speien
Sie werden speien
sie werden speien

PARFAIT

ich habe gespie(e)n
du hast gespie(e)n
er/sie hat gespie(e)n
wir haben gespie(e)n
ihr habt gespie(e)n
Sie haben gespie(e)n
sie haben gespie(e)n

PLUS-QUE-PARFAIT

ich hatte gespie(e)n
du hattest gespie(e)n
er/sie hatte gespie(e)n
wir hatten gespic(c)n
ihr hattet gespie(e)n
Sie hatten gespie(e)n
sie hatten gespie(e)n

CONDITIONNEL

ich würde speien
du würdest speien
er/sie würde speien
wir würden spcicn
ihr würdet speien
Sie würden speien
sie würden speien

SUBJONCTIF
PRESENT

ich speie
du speiest
er/sie speie
wir speien
ihr speiet
Sie speien
sie speien

PASSE COMPOSE

ich habe gespie(e)n
du habest gespie(e)n
er/sie habe gespie(e)n
wir haben gespie(e)n
ihr habet gespie(e)n
Sie haben gespie(e)n
sie haben gespie(e)n

INFINITIF
PRESENT

speien

PASSE

gespie(e)n haben

PRETERIT

ich spiee
du spieest
er/sie spiee
wir spieen
ihr spieet
Sie spieen
sie spieen

PLUS-QUE-PARFAIT

ich hätte gespie(e)n
du hättest gespie(e)n
er/sie hätte gespie(e)n
wir hätten gespie(e)n
ihr hättet gespie(e)n
Sie hätten gespie(e)n
sie hätten gespie(e)n

PARTICIPE
PRESENT

speiend

PASSE

gespie(e)n

IMPERATIF

spei(e)!
speit!
speien Sie!
speien wir!

FUTUR ANTERIEUR

ich werde gespie(e)n haben
du wirst gespie(e)n haben *etc.*

156 SPINNEN
filer

PRESENT	PRETERIT	FUTUR
ich spinne	ich spann	ich werde spinnen
du spinnst	du spannst	du wirst spinnen
er/sie spinnt	er/sie spann	er/sie wird spinnen
wir spinnen	wir spannen	wir werden spinnen
ihr spinnt	ihr spannt	ihr werdet spinnen
Sie spinnen	Sie spannen	Sie werden spinnen
sie spinnen	sie spannen	sie werden spinnen

PARFAIT	PLUS-QUE-PARFAIT	CONDITIONNEL
ich habe gesponnen	ich hatte gesponnen	ich würde spinnen
du hast gesponnen	du hattest gesponnen	du würdest spinnen
er/sie hat gesponnen	er/sie hatte gesponnen	er/sie würde spinnen
wir haben gesponnen	wir hatten gesponnen	wir würden spinnen
ihr habt gesponnen	ihr hattet gesponnen	ihr würdet spinnen
Sie haben gesponnen	Sie hatten gesponnen	Sie würden spinnen
sie haben gesponnen	sie hatten gesponnen	sie würden spinnen

SUBJONCTIF

PRESENT	PASSE COMPOSE
ich spinne	ich habe gesponnen
du spinnest	du habest gesponnen
er/sie spinne	er/sie habe gesponnen
wir spinnen	wir haben gesponnen
ihr spinnet	ihr habet gesponnen
Sie spinnen	Sie haben gesponnen
sie spinnen	sie haben gesponnen

PRETERIT *(1)*	PLUS-QUE-PARFAIT
ich spönne	ich hätte gesponnen
du spönnest	du hättest gesponnen
er/sie spönne	er/sie hätte gesponnen
wir spönnen	wir hätten gesponnen
ihr spönnet	ihr hättet gesponnen
Sie spönnen	Sie hätten gesponnen
sie spönnen	sie hätten gesponnen

INFINITIF

PRESENT

spinnen

PASSE

gesponnen haben

PARTICIPE

PRESENT

spinnend

PASSE

gesponnen

IMPERATIF

spinn(e)!
spinnt!
spinnen Sie!
spinnen wir!

FUTUR ANTERIEUR

ich werde gesponnen habe
du wirst gesponnen haben *etc.*

N.B. :

(1) on trouve aussi ich spänne, du spännest *etc.*

PRESENT

ich spreche
du sprichst
er/sie spricht
wir sprechen
ihr sprecht
Sie sprechen
sie sprechen

PRETERIT

ich sprach
du sprachst
er/sie sprach
wir sprachen
ihr spracht
Sie sprachen
sie sprachen

FUTUR

ich werde sprechen
du wirst sprechen
er/sie wird sprechen
wir werden sprechen
ihr werdet sprechen
Sie werden sprechen
sie werden sprechen

PARFAIT

ich habe gesprochen
du hast gesprochen
er/sie hat gesprochen
wir haben gesprochen
ihr habt gesprochen
Sie haben gesprochen
sie haben gesprochen

PLUS-QUE-PARFAIT

ich hatte gesprochen
du hattest gesprochen
er/sie hatte gesprochen
wir hatten gesprochen
ihr hattet gesprochen
Sie hatten gesprochen
sie hatten gesprochen

CONDITIONNEL

ich würde sprechen
du würdest sprechen
er/sie würde sprechen
wir würden sprechen
ihr würdet sprechen
Sie würden sprechen
sie würden sprechen

SUBJONCTIF
PRESENT

ich spreche
du sprechest
er/sie spreche
wir sprechen
ihr sprechet
Sie sprechen
sie sprechen

PASSE COMPOSE

ich habe gesprochen
du habest gesprochen
er/sie habe gesprochen
wir haben gesprochen
ihr habet gesprochen
Sie haben gesprochen
sie haben gesprochen

INFINITIF
PRESENT

sprechen

PASSE

gesprochen haben

PARTICIPE
PRESENT

sprechend

PRETERIT

ich spräche
du sprächest
er/sie spräche
wir sprächen
ihr sprächet
Sie sprächen
sie sprächen

PLUS-QUE-PARFAIT

ich hätte gesprochen
du hättest gesprochen
er/sie hätte gesprochen
wir hätten gesprochen
ihr hättet gesprochen
Sie hätten gesprochen
sie hätten gesprochen

PASSE

gesprochen

IMPERATIF

sprich!
sprecht!
sprechen Sie!
sprechen wir!

FUTUR ANTERIEUR

ich werde gesprochen haben
du wirst gesprochen haben *etc.*

PRESENT	**PRETERIT**	**FUTUR**
ich sprieße	ich sproß	ich werde sprießen
du sprießt	du sprossest	du wirst sprießen
er/sie sprießt	er/sie sproß	er/sie wird sprießen
wir sprießen	wir sprossen	wir werden sprießen
ihr sprießt	ihr sproßt	ihr werdet sprießen
Sie sprießen	Sie sprossen	Sie werden sprießen
sie sprießen	sie sprossen	sie werden sprießen

PARFAIT	**PLUS-QUE-PARFAIT**	**CONDITIONNEL**
ich bin gesprossen	ich war gesprossen	ich würde sprießen
du bist gesprossen	du warst gesprossen	du würdest sprießen
er/sie ist gesprossen	er/sie war gesprossen	er/sie würde sprießen
wir sind gesprossen	wir waren gesprossen	wir würden sprießen
ihr seid gesprossen	ihr wart gesprossen	ihr würdet sprießen
Sie sind gesprossen	Sie waren gesprossen	Sie würden sprießen
sie sind gesprossen	sie waren gesprossen	sie würden sprießen

SUBJONCTIF

PRESENT	**PASSE COMPOSE**	*INFINITIF* **PRESENT**
ich sprieße	ich sei gesprossen	sprießen
du sprießest	du sei(e)st gesprossen	**PASSE**
er/sie sprieße	er/sie sei gesprossen	gesprossen sein
wir sprießen	wir seien gesprossen	
ihr sprießet	ihr seiet gesprossen	*PARTICIPE* **PRESENT**
Sie sprießen	Sie seien gesprossen	sprießend
sie sprießen	sie seien gesprossen	

PRETERIT	**PLUS-QUE-PARFAIT**	**PASSE**
ich sprösse	ich wäre gesprossen	gesprossen
du sprössest	du wär(e)st gesprossen	
er/sie sprösse	er/sie wäre gesprossen	*IMPERATIF*
wir sprössen	wir wären gesprossen	sprieß(e)!
ihr sprösset	ihr wär(e)t gesprossen	sprießt!
Sie sprössen	Sie wären gesprossen	sprießen Sie!
sie sprössen	sie wären gesprossen	sprießen wir!

FUTUR ANTERIEUR

ich werde gesprossen sein
du wirst gesprossen sein *etc*.

PRESENT

ich springe
du springst
er/sie springt
wir springen
ihr springt
Sie springen
sie springen

PRETERIT

ich sprang
du sprangst
er/sie sprang
wir sprangen
ihr sprangt
Sie sprangen
sie sprangen

FUTUR

ich werde springen
du wirst springen
er/sie wird springen
wir werden springen
ihr werdet springen
Sie werden springen
sie werden springen

PARFAIT

ich bin gesprungen
du bist gesprungen
cr/sic ist gesprungen
wir sind gesprungen
ihr seid gesprungen
Sie sind gesprungen
sie sind gesprungen

PLUS-QUE-PARFAIT

ich war gesprungen
du warst gesprungen
er/sie war gesprungen
wir waren gesprungen
ihr wart gesprungen
Sie waren gesprungen
sie waren gesprungen

CONDITIONNEL

ich würde springen
du würdest springen
er/sie würde springen
wir würden springen
ihr würdet springen
Sie würden springen
sie würden springen

SUBJONCTIF
PRESENT

ich springe
du springest
er/sie springe
wir springen
ihr springet
Sie springen
sie springen

PASSE COMPOSE

ich sei gesprungen
du sei(e)st gesprungen
er/sie sei gesprungen
wir seien gesprungen
ihr seiet gesprungen
Sie seien gesprungen
sie seien gesprungen

INFINITIF
PRESENT

springen

PASSE

gesprungen sein

PARTICIPE
PRESENT

springend

PRETERIT

ich spränge
du sprängest
er/sie spränge
wir sprängen
ihr spränget
Sie sprängen
sie sprängen

PLUS-QUE-PARFAIT

ich wäre gesprungen
du wär(e)st gesprungen
er/sie wäre gesprungen
wir wären gesprungen
ihr wär(e)t gesprungen
Sie wären gesprungen
sie wären gesprungen

PASSE

gesprungen

IMPERATIF

spring(e)!
springt!
springen Sie!
springen wir!

FUTUR ANTERIEUR

ich werde gesprungen sein
du wirst gesprungen sein *etc.*

160 STECHEN
piquer

PRESENT	**PRETERIT**	**FUTUR**
ich steche	ich stach	ich werde stechen
du stichst	du stachst	du wirst stechen
er/sie sticht	er/sie stach	er/sie wird stechen
wir stechen	wir stachen	wir werden stechen
ihr stecht	ihr stacht	ihr werdet stechen
Sie stechen	Sie stachen	Sie werden stechen
sie stechen	sie stachen	sie werden stechen

PARFAIT	**PLUS-QUE-PARFAIT**	**CONDITIONNEL**
ich habe gestochen	ich hatte gestochen	ich würde stechen
du hast gestochen	du hattest gestochen	du würdest stechen
er/sie hat gestochen	er/sie hatte gestochen	er/sie würde stechen
wir haben gestochen	wir hatten gestochen	wir würden stechen
ihr habt gestochen	ihr hattet gestochen	ihr würdet stechen
Sie haben gestochen	Sie hatten gestochen	Sie würden stechen
sie haben gestochen	sie hatten gestochen	sie würden stechen

SUBJONCTIF

PRESENT	**PASSE COMPOSE**	*INFINITIF*
		PRESENT
ich steche	ich habe gestochen	stechen
du stechest	du habest gestochen	**PASSE**
er/sie steche	er/sie habe gestochen	gestochen haben
wir stechen	wir haben gestochen	
ihr stechet	ihr habet gestochen	*PARTICIPE*
Sie stechen	Sie haben gestochen	**PRESENT**
sie stechen	sie haben gestochen	stechend

PRETERIT	**PLUS-QUE-PARFAIT**	**PASSE**
ich stäche	ich hätte gestochen	gestochen
du stächest	du hättest gestochen	
er/sie stäche	er/sie hätte gestochen	*IMPERATIF*
wir stächen	wir hätten gestochen	stich!
ihr stächet	ihr hättet gestochen	stecht!
Sie stächen	Sie hätten gestochen	stechen Sie!
sie stächen	sie hätten gestochen	stechen wir!

FUTUR ANTERIEUR

ich werde gestochen haben
du wirst gestochen haben *etc*.

PRESENT

ich stecke
du steckst
er/sie steckt
wir stecken
ihr steckt
Sie stecken
sie stecken

PRETERIT *(2)*

ich stak
du stakst
er/sie stak
wir staken
ihr stakt
Sie staken
sie staken

FUTUR

ich werde stecken
du wirst stecken
er/sie wird stecken
wir werden stecken
ihr werdet stecken
Sie werden stecken
sie werden stecken

PARFAIT

ich habe gesteckt
du hast gesteckt
er/sie hat gesteckt
wir haben gesteckt
ihr habt gesteckt
Sie haben gesteckt
sie haben gesteckt

PLUS-QUE-PARFAIT

ich hatte gesteckt
du hattest gesteckt
er/sie hatte gesteckt
wir hatten gesteckt
ihr hattet gesteckt
Sie hatten gesteckt
sie hatten gesteckt

CONDITIONNEL

ich würde stecken
du würdest stecken
er/sie würde stecken
wir würden stecken
ihr würdet stecken
Sie würden stecken
sie würden stecken

SUBJONCTIF
PRESENT

ich stecke
du steckest
er/sie stecke
wir stecken
ihr stecket
Sie stecken
sie stecken

PASSE COMPOSE

ich habe gesteckt
du habest gesteckt
er/sie habe gesteckt
wir haben gesteckt
ihr habet gesteckt
Sie haben gesteckt
sie haben gesteckt

INFINITIF
PRESENT

stecken

PASSE

gesteckt haben

PRETERIT

ich stäke
du stäkest
er/sie stäke
wir stäken
ihr stäket
Sie stäken
sie stäken

PLUS-QUE-PARFAIT

ich hätte gesteckt
du hättest gesteckt
er/sie hätte gesteckt
wir hätten gesteckt
ihr hättet gesteckt
Sie hätten gesteckt
sie hätten gesteckt

PARTICIPE
PRESENT

steckend

PASSE

gesteckt

IMPERATIF

steck(e)!
steckt!
stecken Sie!
stecken wir!

FUTUR ANTERIEUR

ich werde gesteckt haben
du wirst gesteckt haben *etc.*

N.B. :

(1) lorsqu'il est faible ('mettre') :
ich steckte *etc.* *(2) on trouve aussi*
ich steckte, du stecktest *etc.*

PRESENT	**PRETERIT**	**FUTUR**
ich stehe	ich stand	ich werde stehen
du stehst	du standst	du wirst stehen
er/sie steht	er/sie stand	er/sie wird stehen
wir stehen	wir standen	wir werden stehen
ihr steht	ihr standet	ihr werdet stehen
Sie stehen	Sie standen	Sie werden stehen
sie stehen	sie standen	sie werden stehen

PARFAIT	**PLUS-QUE-PARFAIT**	**CONDITIONNEL**
ich habe gestanden	ich hatte gestanden	ich würde stehen
du hast gestanden	du hattest gestanden	du würdest stehen
er/sie hat gestanden	er/sie hatte gestanden	er/sie würde stehen
wir haben gestanden	wir hatten gestanden	wir würden stehen
ihr habt gestanden	ihr hattet gestanden	ihr würdet stehen
Sie haben gestanden	Sie hatten gestanden	Sie würden stehen
sie haben gestanden	sie hatten gestanden	sie würden stehen

SUBJONCTIF

PRESENT	**PASSE COMPOSE**
ich stehe	ich habe gestanden
du stehest	du habest gestanden
er/sie stehe	er/sie habe gestanden
wir stehen	wir haben gestanden
ihr stehet	ihr habet gestanden
Sie stehen	Sie haben gestanden
sie stehen	sie haben gestanden

PRETERIT *(1)*	**PLUS-QUE-PARFAIT**
ich stünde	ich hätte gestanden
du stündest	du hättest gestanden
er/sie stünde	er/sie hätte gestanden
wir stünden	wir hätten gestanden
ihr stündet	ihr hättet gestanden
Sie stünden	Sie hätten gestanden
sie stünden	sie hätten gestanden

INFINITIF

PRESENT

stehen

PASSE

gestanden haben

PARTICIPE

PRESENT

stehend

PASSE

gestanden

IMPERATIF

steh(e)!
steht!
stehen Sie!
stehen wir!

FUTUR ANTERIEUR

ich werde gestanden haben
du wirst gestanden haben *etc*.

N.B. :

(1) on trouve aussi ich stände, du
ständest *etc*.

PRESENT	**PRETERIT**	**FUTUR**
ich stehle	ich stahl	ich werde stehlen
du stiehlst	du stahlst	du wirst stehlen
er/sie stiehlt	er/sie stahl	er/sie wird stehlen
wir stehlen	wir stahlen	wir werden stehlen
ihr stehlt	ihr stahlt	ihr werdet stehlen
Sie stehlen	Sie stahlen	Sie werden stehlen
sie stehlen	sie stahlen	sie werden stehlen

PARFAIT	**PLUS-QUE-PARFAIT**	**CONDITIONNEL**
ich habe gestohlen	ich hatte gestohlen	ich würde stehlen
du hast gestohlen	du hattest gestohlen	du würdest stehlen
er/sie hat gestohlen	er/sie hatte gestohlen	er/sie würde stehlen
wir haben gestohlen	wir hatten gestohlen	wir würden stehlen
ihr habt gestohlen	ihr hattet gestohlen	ihr würdet stehlen
Sie haben gestohlen	Sie hatten gestohlen	Sie würden stehlen
sie haben gestohlen	sie hatten gestohlen	sie würden stehlen

SUBJONCTIF

PRESENT	**PASSE COMPOSE**
ich stehle	ich habe gestohlen
du stehlest	du habest gestohlen
er/sie stehle	er/sie habe gestohlen
wir stehlen	wir haben gestohlen
ihr stehlet	ihr habet gestohlen
Sie stehlen	Sie haben gestohlen
sie stehlen	sie haben gestohlen

PRETERIT	**PLUS-QUE-PARFAIT**
ich stähle	ich hätte gestohlen
du stählest	du hättest gestohlen
er/sie stähle	er/sie hätte gestohlen
wir stählen	wir hätten gestohlen
ihr stählet	ihr hättet gestohlen
Sie stählen	Sie hätten gestohlen
sie stählen	sie hätten gestohlen

INFINITIF

PRESENT

stehlen

PASSE

gestohlen haben

PARTICIPE

PRESENT

stehlend

PASSE

gestohlen

IMPERATIF

stiehl!
stehlt!
stehlen Sie!
stehlen wir!

FUTUR ANTERIEUR

ich werde gestohlen haben
du wirst gestohlen haben *etc*.

PRESENT	**PRETERIT**	**FUTUR**
ich steige	ich stieg	ich werde steigen
du steigst	du stiegst	du wirst steigen
er/sie steigt	er/sie stieg	er/sie wird steigen
wir steigen	wir stiegen	wir werden steigen
ihr steigt	ihr stiegt	ihr werdet steigen
Sie steigen	Sie stiegen	Sie werden steigen
sie steigen	sie stiegen	sie werden steigen

PARFAIT	**PLUS-QUE-PARFAIT**	**CONDITIONNEL**
ich bin gestiegen	ich war gestiegen	ich würde steigen
du bist gestiegen	du warst gestiegen	du würdest steigen
er/sie ist gestiegen	er/sie war gestiegen	er/sie würde steigen
wir sind gestiegen	wir waren gestiegen	wir würden steigen
ihr seid gestiegen	ihr wart gestiegen	ihr würdet steigen
Sie sind gestiegen	Sie waren gestiegen	Sie würden steigen
sie sind gestiegen	sie waren gestiegen	sie würden steigen

SUBJONCTIF

PRESENT	**PASSE COMPOSE**
ich steige	ich sei gestiegen
du steigest	du sei(e)st gestiegen
er/sie steige	er/sie sei gestiegen
wir steigen	wir seien gestiegen
ihr steiget	ihr seiet gestiegen
Sie steigen	Sie seien gestiegen
sie steigen	sie seien gestiegen

PRETERIT	**PLUS-QUE-PARFAIT**
ich stiege	ich wäre gestiegen
du stiegest	du wär(e)st gestiegen
er/sie stiege	er/sie wäre gestiegen
wir stiegen	wir wären gestiegen
ihr stieget	ihr wär(e)t gestiegen
Sie stiegen	Sie wären gestiegen
sie stiegen	sie wären gestiegen

INFINITIF

PRESENT
steigen

PASSE
gestiegen sein

PARTICIPE

PRESENT
steigend

PASSE
gestiegen

IMPERATIF

steig(e)!
steigt!
steigen Sie!
steigen wir!

FUTUR ANTERIEUR

ich werde gestiegen sein
du wirst gestiegen sein *etc*.

PRESENT

ich sterbe
du stirbst
er/sie stirbt
wir sterben
ihr sterbt
Sie sterben
sie sterben

PRETERIT

ich starb
du starbst
er/sie starb
wir starben
ihr starbt
Sie starben
sie starben

FUTUR

ich werde sterben
du wirst sterben
er/sie wird sterben
wir werden sterben
ihr werdet sterben
Sie werden sterben
sie werden sterben

PARFAIT

ich bin gestorben
du bist gestorben
er/sie ist gestorben
wir sind gestorben
ihr seid gestorben
Sie sind gestorben
sie sind gestorben

PLUS-QUE-PARFAIT

ich war gestorben
du warst gestorben
er/sie war gestorben
wir waren gestorben
ihr wart gestorben
Sie waren gestorben
sie waren gestorben

CONDITIONNEL

ich würde sterben
du würdest sterben
er/sie würde sterben
wir würden sterben
ihr würdet sterben
Sie würden sterben
sie würden sterben

SUBJONCTIF
PRESENT

ich sterbe
du sterbest
er/sie sterbe
wir sterben
ihr sterbet
Sie sterben
sie sterben

PASSE COMPOSE

ich sei gestorben
du sei(e)st gestorben
er/sie sei gestorben
wir seien gestorben
ihr seiet gestorben
Sie seien gestorben
sie seien gestorben

INFINITIF
PRESENT

sterben

PASSE

gestorben sein

PARTICIPE
PRESENT

sterbend

PRETERIT

ich stürbe
du stürbest
er/sie stürbe
wir stürben
ihr stürbet
Sie stürben
sie stürben

PLUS-QUE-PARFAIT

ich wäre gestorben
du wär(e)st gestorben
er/sie wäre gestorben
wir wären gestorben
ihr wär(e)t gestorben
Sie wären gestorben
sie wären gestorben

PASSE

gestorben

IMPERATIF

stirb!
sterbt!
sterben Sie!
sterben wir!

FUTUR ANTERIEUR

ich werde gestorben sein
du wirst gestorben sein *etc.*

PRESENT

ich stinke
du stinkst
er/sie stinkt
wir stinken
ihr stinkt
Sie stinken
sie stinken

PRETERIT

ich stank
du stankst
er/sie stank
wir stanken
ihr stankt
Sie stanken
sie stanken

FUTUR

ich werde stinken
du wirst stinken
er/sie wird stinken
wir werden stinken
ihr werdet stinken
Sie werden stinken
sie werden stinken

PARFAIT

ich habe gestunken
du hast gestunken
er/sie hat gestunken
wir haben gestunken
ihr habt gestunken
Sie haben gestunken
sie haben gestunken

PLUS-QUE-PARFAIT

ich hatte gestunken
du hattest gestunken
er/sie hatte gestunken
wir hatten gestunken
ihr hattet gestunken
Sie hatten gestunken
sie hatten gestunken

CONDITIONNEL

ich würde stinken
du würdest stinken
er/sie würde stinken
wir würden stinken
ihr würdet stinken
Sie würden stinken
sie würden stinken

SUBJONCTIF
PRESENT

ich stinke
du stinkest
er/sie stinke
wir stinken
ihr stinket
Sie stinken
sie stinken

PASSE COMPOSE

ich habe gestunken
du habest gestunken
er/sie habe gestunken
wir haben gestunken
ihr habet gestunken
Sie haben gestunken
sie haben gestunken

INFINITIF
PRESENT

stinken

PASSE

gestunken haben

PARTICIPE
PRESENT

stinkend

PRETERIT

ich stänke
du stänkest
er/sie stänke
wir stänken
ihr stänket
Sie stänken
sie stänken

PLUS-QUE-PARFAIT

ich hätte gestunken
du hättest gestunken
er/sie hätte gestunken
wir hätten gestunken
ihr hättet gestunken
Sie hätten gestunken
sie hätten gestunken

PASSE

gestunken

IMPERATIF

stink(e)!
stinkt!
stinken Sie!
stinken wir!

FUTUR ANTERIEUR

ich werde gestunken haben
du wirst gestunken haben *etc*.

PRESENT	PRETERIT	FUTUR
ich stoße	ich stieß	ich werde stoßen
du stößt	du stießt	du wirst stoßen
er/sie stößt	er/sie stieß	er/sie wird stoßen
wir stoßen	wir stießen	wir werden stoßen
ihr stoßt	ihr stießt	ihr werdet stoßen
Sie stoßen	Sie stießen	Sie werden stoßen
sie stoßen	sie stießen	sie werden stoßen

PARFAIT *(1)*	PLUS-QUE-PARFAIT *(2)*	CONDITIONNEL
ich habe gestoßen	ich hatte gestoßen	ich würde stoßen
du hast gestoßen	du hattest gestoßen	du würdest stoßen
er/sie hat gestoßen	er/sie hatte gestoßen	er/sie würde stoßen
wir haben gestoßen	wir hatten gestoßen	wir würden stoßen
ihr habt gestoßen	ihr hattet gestoßen	ihr würdet stoßen
Sie haben gestoßen	Sie hatten gestoßen	Sie würden stoßen
sie haben gestoßen	sie hatten gestoßen	sie würden stoßen

SUBJONCTIF

PRESENT	PASSE COMPOSE *(3)*	*INFINITIF* PRESENT
ich stoße	ich habe gestoßen	stoßen
du stoßest	du habest gestoßen	**PASSE** *(6)*
er/sie stoße	er/sie habe gestoßen	gestoßen haben
wir stoßen	wir haben gestoßen	
ihr stoßet	ihr habet gestoßen	*PARTICIPE*
Sie stoßen	Sie haben gestoßen	PRESENT
sie stoßen	sie haben gestoßen	stoßend

PRETERIT	PLUS-QUE-PARFAIT *(4)*	PASSE
ich stieße	ich hätte gestoßen	gestoßen
du stießest	du hättest gestoßen	
er/sie stieße	er/sie hätte gestoßen	*IMPERATIF*
wir stießen	wir hätten gestoßen	stoß(e)!
ihr stießet	ihr hättet gestoßen	stoßt!
Sie stießen	Sie hätten gestoßen	stoßen Sie!
sie stießen	sie hätten gestoßen	stoßen wir!

FUTUR ANTERIEUR *(5)* **N.B. :**

ich werde gestoßen
haben
du wirst gestoßen
haben *etc.*

*est intransitif lorsqu'il est suivi d'une
préposition ('se cogner') : (1)* ich bin gestoßen
etc. (2) ich war gestoßen *etc. (3)* ich sei
gestoßen *etc. (4)* ich wäre gestoßen *etc. (5)* ich
werde gestoßen sein *etc. (6)* gestoßen sein

PRESENT	**PRETERIT**	**FUTUR**
ich streiche	ich strich	ich werde streichen
du streichst	du strichst	du wirst streichen
er/sie streicht	er/sie strich	er/sie wird streichen
wir streichen	wir strichen	wir werden streichen
ihr streicht	ihr stricht	ihr werdet streichen
Sie streichen	Sie strichen	Sie werden streichen
sie streichen	sie strichen	sie werden streichen

PARFAIT (1)	**PLUS-QUE-PARFAIT** (2)	**CONDITIONNEL**
ich habe gestrichen	ich hatte gestrichen	ich würde streichen
du hast gestrichen	du hattest gestrichen	du würdest streichen
er/sie hat gestrichen	er/sie hatte gestrichen	er/sie würde streichen
wir haben gestrichen	wir hatten gestrichen	wir würden streichen
ihr habt gestrichen	ihr hattet gestrichen	ihr würdet streichen
Sie haben gestrichen	Sie hatten gestrichen	Sie würden streichen
sie haben gestrichen	sie hatten gestrichen	sie würden streichen

SUBJONCTIF

PRESENT	**PASSE COMPOSE** (3)
ich streiche	ich habe gestrichen
du streichest	du habest gestrichen
er/sie streiche	er/sie habe gestrichen
wir streichen	wir haben gestrichen
ihr streichet	ihr habet gestrichen
Sie streichen	Sie haben gestrichen
sie streichen	sie haben gestrichen

PRETERIT	**PLUS-QUE-PARFAIT** (4)
ich striche	ich hätte gestrichen
du strichest	du hättest gestrichen
er/sie striche	er/sie hätte gestrichen
wir strichen	wir hätten gestrichen
ihr strichet	ihr hättet gestrichen
Sie strichen	Sie hätten gestrichen
sie strichen	sie hätten gestrichen

INFINITIF

PRESENT
streichen

PASSE (6)
gestrichen haben

PARTICIPE

PRESENT
streichend

PASSE
gestrichen

IMPERATIF
streich(e)!
streicht!
streichen Sie!
streichen wir!

FUTUR ANTERIEUR (5)

ich werde
gestrichen haben
du wirst
gestrichen haben *etc.*

N.B. :

est intransitif lorsqu'il est suivi d'une préposition ('frôler, rôder') : (1) ich bin gestrichen *etc. (2)* ich war gestrichen *etc. (3)* ich sei gestrichen *etc. (4)* ich wäre gestrichen *etc. (5)* ich werde gestrichen sein *etc.* (6) gestrichen sein

PRESENT

ich streite
du streitest
er/sie streitet
wir streiten
ihr streitet
Sie streiten
sie streiten

PRETERIT

ich stritt
du strittst
er/sie stritt
wir stritten
ihr strittet
Sie stritten
sie stritten

FUTUR

ich werde streiten
du wirst streiten
er/sie wird streiten
wir werden streiten
ihr werdet streiten
Sie werden streiten
sie werden streiten

PARFAIT

ich habe gestritten
du hast gestritten
er/sie hat gestritten
wir haben gestritten
ihr habt gestritten
Sie haben gestritten
sie haben gestritten

PLUS-QUE-PARFAIT

ich hatte gestritten
du hattest gestritten
er/sie hatte gestritten
wir hatten gestritten
ihr hattet gestritten
Sie hatten gestritten
sie hatten gestritten

CONDITIONNEL

ich würde streiten
du würdest streiten
er/sie würde streiten
wir würden streiten
ihr würdet streiten
Sie würden streiten
sie würden streiten

SUBJONCTIF
PRESENT

ich streite
du streitest
er/sie streite
wir streiten
ihr streitet
Sie streiten
sie streiten

PASSE COMPOSE

ich habe gestritten
du habest gestritten
er/sie habe gestritten
wir haben gestritten
ihr habet gestritten
Sie haben gestritten
sie haben gestritten

INFINITIF
PRESENT

streiten

PASSE

gestritten haben

PARTICIPE
PRESENT

streitend

PRETERIT

ich stritte
du strittest
er/sie stritte
wir stritten
ihr strittet
Sie stritten
sie stritten

PLUS-QUE-PARFAIT

ich hätte gestritten
du hättest gestritten
er/sie hätte gestritten
wir hätten gestritten
ihr hättet gestritten
Sie hätten gestritten
sie hätten gestritten

PASSE

gestritten

IMPERATIF

streit(e)!
streitet!
streiten Sie!
streiten wir!

FUTUR ANTERIEUR

ich werde gestritten haben
du wirst gestritten haben *etc.*

STÜRZEN
tomber lourdement

PRESENT	PRETERIT	FUTUR
ich stürze	ich stürzte	ich werde stürzen
du stürzst	du stürztest	du wirst stürzen
er/sie stürzt	er/sie stürzte	er/sie wird stürzen
wir stürzen	wir stürzten	wir werden stürzen
ihr stürzt	ihr stürztet	ihr werdet stürzen
Sie stürzen	Sie stürzten	Sie werden stürzen
sie stürzen	sie stürzten	sie werden stürzen

PARFAIT	PLUS-QUE-PARFAIT	CONDITIONNEL
ich bin gestürzt	ich war gestürzt	ich würde stürzen
du bist gestürzt	du warst gestürzt	du würdest stürzen
er/sie ist gestürzt	er/sie war gestürzt	er/sie würde stürzen
wir sind gestürzt	wir waren gestürzt	wir würden stürzen
ihr seid gestürzt	ihr wart gestürzt	ihr würdet stürzen
Sie sind gestürzt	Sie waren gestürzt	Sie würden stürzen
sie sind gestürzt	sie waren gestürzt	sie würden stürzen

SUBJONCTIF

PRESENT	PASSE COMPOSE
ich stürze	ich sei gestürzt
du stürzest	du sei(e)st gestürzt
er/sie stürze	er/sie sei gestürzt
wir stürzen	wir seien gestürzt
ihr stürzet	ihr seiet gestürzt
Sie stürzen	Sie seien gestürzt
sie stürzen	sie seien gestürzt

PRETERIT	PLUS-QUE-PARFAIT
ich stürzte	ich wäre gestürzt
du stürztest	du wär(e)st gestürzt
er/sie stürzte	er/sie wäre gestürzt
wir stürzten	wir wären gestürzt
ihr stürztet	ihr wär(e)t gestürzt
Sie stürzten	Sie wären gestürzt
sie stürzten	sie wären gestürzt

INFINITIF

PRESENT

stürzen

PASSE

gestürzt sein

PARTICIPE

PRESENT

stürzend

PASSE

gestürzt

IMPERATIF

stürz(e)!
stürzt!
stürzen Sie!
stürzen wir!

FUTUR ANTERIEUR

ich werde gestürzt sein
du wirst gestürzt sein *etc.*

PRESENT

ich trage
du trägst
er/sie trägt
wir tragen
ihr tragt
Sie tragen
sie tragen

PRETERIT

ich trug
du trugst
er/sie trug
wir trugen
ihr trugt
Sie trugen
sie trugen

FUTUR

ich werde tragen
du wirst tragen
er/sie wird tragen
wir werden tragen
ihr werdet tragen
Sie werden tragen
sie werden tragen

PARFAIT

ich habe getragen
du hast getragen
er/sie hat getragen
wir haben getragen
ihr habt getragen
Sie haben getragen
sie haben getragen

PLUS-QUE-PARFAIT

ich hatte getragen
du hattest getragen
er/sie hatte getragen
wir hatten getragen
ihr hattet getragen
Sie hatten getragen
sie hatten getragen

CONDITIONNEL

ich würde tragen
du würdest tragen
er/sie würde tragen
wir würden tragen
ihr würdet tragen
Sie würden tragen
sie würden tragen

SUBJONCTIF
PRESENT

ich trage
du tragest
er/sie trage
wir tragen
ihr traget
Sie tragen
sie tragen

PASSE COMPOSE

ich habe getragen
du habest getragen
er/sie habe getragen
wir haben getragen
ihr habet getragen
Sie haben getragen
sie haben getragen

INFINITIF
PRESENT

tragen

PASSE

getragen haben

PARTICIPE
PRESENT

tragend

PRETERIT

ich trüge
du trügest
er/sie trüge
wir trügen
ihr trüget
Sie trügen
sie trügen

PLUS-QUE-PARFAIT

ich hätte getragen
du hättest getragen
er/sie hätte getragen
wir hätten getragen
ihr hättet getragen
Sie hätten getragen
sie hätten getragen

PASSE

getragen

IMPERATIF

trag(e)!
tragt!
tragen Sie!
tragen wir!

FUTUR ANTERIEUR

ich werde getragen haben
du wirst getragen haben *etc.*

172 TREFFEN
rencontrer

PRESENT	**PRETERIT**	**FUTUR**
ich treffe	ich traf	ich werde treffen
du triffst	du trafst	du wirst treffen
er/sie trifft	er/sie traf	er/sie wird treffen
wir treffen	wir trafen	wir werden treffen
ihr trefft	ihr traft	ihr werdet treffen
Sie treffen	Sie trafen	Sie werden treffen
sie treffen	sie trafen	sie werden treffen

PARFAIT	**PLUS-QUE-PARFAIT**	**CONDITIONNEL**
ich habe getroffen	ich hatte getroffen	ich würde treffen
du hast getroffen	du hattest getroffen	du würdest treffen
er/sie hat getroffen	er/sie hatte getroffen	er/sie würde treffen
wir haben getroffen	wir hatten getroffen	wir würden treffen
ihr habt getroffen	ihr hattet getroffen	ihr würdet treffen
Sie haben getroffen	Sie hatten getroffen	Sie würden treffen
sie haben getroffen	sie hatten getroffen	sie würden treffen

SUBJONCTIF

PRESENT	**PASSE COMPOSE**
ich treffe	ich habe getroffen
du treffest	du habest getroffen
er/sie treffe	er/sie habe getroffen
wir treffen	wir haben getroffen
ihr treffet	ihr habet getroffen
Sie treffen	Sie haben getroffen
sie treffen	sie haben getroffen

PRETERIT	**PLUS-QUE-PARFAIT**
ich träfe	ich hätte getroffen
du träfest	du hättest getroffen
er/sie träfe	er/sie hätte getroffen
wir träfen	wir hätten getroffen
ihr träfet	ihr hättet getroffen
Sie träfen	Sie hätten getroffen
sie träfen	sie hätten getroffen

INFINITIF
PRESENT
treffen

PASSE
getroffen haben

PARTICIPE
PRESENT
treffend

PASSE
getroffen

IMPERATIF
triff!
trefft!
treffen Sie!
treffen wir!

FUTUR ANTERIEUR

ich werde getroffen haben
du wirst getroffen haben *etc*.

PRESENT

ich treibe
du treibst
er/sie treibt
wir treiben
ihr treibt
Sie treiben
sie treiben

PRETERIT

ich trieb
du triebst
er/sie trieb
wir trieben
ihr triebt
Sie trieben
sie trieben

FUTUR

ich werde treiben
du wirst treiben
er/sie wird treiben
wir werden treiben
ihr werdet treiben
Sie werden treiben
sie werden treiben

PARFAIT *(1)*

ich habe getrieben
du hast getrieben
er/sie hat getrieben
wir haben getrieben
ihr habt getrieben
Sie haben getrieben
sie haben getrieben

PLUS-QUE-PARFAIT *(2)*

ich hatte getrieben
du hattest getrieben
er/sie hatte getrieben
wir hatten getrieben
ihr hattet getrieben
Sie hatten getrieben
sie hatten getrieben

CONDITIONNEL

ich würde treiben
du würdest treiben
er/sie würde treiben
wir würden treiben
ihr würdet treiben
Sie würden treiben
sie würden treiben

SUBJONCTIF
PRESENT

ich treibe
du treibest
er/sie treibe
wir treiben
ihr treibet
Sie treiben
sie treiben

PASSE COMPOSE *(3)*

ich habe getrieben
du habest getrieben
er/sie habe getrieben
wir haben getrieben
ihr habet getrieben
Sie haben getrieben
sie haben getrieben

INFINITIF
PRESENT

treiben

PASSE *(6)*

getrieben haben

PARTICIPE
PRESENT

treibend

PRETERIT

ich triebe
du triebest
er/sie triebe
wir trieben
ihr triebet
Sie trieben
sie trieben

PLUS-QUE-PARFAIT *(4)*

ich hätte getrieben
du hättest getrieben
er/sie hätte getrieben
wir hätten getrieben
ihr hättet getrieben
Sie hätten getrieben
sie hätten getrieben

PASSE

getrieben

IMPERATIF

treib(e)!
treibt!
treiben Sie!
treiben wir!

FUTUR ANTERIEUR *(5)*

ich werde getrieben
haben
du wirst getrieben
haben *etc.*

N.B. :

losqu'il est intransitif ('aller à la dérive') :
(1) ich bin getrieben *etc. (2)* ich war
getrieben *etc. (3)* ich sei getrieben *etc.*
(4) ich wäre getrieben *etc. (5)* ich werde*
getrieben sein etc. (6) getrieben sein

PRESENT	PRETERIT	FUTUR
ich trete	ich trat	ich werde treten
du trittst	du tratst	du wirst treten
er/sie tritt	er/sie trat	er/sie wird treten
wir treten	wir traten	wir werden treten
ihr tretet	ihr tratet	ihr werdet treten
Sie treten	Sie.traten	Sie werden treten
sie treten	sie traten	sie werden treten

PARFAIT *(1)*	PLUS-QUE-PARFAIT *(2)*	CONDITIONNEL
ich habe getreten	ich hatte getreten	ich würde treten
du hast getreten	du hattest getreten	du würdest treten
er/sie hat getreten	er/sie hatte getreten	er/sie würde treten
wir haben getreten	wir hatten getreten	wir würden treten
ihr habt getreten	ihr hattet getreten	ihr würdet treten
Sie haben getreten	Sie hatten getreten	Sie würden treten
sie haben getreten	sie hatten getreten	sie würden treten

SUBJONCTIF

PRESENT	PASSE COMPOSE *(3)*
ich trete	ich habe getreten
du tretest	du habest getreten
er/sie trete	er/sie habe getreten
wir treten	wir haben getreten
ihr tretet	ihr habet getreten
Sie treten	Sie haben getreten
sie treten	sie haben getreten

PRETERIT	PLUS-QUE-PARFAIT *(4)*
ich träte	ich hätte getreten
du trätest	du hättest getreten
er/sie träte	er/sie hätte getreten
wir träten	wir hätten getreten
ihr trätet	ihr hättet getreten
Sie träten	Sie hätten getreten
sie träten	sie hätten getreten

INFINITIF

PRESENT

treten

PASSE *(6)*

getreten haben

PARTICIPE

PRESENT

tretend

PASSE

getreten

IMPERATIF

tritt!
tretet!
treten Sie!
treten wir!

FUTUR ANTERIEUR *(5)*

ich werde getreten haben
du wirst getreten haben
etc.

N.B. :

lorsqu'il est intransitif ('marcher') :
(1) ich bin getreten *etc*. *(2)* ich war
getreten *etc*. *(3)* ich sei getreten *etc*.
(4) ich wäre getreten *etc*. *(5)* ich werde
getreten sein *etc*. *(6)* getreten sein

PRESENT	**PRETERIT**	**FUTUR**
ich trinke	ich trank	ich werde trinken
du trinkst	du trankst	du wirst trinken
er/sie trinkt	er/sie trank	er/sie wird trinken
wir trinken	wir tranken	wir werden trinken
ihr trinkt	ihr trankt	ihr werdet trinken
Sie trinken	Sie tranken	Sie werden trinken
sie trinken	sie tranken	sie werden trinken

PARFAIT	**PLUS-QUE-PARFAIT**	**CONDITIONNEL**
ich habe getrunken	ich hatte getrunken	ich würde trinken
du hast getrunken	du hattest getrunken	du würdest trinken
er/sie hat getrunken	er/sie hatte getrunken	er/sie würde trinken
wir haben getrunken	wir hatten getrunken	wir würden trinken
ihr habt getrunken	ihr hattet getrunken	ihr würdet trinken
Sie haben getrunken	Sie hatten getrunken	Sie würden trinken
sie haben getrunken	sie hatten getrunken	sie würden trinken

SUBJONCTIF

PRESENT	**PASSE COMPOSE**
ich trinke	ich habe getrunken
du trinkest	du habest getrunken
er/sie trinke	er/sie habe getrunken
wir trinken	wir haben getrunken
ihr trinket	ihr habet getrunken
Sie trinken	Sie haben getrunken
sie trinken	sie haben getrunken

PRETERIT	**PLUS-QUE-PARFAIT**
ich tränke	ich hätte getrunken
du tränkest	du hättest getrunken
er/sie tränke	er/sie hätte getrunken
wir tränken	wir hätten getrunken
ihr tränket	ihr hättet getrunken
Sie tränken	Sie hätten getrunken
sie tränken	sie hätten getrunken

INFINITIF

PRESENT

trinken

PASSE

getrunken haben

PARTICIPE

PRESENT

trinkend

PASSE

getrunken

IMPERATIF

trink(e)!
trinkt!
trinken Sie!
trinken wir!

FUTUR ANTERIEUR

ich werde getrunken haben
du wirst getrunken haben *etc*.

PRESENT	**PRETERIT**	**FUTUR**
ich trockne	ich trocknete	ich werde trocknen
du trocknest	du trocknetest	du wirst trocknen
er/sie trocknet	er/sie trocknete	er/sie wird trocknen
wir trocknen	wir trockneten	wir werden trocknen
ihr trocknet	ihr trocknetet	ihr werdet trocknen
Sie trocknen	Sie trockneten	Sie werden trocknen
sie trocknen	sie trockneten	sie werden trocknen

PARFAIT	**PLUS-QUE-PARFAIT**	**CONDITIONNEL**
ich habe getrocknet	ich hatte getrocknet	ich würde trocknen
du hast getrocknet	du hattest getrocknet	du würdest trocknen
er/sie hat getrocknet	er/sie hatte getrocknet	er/sie würde trocknen
wir haben getrocknet	wir hatten getrocknet	wir würden trocknen
ihr habt getrocknet	ihr hattet getrocknet	ihr würdet trocknen
Sie haben getrocknet	Sie hatten getrocknet	Sie würden trocknen
sie haben getrocknet	sie hatten getrocknet	sie würden trocknen

SUBJONCTIF

PRESENT	**PASSE COMPOSE**
ich trockne	ich habe getrocknet
du trocknest	du habest getrocknet
er/sie trockne	er/sie habe getrocknet
wir trocknen	wir haben getrocknet
ihr trocknet	ihr habet getrocknet
Sie trocknen	Sie haben getrocknet
sie trocknen	sie haben getrocknet

PRETERIT	**PLUS-QUE-PARFAIT**
ich trocknete	ich hätte getrocknet
du trocknetest	du hättest getrocknet
er/sie trocknete	er/sie hätte getrocknet
wir trockneten	wir hätten getrocknet
ihr trocknetet	ihr hättet getrocknet
Sie trockneten	Sie hätten getrocknet
sie trockneten	sie hätten getrocknet

INFINITIF
PRESENT
trocknen

PASSE
getrocknet haben

PARTICIPE
PRESENT
trocknend

PASSE
getrocknet

IMPERATIF
trockne!
trocknet!
trocknen Sie!
trocknen wir!

FUTUR ANTERIEUR

ich werde getrocknet haben
du wirst getrocknet haben *etc*.

PRESENT

ich trüge
du trügst
er/sie trügt
wir trügen
ihr trügt
Sie trügen
sie trügen

PRETERIT

ich trog
du trogst
er/sie trog
wir trogen
ihr trogt
Sie trogen
sie trogen

FUTUR

ich werde trügen
du wirst trügen
er/sie wird trügen
wir werden trügen
ihr werdet trügen
Sie werden trügen
sie werden trügen

PARFAIT

ich habe getrogen
du hast getrogen
er/sie hat getrogen
wir haben getrogen
ihr habt getrogen
Sie haben getrogen
sie haben getrogen

PLUS-QUE-PARFAIT

ich hatte getrogen
du hattest getrogen
er/sie hatte getrogen
wir hatten getrogen
ihr hattet getrogen
Sie hatten getrogen
sie hatten getrogen

CONDITIONNEL

ich würde trügen
du würdest trügen
er/sie würde trügen
wir würden trügen
ihr würdet trügen
Sie würden trügen
sie würden trügen

SUBJONCTIF
PRESENT

ich trüge
du trügest
er/sie trüge
wir trügen
ihr trüget
Sie trügen
sie trügen

PASSE COMPOSE

ich habe getrogen
du habest getrogen
er/sie habe getrogen
wir haben getrogen
ihr habet getrogen
Sie haben getrogen
sie haben getrogen

INFINITIF
PRESENT

trügen

PASSE

getrogen haben

PRETERIT

ich tröge
du trögest
er/sie tröge
wir trögen
ihr tröget
Sie trögen
sie trögen

PLUS-QUE-PARFAIT

ich hätte getrogen
du hättest getrogen
er/sie hätte getrogen
wir hätten getrogen
ihr hättet getrogen
Sie hätten getrogen
sie hätten getrogen

PARTICIPE
PRESENT

trügend

PASSE

getrogen

IMPERATIF

trüg(e)!
trügt!
trügen Sie!
trügen wir!

FUTUR ANTERIEUR

ich werde getrogen haben
du wirst getrogen haben *etc.*

178 TUN
faire

PRESENT	PRETERIT	FUTUR
ich tue	ich tat	ich werde tun
du tust	du tatst	du wirst tun
er/sie tut	er/sie tat	er/sie wird tun
wir tun	wir taten	wir werden tun
ihr tut	ihr tatet	ihr werdet tun
Sie tun	Sie taten	Sie werden tun
sie tun	sie taten	sie werden tun

PARFAIT	PLUS-QUE-PARFAIT	CONDITIONNEL
ich habe getan	ich hatte getan	ich würde tun
du hast getan	du hattest getan	du würdest tun
er/sie hat getan	er/sie hatte getan	er/sie würde tun
wir haben getan	wir hatten getan	wir würden tun
ihr habt getan	ihr hattet getan	ihr würdet tun
Sie haben getan	Sie hatten getan	Sie würden tun
sie haben getan	sie hatten getan	sie würden tun

SUBJONCTIF

PRESENT	PASSE COMPOSE
ich tue	ich habe getan
du tuest	du habest getan
er/sie tue	er/sie habe getan
wir tuen	wir haben getan
ihr tuet	ihr habet getan
Sie tuen	Sie haben getan
sie tuen	sie haben getan

PRETERIT	PLUS-QUE-PARFAIT
ich täte	ich hätte getan
du tätest	du hättest getan
er/sie täte	er/sie hätte getan
wir täten	wir hätten getan
ihr tätet	ihr hättet getan
Sie täten	Sie hätten getan
sie täten	sie hätten getan

INFINITIF
PRESENT

tun

PASSE

getan haben

PARTICIPE
PRESENT

tuend

PASSE

getan

IMPERATIF

tu(e)!
tut!
tun Sie!
tun wir!

FUTUR ANTERIEUR

ich werde getan haben
du wirst getan haben *etc*.

PRESENT

ich verderbe
du verdirbst
er/sie verdirbt
wir verderben
ihr verderbt
Sie verderben
sie verderben

PRETERIT

ich verdarb
du verdarbst
er/sie verdarb
wir verdarben
ihr verdarbt
Sie verdarben
sie verdarben

FUTUR

ich werde verderben
du wirst verderben
er/sie wird verderben
wir werden verderben
ihr werdet verderben
Sie werden verderben
sie werden verderben

PARFAIT *(1)*

ich habe verdorben
du hast verdorben
er/sie hat verdorben
wir haben verdorben
ihr habt verdorben
Sie haben verdorben
sie haben verdorben

PLUS-QUE-PARFAIT *(2)*

ich hatte verdorben
du hattest verdorben
er/sie hatte verdorben
wir hatten verdorben
ihr hattet verdorben
Sie hatten verdorben
sie hatten verdorben

CONDITIONNEL

ich würde verderben
du würdest verderben
er/sie würde verderben
wir würden verderben
ihr würdet verderben
Sie würden verderben
sie würden verderben

SUBJONCTIF
PRESENT

ich verderbe
du verderbest
er/sie verderbe
wir verderben
ihr verderbet
Sie verderben
sie verderben

PASSE COMPOSE *(3)*

ich habe verdorben
du habest verdorben
er/sie habe verdorben
wir haben verdorben
ihr habet verdorben
Sie haben verdorben
sie haben verdorben

INFINITIF
PRESENT

verderben

PASSE *(6)*

verdorben haben

PARTICIPE
PRESENT

verderbend

PRETERIT

ich verdürbe
du verdürbest
er/sie verdürbe
wir verdürben
ihr verdürbet
Sie verdürben
sie verdürben

PLUS-QUE-PARFAIT *(4)*

ich hätte verdorben
du hättest verdorben
er/sie hätte verdorben
wir hätten verdorben
ihr hättet verdorben
Sie hätten verdorben
sie hätten verdorben

PASSE

verdorben

IMPERATIF

verdirb!
verderbt!
verderben Sie!
verderben wir!

FUTUR ANTERIEUR *(5)*

ich werde verdorben
haben
du wirst verdorben
haben *etc.*

N.B. :

lorsqu'il est intransitif ('se gâter, se corrompre') : (1) ich bin verdorben *etc. (2)* ich war verdorben *etc. (3)* ich sei verdorben *etc. (4)* ich wäre verdorben *etc. (5)* ich werde verdorben sein *etc. (6)* verdorben sein

PRESENT

ich verdrieße
du verdrießt
er/sie verdrießt
wir verdrießen
ihr verdrießt
Sie verdrießen
sie verdrießen

PRETERIT

ich verdroß
du verdrossest
er/sie verdroß
wir verdrossen
ihr verdroßt
Sie verdrossen
sie verdrossen

FUTUR

ich werde verdrießen
du wirst verdrießen
er/sie wird verdrießen
wir werden verdrießen
ihr werdet verdrießen
Sie werden verdrießen
sie werden verdrießen

PARFAIT

ich habe verdrossen
du hast verdrossen
er/sie hat verdrossen
wir haben verdrossen
ihr habt verdrossen
Sie haben verdrossen
sie haben verdrossen

PLUS-QUE-PARFAIT

ich hatte verdrossen
du hattest verdrossen
er/sie hatte verdrossen
wir hatten verdrossen
ihr hattet verdrossen
Sie hatten verdrossen
sie hatten verdrossen

CONDITIONNEL

ich würde verdrießen
du würdest verdrießen
er/sie würde verdrießen
wir würden verdrießen
ihr würdet verdrießen
Sie würden verdrießen
sie würden verdrießen

SUBJONCTIF
PRESENT

ich verdrieße
du verdrießest
er/sie verdrieße
wir verdrießen
ihr verdrießet
Sie verdrießen
sie verdrießen

PASSE COMPOSE

ich habe verdrossen
du habest verdrossen
er/sie habe verdrossen
wir haben verdrossen
ihr habet verdrossen
Sie haben verdrossen
sie haben verdrossen

INFINITIF
PRESENT

verdrießen

PASSE

verdrossen haben

PRETERIT

ich verdrösse
du verdrössest
er/sie verdrösse
wir verdrössen
ihr verdrösset
Sie verdrössen
sie verdrössen

PLUS-QUE-PARFAIT

ich hätte verdrossen
du hättest verdrossen
er/sie hätte verdrossen
wir hätten verdrossen
ihr hättet verdrossen
Sie hätten verdrossen
sie hätten verdrossen

PARTICIPE
PRESENT

verdrießend

PASSE

verdrossen

IMPERATIF

verdrieß(e)!
verdrießt!
verdrießen Sie!
verdrießen wir!

FUTUR ANTERIEUR

ich werde verdrossen haben
du wirst verdrossen haben *etc.*

PRESENT

ich vergesse
du vergißt
er/sie vergißt
wir vergessen
ihr vergeßt
Sie vergessen
sie vergessen

PRETERIT

ich vergaß
du vergaßt
er/sie vergaß
wir vergaßen
ihr vergaßt
Sie vergaßen
sie vergaßen

FUTUR

ich werde vergessen
du wirst vergessen
er/sie wird vergessen
wir werden vergessen
ihr werdet vergessen
Sie werden vergessen
sie werden vergessen

PARFAIT

ich habe vergessen
du hast vergessen
er/sie hat vergessen
wir haben vergessen
ihr habt vergessen
Sie haben vergessen
sie haben vergessen

PLUS-QUE-PARFAIT

ich hatte vergessen
du hattest vergessen
er/sie hatte vergessen
wir hatten vergessen
ihr hattet vergessen
Sie hatten vergessen
sie hatten vergessen

CONDITIONNEL

ich würde vergessen
du würdest vergessen
er/sie würde vergessen
wir würden vergessen
ihr würdet vergessen
Sie würden vergessen
sie würden vergessen

SUBJONCTIF
PRESENT

ich vergesse
du vergessest
er/sie vergesse
wir vergessen
ihr vergesset
Sie vergessen
sie vergessen

PASSE COMPOSE

ich habe vergessen
du habest vergessen
er/sie habe vergessen
wir haben vergessen
ihr habet vergessen
Sie haben vergessen
sie haben vergessen

INFINITIF
PRESENT

vergessen

PASSE

vergessen haben

PRETERIT

ich vergäße
du vergäßest
er/sie vergäße
wir vergäßen
ihr vergäßet
Sie vergäßen
sie vergäßen

PLUS-QUE-PARFAIT

ich hätte vergessen
du hättest vergessen
er/sie hätte vergessen
wir hätten vergessen
ihr hättet vergessen
Sie hätten vergessen
sie hätten vergessen

PARTICIPE
PRESENT

vergessend

PASSE

vergessen

IMPERATIF

vergiß!
vergeßt!
vergessen Sie!
vergessen wir!

FUTUR ANTERIEUR

ich werde vergessen haben
du wirst vergessen haben *etc.*

182 VERLIEREN
perdre

PRESENT

ich verliere
du verlierst
er/sie verliert
wir verlieren
ihr verliert
Sie verlieren
sie verlieren

PRETERIT

ich verlor
du verlorst
er/sie verlor
wir verloren
ihr verlort
Sie verloren
sie verloren

FUTUR

ich werde verlieren
du wirst verlieren
er/sie wird verlieren
wir werden verlieren
ihr werdet verlieren
Sie werden verlieren
sie werden verlieren

PARFAIT

ich habe verloren
du hast verloren
er/sie hat verloren
wir haben verloren
ihr habt verloren
Sie haben verloren
sie haben verloren

PLUS-QUE-PARFAIT

ich hatte verloren
du hattest verloren
er/sie hatte verloren
wir hatten verloren
ihr hattet verloren
Sie hatten verloren
sie hatten verloren

CONDITIONNEL

ich würde verlieren
du würdest verlieren
er/sie würde verlieren
wir würden verlieren
ihr würdet verlieren
Sie würden verlieren
sie würden verlieren

SUBJONCTIF

PRESENT

ich verliere
du verlierest
er/sie verliere
wir verlieren
ihr verlieret
Sie verlieren
sie verlieren

PASSE COMPOSE

ich habe verloren
du habest verloren
er/sie habe verloren
wir haben verloren
ihr habet verloren
Sie haben verloren
sie haben verloren

INFINITIF

PRESENT

verlieren

PASSE

verloren haben

PRETERIT

ich verlöre
du verlörest
er/sie verlöre
wir verlören
ihr verlöret
Sie verlören
sie verlören

PLUS-QUE-PARFAIT

ich hätte verloren
du hättest verloren
er/sie hätte verloren
wir hätten verloren
ihr hättet verloren
Sie hätten verloren
sie hätten verloren

PARTICIPE

PRESENT

verlierend

PASSE

verloren

IMPERATIF

verlier(e)!
verliert!
verlieren Sie!
verlieren wir!

FUTUR ANTERIEUR

ich werde verloren haben
du wirst verloren haben *etc.*

PRESENT

ich verschleiße
du verschleißt
er/sie verschleißt
wir verschleißen
ihr verschleißt
Sie verschleißen
sie verschleißen

PRETERIT

ich verschliß
du verschliß
er/sie verschliß
wir verschlissen
ihr verschließt
Sie verschlissen
sie verschlissen

FUTUR

ich werde verschleißen
du wirst verschleißen
er/sie wird verschleißen
wir werden verschleißen
ihr werdet verschleißen
Sie werden verschleißen
sie werden verschleißen

PARFAIT *(1)*

ich habe verschlissen
du hast verschlissen
er/sie hat verschlissen
wir haben verschlissen
ihr habt verschlissen
Sie haben verschlissen
sie haben verschlissen

PLUS-QUE-PARFAIT *(2)*

ich hatte verschlissen
du hattest verschlissen
er/sie hatte verschlissen
wir hatten verschlissen
ihr hattet verschlissen
Sie hatten verschlissen
sie hatten verschlissen

CONDITIONNEL

ich würde verschleißen
du würdest verschleißen
er/sie würde verschleißen
wir würden verschleißen
ihr würdet verschleißen
Sie würden verschleißen
sie würden verschleißen

SUBJONCTIF

PRESENT

ich verschleiße
du verschleißest
er/sie verschleiße
wir verschleißen
ihr verschleißet
Sie verschleißen
sie verschleißen

PASSE COMPOSE *(3)*

ich habe verschlissen
du habest verschlissen
er/sie habe verschlissen
wir haben verschlissen
ihr habet verschlissen
Sie haben verschlissen
sie haben verschlissen

INFINITIF

PRESENT

verschleißen

PASSE *(6)*

verschlissen haben

PARTICIPE

PRESENT

verschleißend

PRETERIT

ich verschlisse
du verschlissest
er/sie verschlisse
wir verschlissen
ihr verschlisset
Sie verschlissen
sie verschlissen

PLUS-QUE-PARFAIT *(4)*

ich hätte verschlissen
du hättest verschlissen
er/sie hätte verschlissen
wir hätten verschlissen
ihr hättet verschlissen
Sie hätten verschlissen
sie hätten verschlissen

PASSE

verschlissen

IMPERATIF

verschleiß(e)!
verschleißt!
verschleißen Sie!
verschleißen wir!

FUTUR ANTERIEUR *(5)*

ich werde verschlissen
haben
du wirst verschlissen
haben *etc.*

N.B. :

lorsqu'il est intransitif ('s'user') :
(1) ich bin verschlissen *etc.* *(2)* ich war
verschlissen *etc.* *(3)* ich sei verschlissen
etc. *(4)* ich wäre verschlissen *etc.* *(5)* ich werde
verschlissen sein *etc.* *(6)* verschlissen sein

184 VERZEIHEN
pardonner

PRESENT	PRETERIT	FUTUR
ich verzeihe	ich verzieh	ich werde verzeihen
du verzeihst	du verziehst	du wirst verzeihen
er/sie verzeiht	er/sie verzieh	er/sie wird verzeihen
wir verzeihen	wir verziehen	wir werden verzeihen
ihr verzeiht	ihr verzieht	ihr werdet verzeihen
Sie verzeihen	Sie verziehen	Sie werden verzeihen
sie verzeihen	sie verziehen	sie werden verzeihen

PARFAIT	PLUS-QUE-PARFAIT	CONDITIONNEL
ich habe verziehen	ich hatte verziehen	ich würde verzeihen
du hast verziehen	du hattest verziehen	du würdest verzeihen
er/sie hat verziehen	er/sie hatte verziehen	er/sie würde verzeihen
wir haben verziehen	wir hatten verziehen	wir würden verzeihen
ihr habt verziehen	ihr hattet verziehen	ihr würdet verzeihen
Sie haben verziehen	Sie hatten verziehen	Sie würden verzeihen
sie haben verziehen	sie hatten verziehen	sie würden verzeihen

SUBJONCTIF

PRESENT	PASSE COMPOSE
ich verzeihe	ich habe verziehen
du verzeihest	du habest verziehen
er/sie verzeihe	er/sie habe verziehen
wir verzeihen	wir haben verziehen
ihr verzeihet	ihr habet verziehen
Sie verzeihen	Sie haben verziehen
sie verzeihen	sie haben verziehen

PRETERIT	PLUS-QUE-PARFAIT
ich verziehe	ich hätte verziehen
du verziehest	du hättest verziehen
er/sie verziehe	er/sie hätte verziehen
wir verziehen	wir hätten verziehen
ihr verziehet	ihr hättet verziehen
Sie verziehen	Sie hätten verziehen
sie verziehen	sie hätten verziehen

INFINITIF

PRESENT
verzeihen

PASSE
verziehen haben

PARTICIPE

PRESENT
verzeihend

PASSE
verziehen

IMPERATIF

verzeih(e)!
verzeiht!
verzeihen Sie!
verzeihen wir!

FUTUR ANTERIEUR

ich werde verziehen haben
du wirst verziehen haben
etc.

N.B. :

se construit avec le datif : ich verzeihe ihm, ich habe ihm verziehen *etc.*

PRESENT

ich habe vor
du hast vor
er/sie hat vor
wir haben vor
ihr habt vor
Sie haben vor
sie haben vor

PRETERIT

ich hatte vor
du hattest vor
er/sie hatte vor
wir hatten vor
ihr hattet vor
Sie hatten vor
sie hatten vor

FUTUR

ich werde vorhaben
du wirst vorhaben
er/sie wird vorhaben
wir werden vorhaben
ihr werdet vorhaben
Sie werden vorhaben
sie werden vorhaben

PARFAIT

ich habe vorgehabt
du hast vorgehabt
cr/sic hat vorgehabt
wir haben vorgehabt
ihr habt vorgehabt
Sie haben vorgehabt
sie haben vorgehabt

PLUS-QUE-PARFAIT

ich hatte vorgehabt
du hattest vorgehabt
er/sie hatte vorgehabt
wir hatten vorgehabt
ihr hattet vorgehabt
Sie hatten vorgehabt
sie hatten vorgehabt

CONDITIONNEL

ich würde vorhaben
du würdest vorhaben
er/sie würde vorhaben
wir würden vorhaben
ihr würdet vorhaben
Sie würden vorhaben
sie würden vorhaben

SUBJONCTIF
PRESENT

ich habe vor
du habest vor
er/sie habe vor
wir haben vor
ihr habet vor
Sie haben vor
sie haben vor

PASSE COMPOSE

ich habe vorgehabt
du habest vorgehabt
er/sie habe vorgehabt
wir haben vorgehabt
ihr habet vorgehabt
Sie haben vorgehabt
sie haben vorgehabt

INFINITIF
PRESENT

vorhaben

PASSE

vorgehabt haben

PARTICIPE
PRESENT

vorhabend

PRETERIT

ich hätte vor
du hättest vor
er/sie hätte vor
wir hätten vor
ihr hättet vor
Sie hätten vor
sie hätten vor

PLUS-QUE-PARFAIT

ich hätte vorgehabt
du hättest vorgehabt
er/sie hätte vorgehabt
wir hätten vorgehabt
ihr hättet vorgehabt
Sie hätten vorgehabt
sie hätten vorgehabt

PASSE

vorgehabt

IMPERATIF

hab(e) vor!
habt vor!
haben Sie vor!
haben wir vor!

FUTUR ANTERIEUR

ich werde vorgehabt haben
du wirst vorgehabt haben *etc.*

PRESENT	**PRETERIT**	**FUTUR**
ich wachse	ich wuchs	ich werde wachsen
du wächst	du wuchsest	du wirst wachsen
er/sie wächst	er/sie wuchs	er/sie wird wachsen
wir wachsen	wir wuchsen	wir werden wachsen
ihr wachst	ihr wuchst	ihr werdet wachsen
Sie wachsen	Sie wuchsen	Sie werden wachsen
sie wachsen	sie wuchsen	sie werden wachsen

PARFAIT	**PLUS-QUE-PARFAIT**	**CONDITIONNEL**
ich bin gewachsen	ich war gewachsen	ich würde wachsen
du bist gewachsen	du warst gewachsen	du würdest wachsen
er/sie ist gewachsen	er/sie war gewachsen	er/sie würde wachsen
wir sind gewachsen	wir waren gewachsen	wir würden wachsen
ihr seid gewachsen	ihr wart gewachsen	ihr würdet wachsen
Sie sind gewachsen	Sie waren gewachsen	Sie würden wachsen
sie sind gewachsen	sie waren gewachsen	sie würden wachsen

SUBJONCTIF

PRESENT	**PASSE COMPOSE**	*INFINITIF* **PRESENT**
ich wachse	ich sei gewachsen	wachsen
du wachsest	du sei(e)st gewachsen	**PASSE**
er/sie wachse	er/sie sei gewachsen	gewachsen sein
wir wachsen	wir seien gewachsen	
ihr wachset	ihr seiet gewachsen	*PARTICIPE*
Sie wachsen	Sie seien gewachsen	**PRESENT**
sie wachsen	sie seien gewachsen	wachsend

PRETERIT	**PLUS-QUE-PARFAIT**	**PASSE**
ich wüchse	ich wäre gewachsen	gewachsen
du wüchsest	du wär(e)st gewachsen	
er/sie wüchse	er/sie wäre gewachsen	*IMPERATIF*
wir wüchsen	wir wären gewachsen	wachs(e)!
ihr wüchset	ihr wär(e)t gewachsen	wachst!
Sie wüchsen	Sie wären gewachsen	wachsen Sie!
sie wüchsen	sie wären gewachsen	wachsen wir!

FUTUR ANTERIEUR

ich werde gewachsen sein
du wirst gewachsen sein *etc.*

N.B. :

(1) lorsqu'il est faible ('cirer') :
ich wachste, ich habe gewachst *etc.*

PRESENT

ich warte
du wartest
er/sie wartet
wir warten
ihr wartet
Sie warten
sie warten

PRETERIT

ich wartete
du wartetest
er/sie wartete
wir warteten
ihr wartetet
Sie warteten
sie warteten

FUTUR

ich werde warten
du wirst warten
er/sie wird warten
wir werden warten
ihr werdet warten
Sie werden warten
sie werden warten

PARFAIT

ich habe gewartet
du hast gewartet
er/sie hat gewartet
wir haben gewartet
ihr habt gewartet
Sie haben gewartet
sie haben gewartet

PLUS-QUE-PARFAIT

ich hatte gewartet
du hattest gewartet
er/sie hatte gewartet
wir hatten gewartet
ihr hattet gewartet
Sie hatten gewartet
sie hatten gewartet

CONDITIONNEL

ich würde warten
du würdest warten
er/sie würde warten
wir würden warten
ihr würdet warten
Sie würden warten
sie würden warten

SUBJONCTIF
PRESENT

ich warte
du wartest
er/sie warte
wir warten
ihr wartet
Sie warten
sie warten

PASSE COMPOSE

ich habe gewartet
du habest gewartet
er/sie habe gewartet
wir haben gewartet
ihr habet gewartet
Sie haben gewartet
sie haben gewartet

INFINITIF
PRESENT

warten

PASSE

gewartet haben

PARTICIPE
PRESENT

wartend

PRETERIT

ich wartete
du wartetest
er/sie wartete
wir warteten
ihr wartetet
Sie warteten
sie warteten

PLUS-QUE-PARFAIT

ich hätte gewartet
du hättest gewartet
er/sie hätte gewartet
wir hätten gewartet
ihr hättet gewartet
Sie hätten gewartet
sie hätten gewartet

PASSE

gewartet

IMPERATIF

warte!
wartet!
warten Sie!
warten wir!

FUTUR ANTERIEUR

ich werde gewartet haben
du wirst gewartet haben *etc.*

188 WASCHEN
laver

PRESENT

ich wasche
du wäschst
er/sie wäscht
wir waschen
ihr wascht
Sie waschen
sie waschen

PRETERIT

ich wusch
du wuschst
er/sie wusch
wir wuschen
ihr wuscht
Sie wuschen
sie wuschen

FUTUR

ich werde waschen
du wirst waschen
er/sie wird waschen
wir werden waschen
ihr werdet waschen
Sie werden waschen
sie werden waschen

PARFAIT

ich habe gewaschen
du hast gewaschen
er/sie hat gewaschen
wir haben gewaschen
ihr habt gewaschen
Sie haben gewaschen
sie haben gewaschen

PLUS-QUE-PARFAIT

ich hatte gewaschen
du hattest gewaschen
er/sie hatte gewaschen
wir hatten gewaschen
ihr hattet gewaschen
Sie hatten gewaschen
sie hatten gewaschen

CONDITIONNEL

ich würde waschen
du würdest waschen
er/sie würde waschen
wir würden waschen
ihr würdet waschen
Sie würden waschen
sie würden waschen

SUBJONCTIF
PRESENT

ich wasche
du waschest
er/sie wasche
wir waschen
ihr waschet
Sie waschen
sie waschen

PASSE COMPOSE

ich habe gewaschen
du habest gewaschen
er/sie habe gewaschen
wir haben gewaschen
ihr habet gewaschen
Sie haben gewaschen
sie haben gewaschen

INFINITIF
PRESENT

waschen

PASSE

gewaschen haben

PARTICIPE
PRESENT

waschend

PRETERIT

ich wüsche
du wüschest
er/sie wüsche
wir wüschen
ihr wüschet
Sie wüschen
sie wüschen

PLUS-QUE-PARFAIT

ich hätte gewaschen
du hättest gewaschen
er/sie hätte gewaschen
wir hätten gewaschen
ihr hättet gewaschen
Sie hätten gewaschen
sie hätten gewaschen

PASSE

gewaschen

IMPERATIF

wasch(e)!
wascht!
waschen Sie!
waschen wir!

FUTUR ANTERIEUR

ich werde gewaschen haben
du wirst gewaschen haben *etc*.

PRESENT

ich webe
du webst
er/sie webt
wir weben
ihr webt
Sie weben
sie weben

PRETERIT

ich wob
du wobst
er/sie wob
wir woben
ihr wobt
Sie woben
sie woben

FUTUR

ich werde weben
du wirst weben
er/sie wird weben
wir werden weben
ihr werdet weben
Sie werden weben
sie werden weben

PARFAIT

ich habe gewoben
du hast gewoben
er/sie hat gewoben
wir haben gewoben
ihr habt gewoben
Sie haben gewoben
sie haben gewoben

PLUS-QUE-PARFAIT

ich hatte gewoben
du hattest gewoben
er/sie hatte gewoben
wir hatten gewoben
ihr hattet gewoben
Sie hatten gewoben
sie hatten gewoben

CONDITIONNEL

ich würde weben
du würdest weben
er/sie würde weben
wir würden weben
ihr würdet weben
Sie würden weben
sie würden weben

SUBJONCTIF
PRESENT

ich webe
du webest
er/sie webe
wir weben
ihr webet
Sie weben
sie weben

PASSE COMPOSE

ich habe gewoben
du habest gewoben
er/sie habe gewoben
wir haben gewoben
ihr habet gewoben
Sie haben gewoben
sie haben gewoben

INFINITIF
PRESENT

weben

PASSE

gewoben haben

PARTICIPE
PRESENT

webend

PRETERIT

ich wöbe
du wöbest
er/sie wöbe
wir wöben
ihr wöbet
Sie wöben
sie wöben

PLUS-QUE-PARFAIT

ich hätte gewoben
du hättest gewoben
er/sie hätte gewoben
wir hätten gewoben
ihr hättet gewoben
Sie hätten gewoben
sie hätten gewoben

PASSE

gewoben

IMPERATIF

web(e)!
webt!
weben Sie!
weben wir!

FUTUR ANTERIEUR

ich werde gewoben haben
du wirst gewoben haben *etc.*

N.B. :

a aussi une conjugaison faible :
ich webte, ich habe gewebt *etc.*

190 WECHSELN
changer

PRESENT

ich wechsle
du wechselst
er/sie wechselt
wir wechseln
ihr wechselt
Sie wechseln
sie wechseln

PRETERIT

ich wechselte
du wechseltest
er/sie wechselte
wir wechselten
ihr wechseltet
Sie wechselten
sie wechselten

FUTUR

ich werde wechseln
du wirst wechseln
er/sie wird wechseln
wir werden wechseln
ihr werdet wechseln
Sie werden wechseln
sie werden wechseln

PARFAIT

ich habe gewechselt
du hast gewechselt
er/sie hat gewechselt
wir haben gewechselt
ihr habt gewechselt
Sie haben gewechselt
sie haben gewechselt

PLUS-QUE-PARFAIT

ich hatte gewechselt
du hattest gewechselt
er/sie hatte gewechselt
wir hatten gewechselt
ihr hattet gewechselt
Sie hatten gewechselt
sie hatten gewechselt

CONDITIONNEL

ich würde wechseln
du würdest wechseln
er/sie würde wechseln
wir würden wechseln
ihr würdet wechseln
Sie würden wechseln
sie würden wechseln

SUBJONCTIF
PRESENT

ich wechsle
du wechslest
er/sie wechsle
wir wechseln
ihr wechslet
Sie wechslen
sie wechslen

PASSE COMPOSE

ich habe gewechselt
du habest gewechselt
er/sie habe gewechselt
wir haben gewechselt
ihr habet gewechselt
Sie haben gewechselt
sie haben gewechselt

INFINITIF
PRESENT

wechseln

PASSE

gewechselt haben

PARTICIPE
PRESENT

wechselnd

PRETERIT

ich wechselte
du wechseltest
er/sie wechselte
wir wechselten
ihr wechseltet
Sie wechselten
sie wechselten

PLUS-QUE-PARFAIT

ich hätte gewechselt
du hättest gewechselt
er/sie hätte gewechselt
wir hätten gewechselt
ihr hättet gewechselt
Sie hätten gewechselt
sie hätten gewechselt

PASSE

gewechselt

IMPERATIF

wechs(e)le!
wechselt!
wechseln Sie!
wechseln wir!

FUTUR ANTERIEUR

ich werde gewechselt haben
du wirst gewechselt haben *etc.*

PRESENT

ich tue mir weh
du tust dir weh
er/sie tut sich weh
wir tun uns weh
ihr tut euch weh
Sie tun sich weh
sie tun sich weh

PRETERIT

ich tat mir weh
du tatest dir weh
er/sie tat sich weh
wir taten uns weh
ihr tatet euch weh
Sie taten sich weh
sie taten sich weh

FUTUR

ich werde mir weh tun
du wirst dir weh tun
er/sie wird sich weh tun
wir werden uns weh tun
ihr werdet euch weh tun
Sie werden sich weh tun
sie werden sich weh tun

PARFAIT

ich habe mir weh getan
du hast dir weh getan
er/sie hat sich weh getan
wir haben uns weh getan
ihr habt euch weh getan
Sie haben sich weh getan
sie haben sich weh getan

PLUS-QUE-PARFAIT

ich hatte mir weh getan
du hattest dir weh getan
er/sie hatte sich weh getan
wir hatten uns weh getan
ihr hattet euch weh getan
Sie hatten sich weh getan
sie hatten sich weh getan

CONDITIONNEL

ich würde mir weh tun
du würdest dir weh tun
er/sie würde sich weh tun
wir würden uns weh tun
ihr würdet euch weh tun
Sie würden sich weh tun
sie würden sich weh tun

SUBJONCTIF
PRESENT

ich tue mir weh
du tuest dir weh
er/sie tue sich weh
wir tuen uns weh
ihr tuet euch weh
Sie tuen sich weh
sie tuen sich weh

PASSE COMPOSE

ich habe mir weh getan
du habest dir weh getan
er/sie habe sich weh getan
wir haben uns weh getan
ihr habet euch weh getan
Sie haben sich weh getan
sie haben sich weh getan

INFINITIF
PRESENT

sich weh tun

PASSE

sich weh getan haben

PARTICIPE
PRESENT

mir/sich *etc.* weh tuend

PRETERIT

ich täte mir weh
du tätest dir weh
er/sie täte sich weh
wir täten uns weh
ihr tätet euch weh
Sie täten sich weh
sie täten sich weh

PLUS-QUE-PARFAIT

ich hätte mir weh getan
du hättest dir weh getan
er/sie hätte sich weh getan
wir hätten uns weh getan
ihr hättet euch weh getan
Sie hätten sich weh getan
sie hätten sich weh getan

IMPERATIF

tu(e) dir weh!
tut euch weh!
tun Sie sich weh!
tun wir uns weh!

FUTUR ANTERIEUR

ich werde mir weh getan haben
du wirst dir weh getan haben *etc*.

PRESENT	**PRETERIT**	**FUTUR**
ich weiche	ich wich	ich werde weichen
du weichest	du wichst	du wirst weichen
er/sie weicht	er/sie wich	er/sie wird weichen
wir weichen	wir wichen	wir werden weichen
ihr weicht	ihr wicht	ihr werdet weichen
Sie weichen	Sie wichen	Sie werden weichen
sie weichen	sie wichen	sie werden weichen

PARFAIT	**PLUS-QUE-PARFAIT**	**CONDITIONNEL**
ich bin gewichen	ich war gewichen	ich würde weichen
du bist gewichen	du warst gewichen	du würdest weichen
er/sie ist gewichen	er/sie war gewichen	er/sie würde weichen
wir sind gewichen	wir waren gewichen	wir würden weichen
ihr seid gewichen	ihr wart gewichen	ihr würdet weichen
Sie sind gewichen	Sie waren gewichen	Sie würden weichen
sie sind gewichen	sie waren gewichen	sie würden weichen

SUBJONCTIF

PRESENT	**PASSE COMPOSE**
ich weiche	ich sei gewichen
du weichest	du sei(e)st gewichen
er/sie weiche	er/sie sei gewichen
wir weichen	wir seien gewichen
ihr weichet	ihr seiet gewichen
Sie weichen	Sie seien gewichen
sie weichen	sie seien gewichen

PRETERIT	**PLUS-QUE-PARFAIT**
ich wiche	ich wäre gewichen
du wichest	du wär(e)st gewichen
er/sie wiche	er/sie wäre gewichen
wir wichen	wir wären gewichen
ihr wichet	ihr wär(e)t gewichen
Sie wichen	Sie wären gewichen
sie wichen	sie wären gewichen

INFINITIF

PRESENT
weichen

PASSE
gewichen sein

PARTICIPE

PRESENT
weichend

PASSE
gewichen

IMPERATIF

weich(e)!
weicht!
weichen Sie!
weichen wir!

FUTUR ANTERIEUR

ich werde gewichen sein
du wirst gewichen sein *etc.*

N.B. :

(1) lorsqu'il est faible ('ramollir') :
ich weichte, ich habe geweicht *etc.*

PRESENT

ich weise
du weist
er/sie weist
wir weisen
ihr weist
Sie weisen
sie weisen

PRETERIT

ich wies
du wiest
er/sie wies
wir wiesen
ihr wiest
Sie wiesen
sie wiesen

FUTUR

ich werde weisen
du wirst weisen
er/sie wird weisen
wir werden weisen
ihr werdet weisen
Sie werden weisen
sie werden weisen

PARFAIT

ich habe gewiesen
du hast gewiesen
er/sie hat gewiesen
wir haben gewiesen
ihr habt gewiesen
Sie haben gewiesen
sie haben gewiesen

PLUS-QUE-PARFAIT

ich hatte gewiesen
du hattest gewiesen
er/sie hatte gewiesen
wir hatten gewiesen
ihr hattet gewiesen
Sie hatten gewiesen
sie hatten gewiesen

CONDITIONNEL

ich würde weisen
du würdest weisen
er/sie würde weisen
wir würden weisen
ihr würdet weisen
Sie würden weisen
sie würden weisen

SUBJONCTIF
PRESENT

ich weise
du weisest
er/sie weise
wir weisen
ihr weiset
Sie weisen
sie weisen

PASSE COMPOSE

ich habe gewiesen
du habest gewiesen
er/sie habe gewiesen
wir haben gewiesen
ihr habet gewiesen
Sie haben gewiesen
sie haben gewiesen

INFINITIF
PRESENT

weisen

PASSE

gewiesen haben

PRETERIT

ich wiese
du wiesest
er/sie wiese
wir wiesen
ihr wieset
Sie wiesen
sie wiesen

PLUS-QUE-PARFAIT

ich hätte gewiesen
du hättest gewiesen
er/sie hätte gewiesen
wir hätten gewiesen
ihr hättet gewiesen
Sie hätten gewiesen
sie hätten gewiesen

PARTICIPE
PRESENT

weisend

PASSE

gewiesen

IMPERATIF

weis(e)!
weist!
weisen Sie!
weisen wir!

FUTUR ANTERIEUR

ich werde gewiesen haben
du wirst gewiesen haben *etc.*

194 WENDEN
tourner

PRESENT

ich wende
du wendest
er/sie wendet
wir wenden
ihr wendet
Sie wenden
sie wenden

PRETERIT

ich wandte
du wandtest
er/sie wandte
wir wandten
ihr wandtet
Sie wandten
sie wandten

FUTUR

ich werde wenden
du wirst wenden
er/sie wird wenden
wir werden wenden
ihr werdet wenden
Sie werden wenden
sie werden wenden

PARFAIT

ich habe gewandt
du hast gewandt
er/sie hat gewandt
wir haben gewandt
ihr habt gewandt
Sie haben gewandt
sie haben gewandt

PLUS-QUE-PARFAIT

ich hatte gewandt
du hattest gewandt
er/sie hatte gewandt
wir hatten gewandt
ihr hattet gewandt
Sie hatten gewandt
sie hatten gewandt

CONDITIONNEL

ich würde wenden
du würdest wenden
er/sie würde wenden
wir würden wenden
ihr würdet wenden
Sie würden wenden
sie würden wenden

SUBJONCTIF
PRESENT

ich wende
du wendest
er/sie wende
wir wenden
ihr wendet
Sie wenden
sie wenden

PASSE COMPOSE

ich habe gewandt
du habest gewandt
er/sie habe gewandt
wir haben gewandt
ihr habet gewandt
Sie haben gewandt
sie haben gewandt

INFINITIF
PRESENT

wenden

PASSE

gewandt haben

PRETERIT

ich wendete
du wendetest
er/sie wendete
wir wendeten
ihr wendetet
Sie wendeten
sie wendeten

PLUS-QUE-PARFAIT

ich hätte gewandt
du hättest gewandt
er/sie hätte gewandt
wir hätten gewandt
ihr hättet gewandt
Sie hätten gewandt
sie hätten gewandt

PARTICIPE
PRESENT

wendend

PASSE

gewandt

IMPERATIF

wend(e)!
wendet!
wenden Sie!
wenden wir!

FUTUR ANTERIEUR

ich werde gewandt haben
du wirst gewandt haben *etc.*

N.B. :

a aussi une conjugaison faible :
ich wendete, ich habe gewendet *etc.*

PRESENT

ich werbe
du wirbst
er/sie wirbt
wir werben
ihr werbt
Sie werben
sie werben

PRETERIT

ich warb
du warbst
er/sie warb
wir warben
ihr warbt
Sie warben
sie warben

FUTUR

ich werde werben
du wirst werben
er/sie wird werben
wir werden werben
ihr werdet werben
Sie werden werben
sie werden werben

PARFAIT

ich habe geworben
du hast geworben
er/sie hat geworben
wir haben geworben
ihr habt geworben
Sie haben geworben
sie haben geworben

PLUS-QUE-PARFAIT

ich hatte geworben
du hattest geworben
er/sie hatte geworben
wir hatten geworben
ihr hattet geworben
Sie hatten geworben
sie hatten geworben

CONDITIONNEL

ich würde werben
du würdest werben
er/sie würde werben
wir würden werben
ihr würdet werben
Sie würden werben
sie würden werben

SUBJONCTIF
PRESENT

ich werbe
du werbest
er/sie werbe
wir werben
ihr werbet
Sie werben
sie werben

PASSE COMPOSE

ich habe geworben
du habest geworben
er/sie habe geworben
wir haben geworben
ihr habet geworben
Sie haben geworben
sie haben geworben

INFINITIF
PRESENT

werben

PASSE

geworben haben

PARTICIPE
PRESENT

werbend

PRETERIT

ich würbe
du würbest
er/sie würbe
wir würben
ihr würbet
Sie würben
sie würben

PLUS-QUE-PARFAIT

ich hätte geworben
du hättest geworben
er/sie hätte geworben
wir hätten geworben
ihr hättet geworben
Sie hätten geworben
sie hätten geworben

PASSE

geworben

IMPERATIF

wirb!
werbt!
werben Sie!
werben wir!

FUTUR ANTERIEUR

ich werde geworben haben
du wirst geworben haben *etc.*

PRESENT	**PRETERIT**	**FUTUR**
ich werde	ich wurde	ich werde werden
du wirst	du wurdest	du wirst werden
er/sie wird	er/sie wurde	er/sie wird werden
wir werden	wir wurden	wir werden werden
ihr werdet	ihr wurdet	ihr werdet werden
Sie werden	Sie wurden	Sie werden werden
sie werden	sie wurden	sie werden werden

PARFAIT (1)	**PLUS-QUE-PARFAIT** (2)	**CONDITIONNEL**
ich bin geworden	ich war geworden	ich würde werden
du bist geworden	du warst geworden	du würdest werden
er/sie ist geworden	er/sie war geworden	er/sie würde werden
wir sind geworden	wir waren geworden	wir würden werden
ihr seid geworden	ihr wart geworden	ihr würdet werden
Sie sind geworden	Sie waren geworden	Sie würden werden
sie sind geworden	sie waren geworden	sie würden werden

SUBJONCTIF

PRESENT	**PASSE COMPOSE** (3)
ich werde	ich sei geworden
du werdest	du sei(e)st geworden
er/sie werde	er/sie sei geworden
wir werden	wir seien geworden
ihr werdet	ihr seiet geworden
Sie werden	Sie seien geworden
sie werden	sie seien geworden

INFINITIF

PRESENT

werden

PASSE (6)

geworden sein

PARTICIPE

PRESENT

werdend

PRETERIT	**PLUS-QUE-PARFAIT** (4)
ich würde	ich wäre geworden
du würdest	du wär(e)st geworden
er/sie würde	er/sie wäre geworden
wir würden	wir wären geworden
ihr würdet	ihr wär(e)t geworden
Sie würden	Sie wären geworden
sie würden	sie wären geworden

PASSE

geworden

IMPERATIF

werde!
werdet!
werden Sie!
werden wir!

FUTUR ANTERIEUR (5) **N.B. :**

ich werde geworden
sein
du wirst geworden
sein *etc.*

lorsqu'il est précédé d'un participe passé à la voix passive : (1) ich bin . . . worden *etc. (2)* ich war . . . worden *etc. (3)* ich sei . . . worden *etc. (4)* ich wäre . . . worden *etc. (5)* ich werde . . . worden sein *etc. (6) . . .* worden sein

PRESENT

ich werfe
du wirfst
er/sie wirft
wir werfen
ihr werft
Sie werfen
sie werfen

PRETERIT

ich warf
du warfst
er/sie warf
wir warfen
ihr warft
Sie warfen
sie warfen

FUTUR

ich werde werfen
du wirst werfen
er/sie wird werfen
wir werden werfen
ihr werdet werfen
Sie werden werfen
sie werden werfen

PARFAIT

ich habe geworfen
du hast geworfen
er/sie hat geworfen
wir haben geworfen
ihr habt geworfen
Sie haben geworfen
sie haben geworfen

PLUS-QUE-PARFAIT

ich hatte geworfen
du hattest geworfen
er/sie hatte geworfen
wir hatten geworfen
ihr hattet geworfen
Sie hatten geworfen
sie hatten geworfen

CONDITIONNEL

ich würde werfen
du würdest werfen
er/sie würde werfen
wir würden werfen
ihr würdet werfen
Sie würden werfen
sie würden werfen

SUBJONCTIF
PRESENT

ich werfe
du werfest
er/sie werfe
wir werfen
ihr werfet
Sie werfen
sie werfen

PASSE COMPOSE

ich habe geworfen
du habest geworfen
er/sie habe geworfen
wir haben geworfen
ihr habet geworfen
Sie haben geworfen
sie haben geworfen

INFINITIF
PRESENT

werfen

PASSE

geworfen haben

PARTICIPE
PRESENT

werfend

PRETERIT

ich würfe
du würfest
er/sie würfe
wir würfen
ihr würfet
Sie würfen
sie würfen

PLUS-QUE-PARFAIT

ich hätte geworfen
du hättest geworfen
er/sie hätte geworfen
wir hätten geworfen
ihr hättet geworfen
Sie hätten geworfen
sie hätten geworfen

PASSE

geworfen

IMPERATIF

wirf!
werft!
werfen Sie!
werfen wir!

FUTUR ANTERIEUR

ich werde geworfen haben
du wirst geworfen haben *etc.*

WIDMEN
dédier, consacrer

PRESENT

ich widme
du widmest
er/sie widmet
wir widmen
ihr widmet
Sie widmen
sie widmen

PRETERIT

ich widmete
du widmetest
er/sie widmete
wir widmeten
ihr widmetet
Sie widmeten
sie widmeten

FUTUR

ich werde widmen
du wirst widmen
er/sie wird widmen
wir werden widmen
ihr werdet widmen
Sie werden widmen
sie werden widmen

PARFAIT

ich habe gewidmet
du hast gewidmet
er/sie hat gewidmet
wir haben gewidmet
ihr habt gewidmet
Sie haben gewidmet
sie haben gewidmet

PLUS-QUE-PARFAIT

ich hatte gewidmet
du hattest gewidmet
er/sie hatte gewidmet
wir hatten gewidmet
ihr hattet gewidmet
Sie hatten gewidmet
sie hatten gewidmet

CONDITIONNEL

ich würde widmen
du würdest widmen
er/sie würde widmen
wir würden widmen
ihr würdet widmen
Sie würden widmen
sie würden widmen

SUBJONCTIF
PRESENT

ich widme
du widmest
er/sie widme
wir widmen
ihr widmet
Sie widmen
sie widmen

PASSE COMPOSE

ich habe gewidmet
du habest gewidmet
er/sie habe gewidmet
wir haben gewidmet
ihr habet gewidmet
Sie haben gewidmet
sie haben gewidmet

INFINITIF
PRESENT

widmen

PASSE

gewidmet haben

PARTICIPE
PRESENT

widmend

PRETERIT

ich widmete
du widmetest
er/sie widmete
wir widmeten
ihr widmetet
Sie widmeten
sie widmeten

PLUS-QUE-PARFAIT

ich hätte gewidmet
du hättest gewidmet
er/sie hätte gewidmet
wir hätten gewidmet
ihr hättet gewidmet
Sie hätten gewidmet
sie hätten gewidmet

PASSE

gewidmet

IMPERATIF

widme!
widmet!
widmen Sie!
widmen wir!

FUTUR ANTERIEUR

ich werde gewidmet haben
du wirst gewidmet haben *etc.*

PRESENT

ich wiege
du wiegst
er/sie wiegt
wir wiegen
ihr wiegt
Sie wiegen
sie wiegen

PRETERIT

ich wog
du wogst
er/sie wog
wir wogen
ihr wogt
Sie wogen
sie wogen

FUTUR

ich werde wiegen
du wirst wiegen
er/sie wird wiegen
wir werden wiegen
ihr werdet wiegen
Sie werden wiegen
sie werden wiegen

PARFAIT

ich habe gewogen
du hast gewogen
er/sie hat gewogen
wir haben gewogen
ihr habt gewogen
Sie haben gewogen
sie haben gewogen

PLUS-QUE-PARFAIT

ich hatte gewogen
du hattest gewogen
er/sie hatte gewogen
wir hatten gewogen
ihr hattet gewogen
Sie hatten gewogen
sie hatten gewogen

CONDITIONNEL

ich würde wiegen
du würdest wiegen
er/sie würde wiegen
wir würden wiegen
ihr würdet wiegen
Sie würden wiegen
sie würden wiegen

SUBJONCTIF

PRESENT

ich wiege
du wiegest
er/sie wiege
wir wiegen
ihr wieget
Sie wiegen
sie wiegen

PASSE COMPOSE

ich habe gewogen
du habest gewogen
er/sie habe gewogen
wir haben gewogen
ihr habet gewogen
Sie haben gewogen
sie haben gewogen

INFINITIF

PRESENT

wiegen

PASSE

gewogen haben

PRETERIT

ich wöge
du wögest
er/sie wöge
wir wögen
ihr wöget
Sie wögen
sie wögen

PLUS-QUE-PARFAIT

ich hätte gewogen
du hättest gewogen
er/sie hätte gewogen
wir hätten gewogen
ihr hättet gewogen
Sie hätten gewogen
sie hätten gewogen

PARTICIPE

PRESENT

wiegend

PASSE

gewogen

IMPERATIF

wieg(e)!
wiegt!
wiegen Sie!
wiegen wir!

FUTUR ANTERIEUR

ich werde gewogen haben
du wirst gewogen haben *etc*.

N.B. :

(1) lorsqu'il est faible ('bercer, balancer') : ich wiegte, ich habe gewiegt *etc*.

200 WINDEN
tordre, tortiller

PRESENT

ich winde
du windest
er/sie windet
wir winden
ihr windet
Sie winden
sie winden

PRETERIT

ich wand
du wandest
er/sie wand
wir wanden
ihr wandet
Sie wanden
sie wanden

FUTUR

ich werde winden
du wirst winden
er/sie wird winden
wir werden winden
ihr werdet winden
Sie werden winden
sie werden winden

PARFAIT

ich habe gewunden
du hast gewunden
er/sie hat gewunden
wir haben gewunden
ihr habt gewunden
Sie haben gewunden
sie haben gewunden

PLUS-QUE-PARFAIT

ich hatte gewunden
du hattest gewunden
er/sie hatte gewunden
wir hatten gewunden
ihr hattet gewunden
Sie hatten gewunden
sie hatten gewunden

CONDITIONNEL

ich würde winden
du würdest winden
er/sie würde winden
wir würden winden
ihr würdet winden
Sie würden winden
sie würden winden

SUBJONCTIF
PRESENT

ich winde
du windest
er/sie winde
wir winden
ihr windet
Sie winden
sie winden

PASSE COMPOSE

ich habe gewunden
du habest gewunden
er/sie habe gewunden
wir haben gewunden
ihr habet gewunden
Sie haben gewunden
sie haben gewunden

INFINITIF
PRESENT

winden

PASSE

gewunden haben

PRETERIT

ich wände
du wändest
er/sie wände
wir wänden
ihr wändet
Sie wänden
sie wänden

PLUS-QUE-PARFAIT

ich hätte gewunden
du hättest gewunden
er/sie hätte gewunden
wir hätten gewunden
ihr hättet gewunden
Sie hätten gewunden
sie hätten gewunden

PARTICIPE
PRESENT

windend

PASSE

gewunden

IMPERATIF

wind(e)!
windet!
winden Sie!
winden wir!

FUTUR ANTERIEUR

ich werde gewunden haben
du wirst gewunden haben *etc.*

PRESENT

ich weiß
du weißt
er/sie weiß
wir wissen
ihr wißt
Sie wissen
sie wissen

PRETERIT

ich wußte
du wußtest
er/sie wußte
wir wußten
ihr wußtet
Sie wußten
sie wußten

FUTUR

ich werde wissen
du wirst wissen
er/sie wird wissen
wir werden wissen
ihr werdet wissen
Sie werden wissen
sie werden wissen

PARFAIT

ich habe gewußt
du hast gewußt
er/sie hat gewußt
wir haben gewußt
ihr habt gewußt
Sie haben gewußt
sie haben gewußt

PLUS-QUE-PARFAIT

ich hatte gewußt
du hattest gewußt
cr/sic hatte gewußt
wir hatten gewußt
ihr hattet gewußt
Sie hatten gewußt
sie hatten gewußt

CONDITIONNEL

ich würde wissen
du würdest wissen
er/sie würde wissen
wir würden wissen
ihr würdet wissen
Sie würden wissen
sie würden wissen

SUBJONCTIF

PRESENT

ich wisse
du wissest
er/sie wisse
wir wissen
ihr wisset
Sie wissen
sie wissen

PASSE COMPOSE

ich habe gewußt
du habest gewußt
er/sie habe gewußt
wir haben gewußt
ihr habet gewußt
Sie haben gewußt
sie haben gewußt

INFINITIF

PRESENT

wissen

PASSE

gewußt haben

PARTICIPE

PRESENT

wissend

PRETERIT

ich wüßte
du wüßtest
er/sie wüßte
wir wüßten
ihr wüßtet
Sie wüßten
sie wüßten

PLUS-QUE-PARFAIT

ich hätte gewußt
du hättest gewußt
er/sie hätte gewußt
wir hätten gewußt
ihr hättet gewußt
Sie hätten gewußt
sie hätten gewußt

PASSE

gewußt

IMPERATIF

wiss(e)!
wißt!, wisset!
wissen Sie!
wissen wir!

PRESENT

ich will
du willst
er/sie will
wir wollen
ihr wollt
Sie wollen
sie wollen

PRETERIT

ich wollte
du wolltest
er/sie wollte
wir wollten
ihr wolltet
Sie wollten
sie wollten

FUTUR

ich werde wollen
du wirst wollen
er/sie wird wollen
wir werden wollen
ihr werdet wollen
Sie werden wollen
sie werden wollen

PARFAIT (1)

ich habe gewollt
du hast gewollt
er/sie hat gewollt
wir haben gewollt
ihr habt gewollt
Sie haben gewollt
sie haben gewollt

PLUS-QUE-PARFAIT (2)

ich hatte gewollt
du hattest gewollt
er/sie hatte gewollt
wir hatten gewollt
ihr hattet gewollt
Sie hatten gewollt
sie hatten gewollt

CONDITIONNEL

ich würde wollen
du würdest wollen
er/sie würde wollen
wir würden wollen
ihr würdet wollen
Sie würden wollen
sie würden wollen

SUBJONCTIF
PRESENT

ich wolle
du wollest
er/sie wolle
wir wollen
ihr wollet
Sie wollen
sie wollen

PASSE COMPOSE (1)

ich habe gewollt
du habest gewollt
er/sie habe gewollt
wir haben gewollt
ihr habet gewollt
Sie haben gewollt
sie haben gewollt

INFINITIF
PRESENT

wollen

PASSE

gewollt haben

PARTICIPE
PRESENT

wollend

PRETERIT

ich wollte
du wolltest
er/sie wollte
wir wollten
ihr wolltet
Sie wollten
sie wollten

PLUS-QUE-PARFAIT (3)

ich hätte gewollt
du hättest gewollt
er/sie hätte gewollt
wir hätten gewollt
ihr hättet gewollt
Sie hätten gewollt
sie hätten gewollt

PASSE

gewollt

IMPERATIF

woll(e)!
wollt!
wollen Sie!
wollen wir!

N.B. :

lorsqu'il est précédé d'un infinitif :
(1) ich habe . . . wollen *etc.*
(2) ich hatte . . . wollen *etc.*
(3) ich hätte . . . wollen *etc.*

PRESENT

ich wringe
du wringst
er/sie wringt
wir wringen
ihr wringt
Sie wringen
sie wringen

PRETERIT

ich wrang
du wrangst
er/sie wrang
wir wrangen
ihr wrangt
Sie wrangen
sie wrangen

FUTUR

ich werde wringen
du wirst wringen
er/sie wird wringen
wir werden wringen
ihr werdet wringen
Sie werden wringen
sie werden wringen

PARFAIT

ich habe gewrungen
du hast gewrungen
er/sie hat gewrungen
wir haben gewrungen
ihr habt gewrungen
Sie haben gewrungen
sie haben gewrungen

PLUS-QUE-PARFAIT

ich hatte gewrungen
du hattest gewrungen
er/sie hatte gewrungen
wir hatten gewrungen
ihr hattet gewrungen
Sie hatten gewrungen
sie hatten gewrungen

CONDITIONNEL

ich würde wringen
du würdest wringen
cr/sic würde wringen
wir würden wringen
ihr würdet wringen
Sie würden wringen
sie würden wringen

SUBJONCTIF
PRESENT

ich wringe
du wringest
er/sie wringe
wir wringen
ihr wringet
Sie wringen
sie wringen

PASSE COMPOSE

ich habe gewrungen
du habest gewrungen
er/sie habe gewrungen
wir haben gewrungen
ihr habet gewrungen
Sie haben gewrungen
sie haben gewrungen

INFINITIF
PRESENT

wringen

PASSE

gewrungen haben

PARTICIPE
PRESENT

wringend

PRETERIT

ich wränge
du wrängest
er/sie wränge
wir wrängen
ihr wränget
Sie wrängen
sie wrängen

PLUS-QUE-PARFAIT

ich hättc gewrungen
du hättest gewrungen
er/sie hätte gewrungen
wir hätten gewrungen
ihr hättet gewrungen
Sie hätten gewrungen
sie hätten gewrungen

PASSE

gewrungen

IMPERATIF

wring(e)!
wringt!
wringen Sie!
wringen wir!

FUTUR ANTERIEUR

ich werde gewrungen haben
du wirst gewrungen haben *etc.*

204 SICH WÜNSCHEN
souhaiter

PRESENT

ich wünsche mir
du wünschst dir
er/sie wünscht sich
wir wünschen uns
ihr wünscht euch
Sie wünschen sich
sie wünschen sich

PRETERIT

ich wünschte mir
du wünschtest dir
er/sie wünschte sich
wir wünschten uns
ihr wünschtet euch
Sie wünschten sich
sie wünschten sich

FUTUR

ich werde mir wünschen
du wirst dir wünschen
er/sie wird sich wünschen
wir werden uns wünschen
ihr werdet euch wünschen
Sie werden sich wünschen
sie werden sich wünschen

PARFAIT

ich habe mir gewünscht
du hast dir gewünscht
er/sie hat sich gewünscht
wir haben uns gewünscht
ihr habt euch gewünscht
Sie haben sich gewünscht
sie haben sich gewünscht

PLUS-QUE-PARFAIT

ich hatte mir gewünscht
du hattest dir gewünscht
er/sie hatte sich gewünscht
wir hatten uns gewünscht
ihr hattet euch gewünscht
Sie hatten sich gewünscht
sie hatten sich gewünscht

CONDITIONNEL

ich würde mir wünschen
du würdest dir wünschen
er/sie würde sich wünschen
wir würden uns wünschen
ihr würdet euch wünschen
Sie würden sich wünschen
sie würden sich wünschen

SUBJONCTIF
PRESENT

ich wünsche mir
du wünschest dir
er/sie wünsche sich
wir wünschen uns
ihr wünschet euch
Sie wünschen sich
sie wünschen sich

PASSE COMPOSE

ich habe mir gewünscht
du habest dir gewünscht
er/sie habe sich gewünscht
wir haben uns gewünscht
ihr habet euch gewünscht
Sie haben sich gewünscht
sie haben sich gewünscht

INFINITIF
PRESENT

sich wünschen

PASSE

sich gewünscht haben

PARTICIPE
PRESENT

mir/sich *etc.* wünschend

PRETERIT

ich wünschte mir
du wünschtest dir
er/sie wünschte sich
wir wünschten uns
ihr wünschtet euch
Sie wünschten sich
sie wünschte sich

PLUS-QUE-PARFAIT

ich hätte mir gewünscht
du hättest dir gewünscht
er/sie hätte sich gewünscht
wir hätten uns gewünscht
ihr hättet euch gewünscht
Sie hätten sich gewünscht
sie hätten sich gewünscht

IMPERATIF

wünsch(e) dir!
wünscht euch!
wünschen Sie sich!
wünschen wir uns!

FUTUR ANTERIEUR

ich werde mir gewünscht haben
du wirst dir gewünscht haben *etc.*

PRESENT

ich ziehe
du ziehst
er/sie zieht
wir ziehen
ihr zieht
Sie ziehen
sie ziehen

PRETERIT

ich zog
du zogst
er/sie zog
wir zogen
ihr zogt
Sie zogen
sie zogen

FUTUR

ich werde ziehen
du wirst ziehen
er/sie wird ziehen
wir werden ziehen
ihr werdet ziehen
Sie werden ziehen
sie werden ziehen

PARFAIT *(1)*

ich habe gezogen
du hast gezogen
er/sie hat gezogen
wir haben gezogen
ihr habt gezogen
Sie haben gezogen
sie haben gezogen

PLUS-QUE-PARFAIT *(2)*

ich hatte gezogen
du hattest gezogen
er/sie hatte gezogen
wir hatten gezogen
ihr hattet gezogen
Sie hatten gezogen
sie hatten gezogen

CONDITIONNEL

ich würde ziehen
du würdest ziehen
er/sie würde ziehen
wir würden ziehen
ihr würdet ziehen
Sie würden ziehen
sie würden ziehen

SUBJONCTIF
PRESENT

ich ziehe
du ziehest
er/sie ziehe
wir ziehen
ihr ziehet
Sie ziehen
sie ziehen

PASSE COMPOSE *(3)*

ich habe gezogen
du habest gezogen
er/sie habe gezogen
wir haben gezogen
ihr habet gezogen
Sie haben gezogen
sie haben gezogen

INFINITIF
PRESENT

ziehen

PASSE *(6)*

gezogen haben

PARTICIPE
PRESENT

ziehend

PRETERIT

ich zöge
du zögest
er/sie zöge
wir zögen
ihr zöget
Sie zögen
sie zögen

PLUS-QUE-PARFAIT *(4)*

ich hätte gezogen
du hättest gezogen
er/sie hätte gezogen
wir hätten gezogen
ihr hättet gezogen
Sie hätten gezogen
sie hätten gezogen

PASSE

gezogen

IMPERATIF

zieh(e)!
zieht!
ziehen Sie!
ziehen wir!

FUTUR ANTERIEUR *(5)*

ich werde gezogen
haben
du wirst gezogen
haben *etc.*

N.B. :

lorsqu'il est intransitif ('se déplacer') :
(1) ich bin gezogen *etc. (2)* ich war gezogen
etc. (3) ich sei gezogen *etc. (4)* ich wäre
gezogen *etc. (5)* ich werde gezogen sein *etc.*
(6) gezogen sein

206 ZUMACHEN
fermer

PRESENT

ich mache zu
du machst zu
er/sie macht zu
wir machen zu
ihr macht zu
Sie machen zu
sie machen zu

PRETERIT

ich machte zu
du machtest zu
er/sie machte zu
wir machten zu
ihr machtet zu
Sie machten zu
sie machten zu

FUTUR

ich werde zumachen
du wirst zumachen
er/sie wird zumachen
wir werden zumachen
ihr werdet zumachen
Sie werden zumachen
sie werden zumachen

PARFAIT

ich habe zugemacht
du hast zugemacht
er/sie hat zugemacht
wir haben zugemacht
ihr habt zugemacht
Sie haben zugemacht
sie haben zugemacht

PLUS-QUE-PARFAIT

ich hatte zugemacht
du hattest zugemacht
er/sie hatte zugemacht
wir hatten zugemacht
ihr hattet zugemacht
Sie hatten zugemacht
sie hatten zugemacht

CONDITIONNEL

ich würde zumachen
du würdest zumachen
er/sie würde zumachen
wir würden zumachen
ihr würdet zumachen
Sie würden zumachen
sie würden zumachen

SUBJONCTIF
PRESENT

ich mache zu
du machest zu
er/sie mache zu
wir machen zu
ihr machet zu
Sie machen zu
sie machen zu

PASSE COMPOSE

ich habe zugemacht
du habest zugemacht
er/sie habe zugemacht
wir haben zugemacht
ihr habet zugemacht
Sie haben zugemacht
sie haben zugemacht

INFINITIF
PRESENT

zumachen

PASSE

zugemacht haben

PARTICIPE
PRESENT

zumachend

PRETERIT

ich machte zu
du machtest zu
er/sie machte zu
wir machten zu
ihr machtet zu
Sie machten zu
sie machten zu

PLUS-QUE-PARFAIT

ich hätte zugemacht
du hättest zugemacht
er/sie hätte zugemacht
wir hätten zugemacht
ihr hättet zugemacht
Sie hätten zugemacht
sie hätten zugemacht

PASSE

zugemacht

IMPERATIF

mach(e) zu!
macht zu!
machen Sie zu!
machen wir zu!

FUTUR ANTERIEUR

ich werde zugemacht haben
du wirst zugemacht haben *etc*.

PRESENT	PRETERIT	FUTUR
ich zwinge	ich zwang	ich werde zwingen
du zwingst	du zwangst	du wirst zwingen
er/sie zwingt	er/sie zwang	er/sie wird zwingen
wir zwingen	wir zwangen	wir werden zwingen
ihr zwingt	ihr zwangt	ihr werdet zwingen
Sie zwingen	Sie zwangen	Sie werden zwingen
sie zwingen	sie zwangen	sie werden zwingen

PARFAIT	PLUS-QUE-PARFAIT	CONDITIONNEL
ich habe gezwungen	ich hatte gezwungen	ich würde zwingen
du hast gezwungen	du hattest gezwungen	du würdest zwingen
er/sie hat gezwungen	er/sie hatte gezwungen	er/sie würde zwingen
wir haben gezwungen	wir hatten gezwungen	wir würden zwingen
ihr habt gezwungen	ihr hattet gezwungen	ihr würdet zwingen
Sie haben gezwungen	Sie hatten gezwungen	Sie würden zwingen
sie haben gezwungen	sie hatten gezwungen	sie würden zwingen

SUBJONCTIF

PRESENT	PASSE COMPOSE
ich zwinge	ich habe gezwungen
du zwingest	du habest gezwungen
er/sie zwinge	er/sie habe gezwungen
wir zwingen	wir haben gezwungen
ihr zwinget	ihr habet gezwungen
Sie zwingen	Sie haben gezwungen
sie zwingen	sie haben gezwungen

PRETERIT	PLUS-QUE-PARFAIT
ich zwänge	ich hätte gezwungen
du zwängest	du hättest gezwungen
er/sie zwänge	er/sie hätte gezwungen
wir zwängen	wir hätten gezwungen
ihr zwänget	ihr hättet gezwungen
Sie zwängen	Sie hätten gezwungen
sie zwängen	sie hätten gezwungen

INFINITIF

PRESENT
zwingen

PASSE
gezwungen haben

PARTICIPE

PRESENT
zwingend

PASSE
gezwungen

IMPERATIF

zwing(e)!
zwingt!
zwingen Sie!
zwingen wir!

FUTUR ANTERIEUR

ich werde gezwungen haben
du wirst gezwungen haben *etc.*

Index

Les verbes dont on a donné toute la conjugaison dans les tableaux précédents peuvent être utilisés comme modèles pour la conjugaison d'autres verbes allemands que vous trouverez dans cet index. Le chiffre placé à côté du verbe est le numéro du *tableau de conjugaison* auquel il se réfère.

Cet index comporte aussi les formes des verbes irréguliers. Chacune d'elles est suivie de son infinitif.

On se réfère à un verbe modèle pour tous les verbes de cet index à chaque fois que cela est possible. Ainsi un verbe faible aura pour modèle un verbe faible, un verbe fort aura pour modèle un verbe fort, un verbe à particule séparable aura pour modèle un autre verbe à particule séparable *etc.*

Les verbes en **caractères gras** sont les verbes donnés comme modèle.

Un '+' après un préfixe indique que le verbe est un verbe à particule séparable.

(+ *dat*) indique que le verbe est suivi d'un complément d'objet au datif.

Un deuxième chiffre entre parenthèses fait référence à un modèle de verbe réfléchi.

Un astérisque entre parenthèses (*) indique que le verbe, à la différence du modèle de verbe auquel il se réfère, n'a pas de participe passé en 'ge-'.

Un 's' ou un 'h' entre parenthèses indique que le verbe, à la différence du modèle de verbe auquel il se réfère, se conjugue respectivement avec l'auxiliaire 'sein' ou 'haben' pour les temps composés.

INDEX

INDEX

INDEX

La Réforme de l'Orthographe Allemande

Une commission inter-gouvernementale constituée de représentants de l'Allemagne, de l'Autriche et de la Suisse a été réunie dans le but de simplifier l'orthographe allemande. Le résultat de ses délibérations est une série de réformes qui seront progressivement incorporées à la langue écrite à partir du 1er août 1998. Jusqu'à l'an 2005, les deux orthographes – l'ancienne et la nouvelle – seront acceptées.

1 Les mots s'écrivent comme ils se prononcent

Le principe de la racine s'est généralisé, qui consiste à rendre les mots à leur famille d'origine et à faire en sorte que les incohérences de graphie entre les mots d'une même famille soient supprimées : ainsi, la règle qui prévaut désormais est que tous les mots d'une même famille s'écrivent comme le mot-racine dont ils dérivent.

Du fait de cette règle, l'emploi du "Umlaut" s'impose dans certains cas. Ainsi, le [ɛ] bref s'écrit ä au lieu de e quand la forme de base prend déjà un a (mais e lorsque la forme de base s'écrit avec un e). Sur le même modèle, la diphtongue [ɔy] s'écrit äu au lieu de eu lorsque la forme de base est au.

ANCIENNE GRAPHIE	NOUVELLE GRAPHIE
aufwendig	aufw**ä**ndig *ou* aufwendig (*à cause de* Aufwand *et de* aufwenden)
schneuzen	schn**ä**uzen (*à cause de* Schnauze)
Stengel	St**ä**ngel (à cause de Stange)

L'observation du principe de la racine entraîne également le redoublement des consonnes après une voyelle brève lorsque tous les mots de la même famille affichent déjà un doublement de consonnes.

ANCIENNE GRAPHIE	NOUVELLE GRAPHIE
As	A**ss** (*à cause de* Asse)
Karamel	Karame**ll** (*à cause de* Karamelle)
numerieren	nu**mm**erieren (*à cause de* Nummer)

Afin d'unifier l'orthographe, il a été décidé que le *ß* subsisterait uniquement après une voyelle longue ou une diphtongue (comme dans *Maß* ou *draußen*). Le *ss* devient donc de règle après les voyelles brèves accentuées, ce qui fait, notamment, que la conjonction *daß* s'écrit désormais *dass*.

Ces changements ne concernent d'ailleurs pas la Suisse germanophone puisque celle-ci ignore le *ß*.

ANCIENNE GRAPHIE	NOUVELLE GRAPHIE
Fluß – Flüsse	Flu**ss** – Flüsse
müssen – er muß	müssen – er mu**ss**
daß	da**ss**
lassen – er läßt	lassen – er lä**ss**t

Lorsque, du fait d'une composition de mot, trois consonnes coïncident, le triplement de la consonne est maintenu.

ANCIENNE GRAPHIE	NOUVELLE GRAPHIE
Ballettänzer	Balle**tt**tänzer
Schiffahrt	Schi**ff**fahrt

Outre les exemples précités, on trouve un certain nombre de cas particuliers dont la graphie a été modifiée pour introduire une plus grande systématisation.

ANCIENNE GRAPHIE	NOUVELLE GRAPHIE
Känguruh	Känguru**u** (*comme* Kakadu)
rauh	rau**u** (*comme* blau, schlau)
selbständig	selbständig *ou* selb**st**ständig

Jusqu'à présent, deux orthographes se faisaient concurrence pour écrire certains sons issus de mots d'origine étrangère, selon que la graphie étrangère ou la graphie germanisée s'était imposée (concurrence par ex. de *phon* et *fon*, *graph* et *graf* ou *-ee* et *-é/-ée*).

Cette incohérence est à présent en partie supprimée puisque la germanisation de la plupart des mots étrangers intégrés à la langue allemande est autorisée.

Pour plus de facilité, la possibilité de choix entre deux variantes a été introduite. Ainsi, les deux orthographes concurrentes sont considérées comme correctes l'une et l'autre, une distinction étant établie entre une forme principale et une forme secondaire.

Dans les tableaux ci-dessous, la variante principale est suivie d'une étoile : ☆.

Par conséquent, pour se conformer à l'écriture des substantifs en *-anz* et *-enz* dont ils dérivent, les mots de même racine qui s'écrivaient auparavant avec *t* prennent désormais un *z*, cette dernière graphie constituant la variante principale.

ANCIENNE GRAPHIE	NOUVELLE GRAPHIE
essentiell	essen**z**iell ☆ *ou* essentiell (*à cause de* Essenz)
Potential	Poten**z**ial ☆ *ou* Potential (*à cause de* Potenz)

Les modifications introduites concernent aussi des groupes de lettres dont on trouvera les exemples les plus significatifs ci-dessous :

ANCIENNE GRAPHIE : **ph**	NOUVELLE GRAPHIE : **ph** *ou* **f**
Delphin	Delphin ☆ *ou* Del**f**in
graphisch	gra**f**isch ☆ *ou* graphisch
Orthographie	Orthographie ☆ *ou* Orthogra**f**ie

ANCIENNE GRAPHIE : **th**	NOUVELLE GRAPHIE : **th** *ou* **t**
Panther	Panther ☆ *ou* Pan**t**er
Thunfisch	Thunfisch ☆ *ou* **Tu**nfisch

ANCIENNE GRAPHIE : **gh**	NOUVELLE GRAPHIE : **gh** *ou* **g**
Joghurt	Joghurt ☆ *ou* Jo**gu**rt
Spaghetti	Spaghetti ☆ *ou* Spa**g**etti

ANCIENNE GRAPHIE : **é** *et* **ée**	NOUVELLE GRAPHIE : **é/ée** *ou* **ee**
Chicorée	Chicorée ☆ *ou* Schikor**ee**
Dekolleté	Dekollet**ee** ☆ *ou* Dékolleté

ANCIENNE GRAPIIIE : **ch**	NOUVELLE GRAPHIE : **ch** *ou* **sch**
Charme	Charme ☆ *ou* **Sch**arm
Ketchup	Ket**sch**up ☆ *ou* Ketchup

ANCIENNE GRAPHIE : **c**	NOUVELLE GRAPHIE : **c** *ou* **ss**
Facette	Facette ☆ *ou* Fa**ss**ette
Necessaire	Necessaire ☆ *ou* Ne**ss**essär

ANCIENNE GRAPHIE : **ai**	NOUVELLE GRAPHIE : **ai** *ou* **ä**
Mayonnaise	Majon**ä**se ☆ *ou* Mayonnaise
Necessaire	Necessaire ☆ *ou* Nessess**är**

Le mot *Portemonnaie* constitue un cas particulier puisque sa graphie est radicalement modifiée : selon la nouvelle orthographe, sa forme principale est désormais *Portmonee*.

Il convient toutefois de souligner que la germanisation des mots étrangers n'a pas été poussée à son extrême puisque des mots comme *Philosophie*, *Theater*, *Metapher*, etc., conservent leur graphie originale.

2 La majuscule prend le dessus

La règle qui prévaut désormais, et qui va dans le sens d'une simplification, est que tout substantif ou mot substantivé (adjectif, participe, verbe, adjectif numéral, pronom, etc.) qui est précédé d'un article ou d'une préposition + article s'écrit avec une majuscule.

ANCIENNE GRAPHIE	NOUVELLE GRAPHIE
der, die, das letzte	der, die, das **L**etzte
der nächste [, bitte]	der **N**ächste [, bitte]
im großen und ganzen	im **G**roßen und **G**anzen
im allgemeinen	im **A**llgemeinen
es ist das beste	es ist das **B**este
im voraus	im **V**oraus

Il importe cependant de noter que la minuscule est maintenue pour *viel*, *wenig*, *ein*, *ander*, *meist* et toutes leurs formes déclinées (*viele*, *die einen*, *unter anderem*, *die meisten*, etc.).

Désormais, les substantifs en combinaison avec un verbe prennent également une majuscule.

ANCIENNE GRAPHIE	NOUVELLE GRAPHIE
radfahren	**R**ad fahren (*comme* Auto fahren)
haltmachen	**H**alt machen

En combinaison avec *heute*, *(vor)gestern* et *(über)morgen*, les termes désignant les moments de la journée s'écrivent avec une majuscule.

ANCIENNE GRAPHIE	NOUVELLE GRAPHIE
heute mittag	heute **M**ittag
gestern abend	gestern **A**bend

L'association entre un jour de la semaine et un moment de la journée s'écrit désormais en un mot, celui-ci commençant par une majuscule s'il est précédé d'un article ou d'un article + préposition.

ANCIENNE GRAPHIE	NOUVELLE GRAPHIE
am Sonntag abend	am Sonntagabend
Sonntag abends	**s**onntagabends

Angst, Bange, Gram, Leid, Schuld et *Pleite* s'écrivent avec une minuscule lorsqu'ils sont employés avec les verbes *sein, bleiben* et *werden*. Dans les autres cas, la majuscule est de rigueur.

ANCIENNE GRAPHIE	NOUVELLE GRAPHIE
jm angst machen	jm **A**ngst machen
pleite gehen	**P**leite gehen
(et pleite sein)	(*mais :* pleite sein)

En combinaison avec une préposition, les adjectifs désignant des couleurs et des langues prennent une majuscule.

ANCIENNE GRAPHIE	NOUVELLE GRAPHIE
in grau und schwarz	in **G**rau und **S**chwarz
auf deutsch	auf **D**eutsch

Les expressions formées de deux adjectifs non déclinés qualifiant des personnes prennent également une majuscule.

ANCIENNE GRAPHIE	NOUVELLE GRAPHIE
groß und klein	**G**roß und **K**lein
jung und alt	**J**ung und **A**lt

Les pronoms et adjectifs possessifs utilisés pour s'adresser à un ou des familiers dans la correspondance (*du, dein, dir, ihr, euch,* etc.) s'écrivent désormais avec une minuscule. La majuscule à la forme de politesse (*Sie, Ihnen, Ihr*) est cependant maintenue.

ANCIENNE GRAPHIE	NOUVELLE GRAPHIE
Liebe Else, herzlichen	Liebe Else, herzlichen
Dank für Deinen Brief.	Dank für **d**einen Brief.
Wie geht es Dir? ...	Wie geht es **d**ir? ...

3 Les mots composés se décomposent

L'écriture des mots en une ou deux parties n'avait jamais été réglée de façon systématique et une certaine liberté était laissée au rédacteur à cet égard.

Un effort d'unification et de simplification des règles existantes a donc été entrepris, qui aboutit à la généralisation de l'écriture en deux mots.

Si l'écriture en deux mots devient la règle, la graphie soudée reste, quant à elle, liée à des critères de grammaire formelle (impossibilité de mettre la forme concernée au comparatif ou au superlatif et de la faire précéder d'un adverbe de degré de type *sehr*).

Dorénavant, les combinaisons entre un substantif et un verbe du type *Auto fahren* s'écrivent en deux mots et le substantif prend une majuscule.

ANCIENNE GRAPHIE	NOUVELLE GRAPHIE
haltmachen	**H**alt machen
radfahren	**R**ad fahren

Toutefois, les verbes construits avec les particules *heim-*, *irre-*, *preis-*, *stand-*, *statt-*, *teil-*, *wett-*, *wunder-* continuent de s'écrire en un mot.

Jusqu'à présent, les verbes composés de deux verbes, ou d'un adverbe et d'un verbe, s'écrivaient soit en un mot, soit en deux mots selon qu'ils étaient employés au sens figuré ou au sens propre, mais de nombreuses exceptions subsistaient.

Afin de supprimer cette contradiction, il a été décidé que l'écriture en deux mots était désormais de rigueur dans tous les cas.

ANCIENNE GRAPHIE	NOUVELLE GRAPHIE
sitzenbleiben (in der Schule)	sitzen bleiben
sitzen bleiben (auf dem Stuhl)	
kennenlernen	kennen lernen
spazierengehen	spazieren gehen

Sur le même modèle, les verbes construits avec un adverbe composé (comme *aneinander/auseinander/zueinander*) s'écrivent en deux mots.

ANCIENNE GRAPHIE	NOUVELLE GRAPHIE
aneinandergrenzen	aneinander grenzen
auseinandergehen	auseinander gehen

Pour les participes composés, c'est la graphie du verbe à l'infinitif, c'est-à-dire de la forme de base, qui détermine l'écriture en un ou deux mots.

ANCIENNE GRAPHIE	NOUVELLE GRAPHIE
genaugenommen	genau genommen (*à cause de* genau nehmen)
nahestehend	nahe stehend (*à cause de* nahe stehen)

Les associations avec le verbe *sein* ne sont pas considérées comme des mots composés et s'écrivent toujours en deux mots.

ANCIENNE GRAPHIE	NOUVELLE GRAPHIE
dasein	da sein
aufsein	auf sein

Les adjectifs combinés avec *wie*, *so* (*ebenso*, *genauso*) et *zu* s'écrivent à présent en deux mots.

ANCIENNE GRAPHIE	NOUVELLE GRAPHIE
soviel	so viel
wieviel	wie viel
zuviel, allzuviel	zu viel, allzu viel

Par contre, les associations avec l'adjectif indéfini *irgend* adoptent la graphie soudée, ce qui était déjà le cas de *irgendwer* et *irgendwann.*

ANCIENNE GRAPHIE	NOUVELLE GRAPHIE
irgend etwas	irgendetwas
irgend jemand	irgendjemand

4 Un trait d'union pour plus de lisibilité

Une distinction est désormais établie entre un trait d'union obligatoire, qui doit être inséré dans certains mots composés, et un trait d'union facultatif, laissé à la libre appréciation du rédacteur, qui lui permet de mettre en valeur certains éléments de la phrase.

Ainsi, les nombres écrits en chiffres associés à un adjectif ou à un nom doivent être séparés du reste du mot par un trait d'union obligatoire.

ANCIENNE GRAPHIE	NOUVELLE GRAPHIE
17jährig	17-jährig
100prozentig	100-prozentig
3tonner	3-Tonner

Pour ce qui est des anglicismes comprenant des traits d'union, ceux-ci s'écrivent à présent en un seul mot, mais il est possible de maintenir le trait d'union pour plus de clarté.

ANCIENNE GRAPHIE	NOUVELLE GRAPHIE
Jumbo-Jet	Jumbojet *ou* Jumbo-Jet
Science-fiction	Sciencefiction

5 La ponctuation se libéralise

Les règles de ponctuation sont considérablement simplifiées
puisque leur nombre original a été réduit de 52 à 9.

Dorénavant, le rédacteur dispose d'une plus grande marge de
manoeuvre dans l'utilisation de la virgule et peut, en introduisant
ce signe de ponctuation entre tel et tel élément de la phrase, en
faciliter la compréhension ou exprimer son avis.

Ainsi, les propositions principales coordonnées par *und* et *oder*
n'ont plus besoin d'être précédées d'une virgule, mais cette
possibilité demeure quand il s'agit de gagner en clarté.

EX. :   *Hanna liest ein Buch und Robert spielt Flöte.*

*Wir fahren in die Stadt, oder sie kommen übermorgen zu uns auf
das Land.*

Désormais, il n'est plus nécessaire de séparer les groupes
participiaux ou verbaux par des virgules, mais celles-ci peuvent
être maintenues, en particulier lorsqu'il y a lieu de faire ressortir le
découpage de la phrase ou pour éviter les confusions.

EX. :   *Sie hatte geplant ins Kino zu gehen.*

*Sie bot mir **(,)** ohne einen Augenblick zu zögern **(,)** ihre Hilfe an.*

Ich rate, ihm zu helfen.

Ich rate ihm, zu helfen.

Glossaire

Ce glossaire contient environ 300 mots et expressions représentatifs des
changements consécutifs à la réforme de l'orthographe.

Pour certains termes, deux variantes, signalées par « ou », sont
admises. Lorsque la préférence est donnée à l'une d'entre elles
(variante principale), celle-ci est suivie d'une étoile.

ANCIENNE GRAPHIE	NOUVELLE GRAPHIE
A	
abend	Abend
gestern/heute/morgen abend	gestern/heute/morgen **A**bend
acht [Aufmerksamkeit]	Acht
außer acht lassen	außer **A**cht lassen
sich in acht nehmen	sich in **A**cht nehmen
achtgeben	**A**cht geben
ähnlich	ähnlich
und ähnliches	und **Ä**hnliches
alleinstehend	allein stehend

ANCIENNE GRAPHIE		NOUVELLE GRAPHIE
allgemein		allgemein
im allgemeinen		im **A**llgemeinen
allgemeingültig		allgemein gültig
allzusehr		allzu sehr
allzuviel		allzu viel
Alptraum	*ou*	Al**b**traum
alt		Alt
alt und jung [jedermann]		**A**lt und **J**ung
der alte sein		der **A**lte sein
alles ist beim alten geblieben		alles ist beim **A**lten geblieben
Amboß		Ambo**ss**
aneinandergeraten		aneinander geraten
aneinandergrenzen		aneinander grenzen
aneinanderhängen		aneinander hängen
angst		Angst
jm angst machen		jm **A**ngst machen
Anlaß		Anla**ss**
Anschluß		Anschlu**ss**
As		**A**ss
aufeinanderfolgen		aufeinander folgen
aufeinanderprallen		aufeinander prallen
aufeinanderstoßen		aufeinander stoßen
aufsehenerregend		**A**ufsehen erregend
aufsein		auf sein
aufwendig	*ou*	aufw**ä**ndig
Au-pair-Mädchen	*ou*	Aupairmädchen ☆
auseinandergehen		auseinander gehen
auseinanderhalten		auseinander halten
auseinandernehmen		auseinander nehmen
auseinandersetzen		auseinander setzen
äußerst		äußerst
aufs äußerste	*ou*	aufs **Ä**ußerste
außerstande	*ou*	außer **S**tande
zu etw außerstande sein	*ou*	zu etw außer **S**tande sein

B

Ballettänzer		Ballet**tt**änzer *ou* Ballett-**T**änzer
Baß		Ba**ss**
behende		beh**ä**nde
bekanntgeben		bekannt geben
bekanntmachen		bekannt machen
belemmert		bel**ä**mmert
beliebig		beliebig
jeder beliebige		jeder **B**eliebige
besonders		besonders
im besonderen		im **B**esonderen
beste		beste
ich halte es für das beste		ich halte es für das **B**este
zum besten geben		zum **B**esten geben
zum besten halten		zum **B**esten halten
bestehenbleiben		bestehen bleiben
Bettuch		Be**tt**tuch *ou* Bett-**T**uch
bewußt		bewu**ss**t
Biß		Bi**ss**

LA REFORME DE L'ORTHOGRAPHE ALLEMANDE

ANCIENNE GRAPHIE		NOUVELLE GRAPHIE
bißchen		bisschen
blaß		blass
bleibenlassen		bleiben lassen
Boß		Boss
Brennessel		Bren**nn**essel *ou* Bre**nn-N**essel

C
Charme ☆	*ou*	**Scharm**
Chicorée ☆	*ou*	**Schik**oree
Choreographie	*ou*	Choreografie ☆
Countdown	*ou*	Count-down ☆

D
dabeisein		dabei sein
dahinterkommen		dahinter kommen
dasein		da sein
daß		da**ss**
Dekolleté	*ou*	Dekollet**ee** ☆
Delphin ☆	*ou*	Delfin
deutsch		Deutsch
auf deutsch		auf **D**eutsch
diät		Diät
diät leben		**D**iät leben
Dienstag abend		Dienstagabend
Differential	*ou*	Differen**z**ial ☆
Donnerstag abend		Donnerstagabend
dritte		Dritte
jeder dritte		jeder **D**ritte
die dritte Welt		die **D**ritte Welt
dunkel		Dunkel
im dunkeln tappen		im **D**unkeln tappen

E
eigen		eigen
sich etwas zu eigen machen		sich etwas zu **E**igen machen
einbleuen		einbl**äu**en
einfach		einfach
es ist das einfachste		es ist das **E**infachste
einzeln		einzeln
der, die, das einzelne		der, die, das **E**inzelne
im einzelnen		im **E**inzelnen
jeder einzelne		jeder **E**inzelne
einzig		einzig
als einziger		als **E**inziger
kein einziger		kein **E**inziger
Entschluß		Entschlu**ss**
erste		Erste
als erstes		als **E**rstes
fürs erste		fürs **E**rste
der, die, das erste		der, die, das **E**rste
die Erste Hilfe		die **e**rste Hilfe
essen		essen
er ißt		er i**ss**t
essentiell	*ou*	essen**z**iell ☆
Eßlöffel		E**ss**löffel

LA RÉFORME DE L'ORTHOGRAPHE ALLEMANDE

ANCIENNE GRAPHIE		NOUVELLE GRAPHIE
Eßzimmer		E**ss**zimmer
existentiell	*ou*	existen**z**iell ☆
Existentialismus	*ou*	Existen**z**ialismus ☆

F

Facette ☆	*ou*	Fa**ss**ette
Faß		Fa**ss**
fernliegen		fern liegen
fertigstellen		fertig stellen
Fluß		Flu**ss**
folgend		folgend
folgendes gilt		**F**olgendes gilt
Frage		
in Frage stellen	*ou*	infrage stellen
Freitag abend		Freitagabend

G

ganz		ganz
im ganzen		im **G**anzen
im großen und ganzen		im **G**roßen und **G**anzen
gefangennehmen		gefangen nehmen
geheim		geheim
im geheimen		im **G**eheimen
geheimhalten		geheim halten
gehenlassen		gehen lassen
Gemse		G**ä**mse
genaugenommen		genau genommen
Genuß		Genu**ss**
Geographie ☆	*ou*	Geografie
gering		gering
nicht das geringste		nicht das **G**eringste
nicht im geringsten		nicht im **G**eringsten
geringschätzen		gering schätzen
gewährleisten	*ou*	**G**ewähr leisten
gewiß		gewi**ss**
gleich		gleich
das gleiche		das **G**leiche
gleichlautend		gleich lautend
Graphik	*ou*	Grafik ☆
graphisch	*ou*	grafisch ☆
gräßlich		grä**ss**lich
graumeliert		grau meliert
greulich		gr**äu**lich
groß		groß
groß und klein		**G**roß und **K**lein
im großen und ganzen		im **G**roßen und **G**anzen
groß schreiben [mit Großbuchstaben]		großschreiben
Guß		Gu**ss**
gutgelaunt		gut gelaunt
gutgemeint		gut gemeint
guttun		gut tun

H

halboffen		halb offen

LA REFORME DE L'ORTHOGRAPHE ALLEMANDE

ANCIENNE GRAPHIE		NOUVELLE GRAPHIE
haltmachen		**H**alt machen
hängenbleiben		hängen bleiben
hängenlassen		hängen lassen
hartgekocht		hart gekocht
Ha**ß**		Ha**ss**
hä**ß**lich		hä**ss**lich
hellicht		he**lll**icht
hierbleiben		hier bleiben
hierzulande	*ou*	hier zu **L**ande
Hilfe		
mit Hilfe von	*ou*	mithilfe von

I - J

Imbi**ß**		Imbi**ss**
imstande	*ou*	im **S**tande
zu etw imstande sein	*ou*	zu etw im **S**tande sein
instand	*ou*	in **S**tand
instand halten	*ou*	in **S**tand halten
instand setzen	*ou*	in **S**tand setzen
irgend etwas		irgendetwas
irgend jemand		irgendjemand
Joghurt ☆	*ou*	Jo**gu**rt

K

Känguruh		Känguru**u**
Karamel		Karame**ll**
kennenlernen		kennen lernen
ke**ß**		ke**ss**
Ketchup	*ou*	Ket**s**chup ☆
klar		klar
sich über etw im klaren sein		sich über etw im **K**laren sein
klein schreiben [mit Kleinbuchstaben]		kleinschreiben
Kompa**ß**		Kompa**ss**
Kompromi**ß**		Kompromi**ss**
Kongre**ß**		Kongre**ss**
kopfstehen		**K**opf stehen
krank melden		krankmelden
kurz		kurz
den kürzeren ziehen		den **K**ürzeren ziehen
Ku**ß**		Ku**ss**

L

lahmlegen		lahm legen
lassen		lassen
er lä**ß**t		er lä**ss**t
Last		
zu Lasten von	*ou*	zulasten von
laufend		laufend
auf dem laufenden sein		auf dem **L**aufenden sein
leerstehend		leer stehend
leid		Leid
jm leid tun		jm **L**eid tun
letzte		Letzte
der, die, das letzte		der, die, das **L**etzte
bis ins letzte		bis ins **L**etzte

ANCIENNE GRAPHIE		NOUVELLE GRAPHIE
liebhaben		lieb haben
liegenbleiben		liegen bleiben
liegenlassen		liegen lassen

M

mal/Mal		Mal
zum erstenmal		zum ersten Mal
ou zum ersten Mal		
zum letztenmal		zum letzten Mal
ou zum letzten Mal		
Mayonnaise	*ou*	Majonäse ☆
Megaphon ☆	*ou*	Megafon
Mikrophon	*ou*	Mikrofon ☆
mindeste		mindeste
nicht im mindesten		nicht im Mindesten
das ist das mindeste		das ist das Mindeste
mißachten		missachten
Mißerfolg		Misserfolg
mißglückcn		missglücken
mißlingen		misslingen
mißmutig		missmutig
mißtrauisch		misstrauisch
Mißverständnis		Missverständnis
mittag		Mittag
gestern/heute/morgen mittag		gestern/heute/morgen Mittag
Mittwoch abend		Mittwochabend
möglich		möglich
alles mögliche		alles Mögliche
Montag abend		Montagabend
morgen		Morgen
gestern/heute morgen		gestern/heute Morgen
müssen		müssen
du mußt		du musst
er muß		er muss

N

nachhinein		nachhinein
im nachhinein		im Nachhinein
nächste		Nächste
der, die, das nächste		der, die, das Nächste
der nächste, bittc!		der Nächste, bitte!
nacht		Nacht
gestern/heute/morgen nacht		gestern/heute/morgen Nacht
nahegehen		nahe gehen
naheliegen		nahe liegen
nahestehen		nahe stehen
naß		nass
neu		Neue
aufs neue		aufs Neue
nichtssagend		nichts sagend
numerieren		nummerieren
Nuß		Nuss

O - P

offenbleiben		offen bleiben

ANCIENNE GRAPHIE		NOUVELLE GRAPHIE
offenlassen		offen lassen
oft		oft
des öfteren		des Öfteren
Orthographie ☆	ou	Orthografie
Panther ☆	ou	Panter
Paragraph ☆	ou	Paragraf
Paß		Pass
plazieren		platzieren
pleite		Pleite
pleite gehen		Pleite gehen
Portemonnaie	ou	Portmonee ☆
Potential	ou	Potenzial ☆
potentiell	ou	potenziell ☆
Prozeß		Prozess
Punkt		Punkt
punkt ou Punkt 11 Uhr		Punkt 11 Uhr

Q - R

radfahren		Rad fahren
Rand		
zu Rande kommen	ou	zurande kommen
Rat		
zu Rate ziehen	ou	zurate ziehen
rauh		rau
Rauhreif		Raureif
recht		Recht
recht haben		Recht haben
jm recht geben		jm Recht geben
rein		rein
ins reine schreiben		ins Reine schreiben
ins reine bringen		ins Reine bringen
richtig		richtig
das ist genau das richtige		das ist genau das Richtige
richtigstellen		richtig stellen
Riß		Riss
Rolladen		Rollladen

S

Samstag abend		Samstagabend
saubermachen		sauber machen
Saxophon ☆	ou	Saxofon
schiefgehen		schief gehen
schiefliegen		schief liegen
Schiffahrt		Schifffahrt ou Schiff-Fahrt
schlimm		schlimm
das schlimmste		das Schlimmste
auf das schlimmste	ou	auf das Schlimmste
gefaßt sein		gefasst sein
Schloß		Schloss
Schluß		Schluss
schneuzen		schnäuzen
schuld		Schuld
schuld geben		Schuld geben
schuld haben		Schuld haben

LA REFORME DE L'ORTHOGRAPHE ALLEMANDE

ANCIENNE GRAPHIE		NOUVELLE GRAPHIE
Schuß		Schuss
schwarz		schwarz
das Schwarze Brett		das schwarze Brett
der Schwarze Peter		der schwarze Peter
schwerbehindert		schwer behindert
schwerfallen		schwer fallen
schwernehmen		schwer nehmen
selbständig	ou	selbstständig
sitzenbleiben [in der Schule]		sitzen bleiben
Sonntag abend		Sonntagabend
sonstwo		sonst wo
soviel *adj*		so viel
soweit *adv*		so weit
sowenig		so wenig
Spaghetti ☆	ou	Spagetti
spazierengehen		spazieren gehen
Sprößling		Sprössling
steckenbleiben		stecken bleiben
stehenbleiben		stehen bleiben
Stengel		Stängel
Stenographie	ou	Stenografie ☆
Stewardeß		Stewardess
stillegen		stilllegen
strenggenommen		streng genommen
substantiell	ou	substanziell ☆

T - U

Thunfisch ☆	ou	Tunfisch
tiefschürfend		tief schürfend
Tip		Tipp
Tolpatsch		Tollpatsch
trocken		trocken
auf dem trockenen sitzen		auf dem Trockenen sitzen
typographisch	ou	typografisch ☆
übelnehmen		übel nehmen
übereinanderschlagen		übereinander schlagen
überhandnehmen		überhand nehmen
überschwenglich		überschwänglich
übrig		übrig
im übrigen		im Übrigen
alles übrige		alles Übrige
übrigbleiben		übrig bleiben
unermeßlich		unermesslich
unklar		unklar
jn im unklaren lassen		jn im Unklaren lassen

V

Verdruß	Verdruss
vergessen	vergessen
er vergißt	er vergisst
vergeßlich	vergesslich
Vergißmeinnicht	Vergissmeinnicht
Verlaß	Verlass

ANCIENNE GRAPHIE		NOUVELLE GRAPHIE
verlorengehen		verloren gehen
vertrauenerweckend		**V**ertrauen erweckend
voll		voll
aus dem vollen schöpfen		aus dem **V**ollen schöpfen
voraus		voraus
im voraus		im **V**oraus
vorliebnehmen		vorlieb nehmen
vorwärtsgehen		vorwärts gehen
vorwärtskommen		vorwärts kommen

W

Waggon ☆	*ou*	Wa**g**on
wasserabstoßend		**W**asser abstoßend
weichgekocht		weich gekocht
weiter		weiter
des weiteren		des **W**eiteren
weitgehend		weit gehend
weitverbreitet		weit verbreitet
wesentlich		wesentlich
im wesentlichen		im **W**esentlichen
wieviel		wie viel
wißbegierig		wi**ss**begierig
wissen		wissen
ihr wißt		ihr wi**ss**t
ihr wußtet		ihr wu**ss**tet

X - Y - Z

zufriedengeben		zufrieden geben
zufriedenstellen		zufrieden stellen
zugrunde	*ou*	zu **G**runde
zugrunde gehen	*ou*	zu **G**runde gehen
zugrunde liegen	*ou*	zu **G**runde liegen
zugunsten	*ou*	zu **G**unsten
zugunsten von	*ou*	zu **G**unsten von
zuleide	*ou*	zu **L**eide
jm etwas zuleide tun		jm etwas zu **L**eide tun
zuschanden	*ou*	zu **S**chanden
zuschanden machen	*ou*	zu **S**chanden machen
zuschulden	*ou*	zu **S**chulden
sich etw zuschulden	*ou*	sich etw zu **S**chulden
kommen lassen		kommen lassen
Zuschuß		Zuschu**ss**
zustande	*ou*	zu **S**tande
zustande kommen	*ou*	zu **S**tande kommen
zustande bringen	*ou*	zu **S**tande bringen
zutage	*ou*	zu **T**age
zutage kommen	*ou*	zu **T**age kommen
zutage treten	*ou*	zu **T**age treten
zuviel		zu viel
zuwege	*ou*	zu **W**ege
zuwege bringen	*ou*	zu **W**ege bringen
zuwenig		zu wenig